Poche VISUEL

Internet et le Web

2e édition

ÉDITIONS FRANCE LOISIRS maranGraphics™

Internet et le Web Poche Visuel 2e édition

Publié par
Hungry Minds, Inc.
909 Third Avenue
New York, NY 10022
www.hungryminds.com

Édition française publiée en accord avec Hungry Minds par :

Édition du Club France Loisirs, Paris
avec l'autorisation des Éditions First Interactive

Éditions France Loisirs,
123, boulevard de Grenelle, Paris
www.franceloisirs.com

ISBN : 2-7441-7288-X
N° éditeur : 41311
Dépôt légal : septembre 2004
N° commande : 01/49645

Chaque ouvrage maranGraphics est le fruit de l'extraordinaire travail d'équipe d'une famille unique en son genre : la famille Maran, à Toronto, au Canada.

Chez maranGraphics, nous réalisons de grands et beaux livres d'informatique, en les concevant avec soin, l'un après l'autre.

Les principes de communication que nous avons développés depuis vingt-cinq ans sont à la base de chaque livre maranGraphics : les reproductions d'écran, les textes et les illustrations sont là pour vous faciliter l'assimilation des nouveaux concepts et des tâches à accomplir.

Nos dessins épousent chaque étape du texte pour illustrer visuellement les informations qui y sont contenues. Chacun est un véritable travail d'amour, la réalisation de certains dessins représentant près d'une semaine de travail !

Nous recherchons longuement le meilleur moyen d'exécuter chaque tâche, afin de vous faire gagner du temps. Ensuite, nos captures d'écran ainsi que les instructions qui les accompagnent étape par étape vous donnent toutes les indications utiles, du début jusqu'à la fin.

Nous vous remercions de votre confiance, persuadés que vous avez fait le meilleur choix en achetant nos livres. Enfin, nous espérons que vous aurez autant de plaisir à utiliser nos livres que nous en avons pris à les créer !

La famille maranGraphics

Auteur
maranGraphics

Mise en page
Catherine Kédémos

Adaptation française et suivi éditorial
Julien Templier

TABLE DES MATIÈRES

1 PRÉSENTATION DE L'INTERNET

Introduction à l'Internet 2
Historique de l'Internet 4
Utilisations de l'Internet 8
Transfert des informations 12
Coût de l'Internet 14
Matériel et logiciel 16

SE CONNECTER

2 MATÉRIEL NÉCESSAIRE

L'ordinateur type 18
À l'intérieur de l'ordinateur 20
Souris 22
Moniteur et carte vidéo 24
Résolution du moniteur 26
Modems 28
Vitesse des modems 32
Connexions à haut débit 34

3 FOURNISSEURS D'ACCÈS INTERNET

Choisir un fournisseur d'accès Internet 38
Fournisseurs d'accès Internet gratuits 44

4 ETABLIR ET CONFIGURER LA CONNEXION

Utiliser l'Assistant Nouvelle connexion 46
Se connecter à un fournisseur d'accès 50
Consulter le temps de connexion 54
Se déconnecter 56

LE WORLD WIDE WEB : PREMIERS PAS

5 PRÉSENTATION DU WEB

Introduction au Web 58
Navigateurs 62
Microsoft Internet Explorer.......64
Netscape Navigator 66

6 NAVIGUER SUR LE WEB

Lancer le navigateur 68
Saisir une adresse 70
Accéder à une page déjà consultée 72
Accéder à une page par un lien74
Interrompre le téléchargement d'une page Web.....................76
Se déplacer d'une page Web à l'autre 78
Actualiser une page Web.........80
Afficher et changer la page de démarrage..............................82
Ajouter une page Web aux favoris 86
Afficher une page Web favorite88
Utiliser l'historique des pages déjà consultées......................90
Messages d'erreur 94

7 RECHERCHER SUR LE WEB

Introduction à la recherche 98
Rôle des moteurs de recherche.............................100
Rechercher à l'aide du navigateur 102
Yahoo! 106
Voila 108
Google 110
Programmes de recherche 112

TABLE DES MATIÈRES

8
TÉLÉCHARGER DU CONTENU

Télécharger depuis une page Web....................................114
Télécharger des programmes118

LES BONNES SURPRISES DU WEB

9
PROFITER DU MULTIMÉDIA

Introduction au multimédia.....122
Séquences audio 124
Séquences vidéo 126
Streaming................................128
Plug-in de navigateur.............130

10
ACHETER EN LIGNE

Acheter sur le Web 132
Procédures d'achat.................138

11
JOUER EN RÉSEAU

Introduction aux jeux multijoueurs...........................140
Équipement nécessaire 142
Jeux célèbres..........................144

12
ECHANGER DES FICHIERS

Logiciels d'échange de fichiers 146
Conseils pour l'échange de fichiers 148

13
SÉCURITÉ ET PROTECTION DU PUBLIC

Sécurité sur le Web................150
Restreindre les accès pour les enfants 154

14 SITES WEB À DÉCOUVRIR

Outils de recherche 156
Affaires et finances 158
Loisirs 160
Informatique 162
Actualités et presse 164
Voyages 166
Imagerie et infographie 168
Musique 170
Achats 172
Vie pratique 174

LE COURRIER ÉLECTRONIQUE

15 PRÉSENTATION DU COURRIER ÉLECTRONIQUE

Introduction au courrier électronique 176
Adresses électroniques 178
Parties d'un message 182

16 ÉCHANGER DU COURRIER ÉLECTRONIQUE

Lire les messages 184
Composer et envoyer un message 188
Répondre à un message 192
Mettre en forme un message 196
Transférer un message 204
Joindre un fichier à un message 206
Ouvrir un fichier joint 210
Ajouter un nom au carnet d'adresses 212

TABLE DES MATIÈRES

17 SE PROTÉGER DES VIRUS ET D'AUTRES MENACES

Présentation des virus 216
Antivirus 220
Autres menaces 222

GROUPES DE DISCUSSION ET CONVERSATIONS

18 LISTES DE DIFFUSION

Introduction aux listes de diffusion 224
Types de listes de diffusion 226
Restrictions 228
S'abonner à une liste de diffusion 230

19 GROUPES DE DISCUSSION

Introduction aux groupes de discussion 232
Identifier les groupes de discussion 234
Lecteurs de news 236
Serveurs de news 238
S'abonner à un groupe de discussion 240
Savoir utiliser les messages 242
L'étiquette des groupes de discussion 244

20 FORUMS

Présentation des forums 246

21 CONVERSATIONS

Types de conversations 250
Utilité des conversations 252
Internet Relay Chat 254
Converser sur le Web 258
Messagerie instantanée 260

22 WINDOWS MESSENGER

Démarrer Windows Messenger 262
Ajouter un contact 266
Échanger des messages 270
Envoyer un fichier 274
Recevoir un fichier 278

FTP

23 PRÉSENTATION DU FTP

Introduction au FTP 282
Stockage des fichiers 284
Logiciels FTP 286

RÉSEAUX ET INTRANETS

24 PRÉSENTATION DES RÉSEAUX

Introduction aux réseaux 288
Réseau poste à poste 290
Réseau client-serveur 292
Introduction au réseau domestique 294
Matériel pour un réseau domestique 296
Installer un réseau domestique 298

25 INTRANETS

Introduction aux intranets 310
Sites Web intranet 314
Logiciels intranet 318
Suites intranet 320
Intranet et sécurité 322

TABLE DES MATIÈRES

CRÉER DES PAGES WEB EN HTML

26 PRÉSENTATION DE LA CRÉATION DE PAGES WEB

Etapes de création d'une page Web 326
Organisation des pages Web 330
Introduction à HTML 332
Utiliser les balises HTML 334
Consulter le code HTML d'une page Web 336
Programmes de création de pages Web 338

27 DÉFINIR UNE PAGE WEB

Enregistrer la page Web 342
Balises indispensables 346
Afficher une page Web dans un navigateur 350

28 METTRE LE TEXTE EN FORME

Commencer un nouveau paragraphe 354
Commencer une nouvelle ligne 356
Ajouter un titre 358
Mettre un texte en gras, en italique, le barrer ou le souligner 362
Changer la police 364

29 AJOUTER DE LA COULEUR

Changer la couleur d'un texte 368
Changer la couleur d'arrière-plan 372

30 INSÉRER DES IMAGES

Considérations diverses.........374
Ajouter une image..................376
Centrer une image 378
Appliquer une bordure 380
Prévoir un texte de remplacement 382
Aligner une image sur un texte 384
Habiller une image avec un texte 386
Ménager plus d'espace autour d'une image 388
Ajouter une image en arrière-plan 390

31 CRÉER DES LIENS HYPERTEXTES

Créer un lien vers une autre page Web.............................392
Créer un lien au sein d'une page Web.............................394
Créer un lien vers une image 398
Créer un lien vers une messagerie électronique......402

32 CRÉER UN TABLEAU

Créer un tableau 404

33 PUBLIER UNE PAGE WEB

Introduction aux hébergeurs ..408
Transférer ses pages vers un serveur Web 410

GLOSSAIRE

Glossaire 422

INTRODUCTION À L'INTERNET

L'Internet est le plus grand réseau d'ordinateurs au monde.

L'Internet est parfois appelé le Réseau, le « Net », l'autoroute de l'information ou encore le « cyberespace ».

Aujourd'hui, plus de 350 millions de personnes sont connectées à l'Internet.

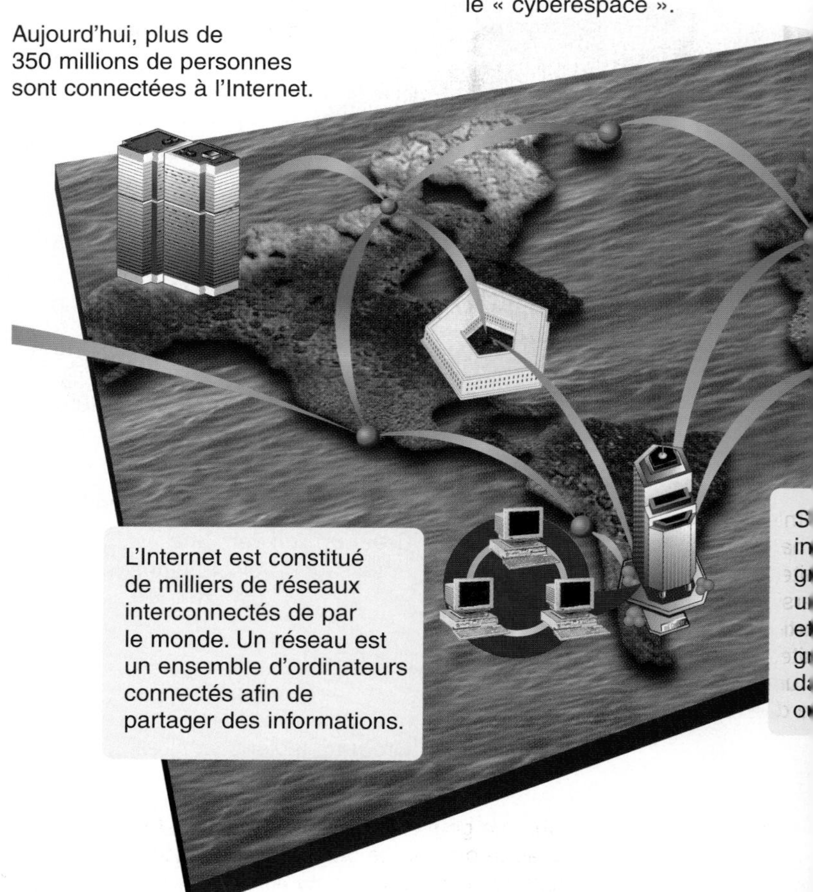

L'Internet est constitué de milliers de réseaux interconnectés de par le monde. Un réseau est un ensemble d'ordinateurs connectés afin de partager des informations.

L'Internet fut créé à la fin des années soixante par le ministère américain de la Défense. Ce réseau se développa rapidement, et des scientifiques, des chercheurs de l'ensemble des États-Unis purent y accéder. Aujourd'hui, il relie également des écoles, des entreprises, des bibliothèques et les particuliers du monde entier.

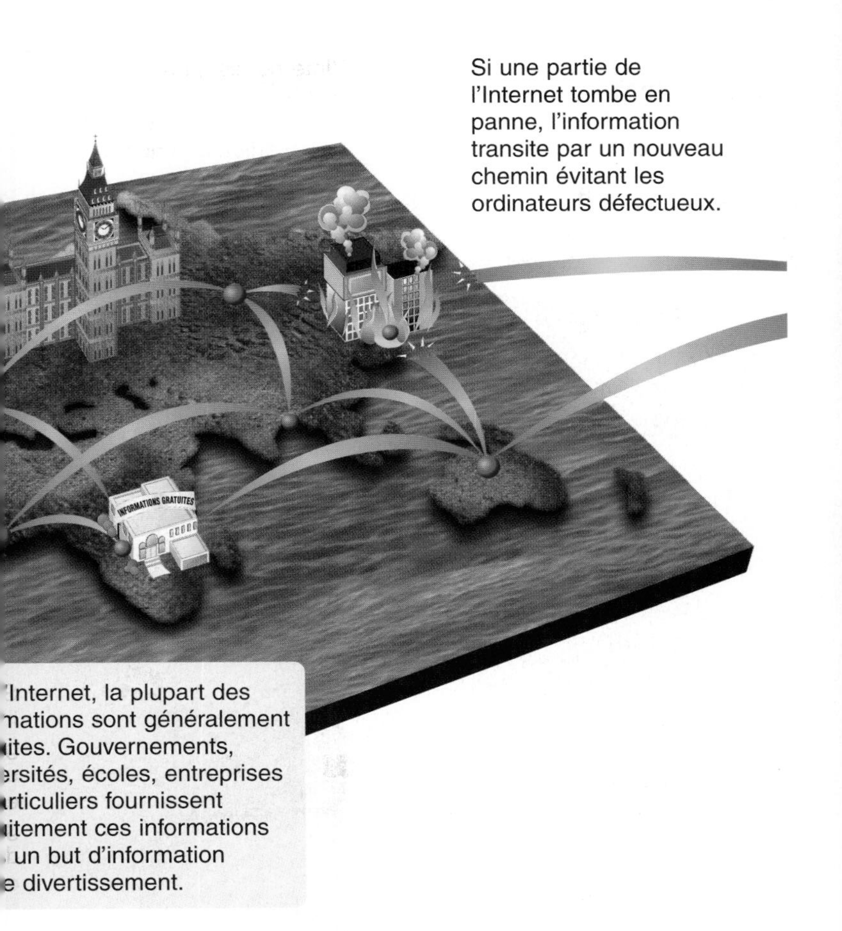

Si une partie de l'Internet tombe en panne, l'information transite par un nouveau chemin évitant les ordinateurs défectueux.

'Internet, la plupart des
mations sont généralement
ites. Gouvernements,
ersités, écoles, entreprises
rticuliers fournissent
itement ces informations
un but d'information
e divertissement.

Chaque gouvernement, chaque société, chaque organisme relié à l'Internet est responsable de la maintenance de son propre réseau. Quand vous transférez des informations sur l'Internet, ces organisations les laissent transiter gratuitement sur leurs réseaux.
Cela vous épargne de payer des appels téléphoniques longue distance.

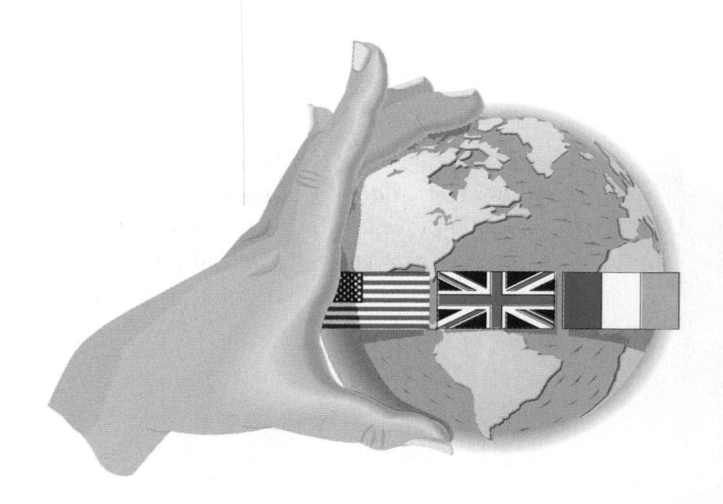

ARPANET

À la fin des années 1960, le ministère de la Défense des États-Unis a créé un réseau pour interconnecter les ordinateurs militaires. Ce réseau nommé ARPANET fut conçu de façon que, si une section du réseau tombait en panne, les autres ordinateurs soient en mesure de communiquer entre eux.

L'Internet est né de la mise en commun des idées et des talents d'un grand nombre de personnes. Des organismes et des individus ont travaillé ensemble pendant un certain nombre d'années pour que l'Internet soit la valeur sûre qu'il est devenu aujourd'hui.

NSFNET

La National Science Foundation créa au milieu des années 1980 le réseau NSFNET, qui reprenait la technologie mise en œuvre pour ARPANET, pour permettre aux écoles et universités de se connecter entre elles. Quand, en 1987, MSFNET ne fut plus en mesure de supporter la masse d'informations à transférer, la National Science Foundation transforma le réseau pour améliorer ses capacités. C'est ce nouveau réseau qui devint l'Internet.

ACCÈS PUBLIC

Dans les années 1980, la plupart des personnes qui accédaient à l'Internet étaient des scientifiques et des chercheurs. Au début des années 1990, beaucoup de sociétés commencèrent à permettre aux particuliers d'accéder à l'Internet : tous ceux qui possédaient un ordinateur et un modem purent alors se connecter.

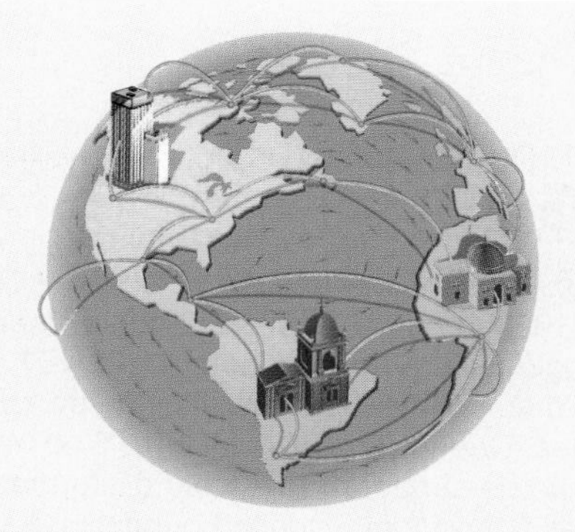

SITES COMMERCIAUX

En 2000, quelque 400 millions de personnes avaient accès à l'Internet. Pour atteindre ce marché énorme, les grosses sociétés ont créé leur propre site sur le Web afin de fournir des informations sur leurs produits ou les vendre. On trouve maintenant des milliers de sociétés présentes sur le Web.

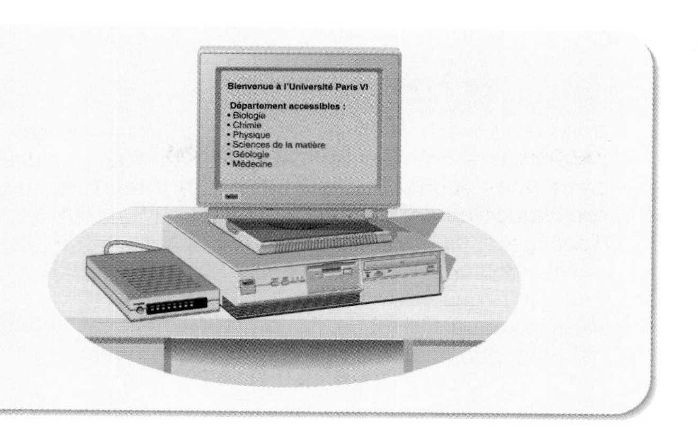

LE WORLD WIDE WEB

Le World Wide Web fut créé au début des années 1990 par le CERN *(Centre Européen de Recherche Nucléaire)*, pour permettre aux chercheurs de travailler en commun et d'accéder facilement aux informations disponibles. Le premier site accessible au public date de 1991.

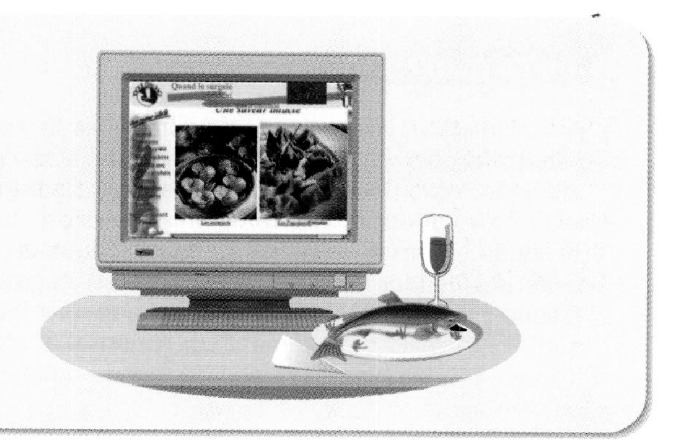

COURRIER ÉLECTRONIQUE

La fonction la plus utilisée sur l'Internet est l'échange de courrier électronique *(e-mail)*. Avec des personnes du monde entier, des amis, des collègues, des membres de votre famille, des clients, voire même des personnes que vous rencontrez sur l'Internet, vous pouvez échanger du courrier électronique. Ce mode de communication est rapide, simple, peu coûteux, et il économise le papier.

DIVERTISSEMENT

Avec l'Internet, vous accédez à différentes formes de divertissement : émissions de radio, clips vidéo et musique. Vous pouvez y trouver des extraits de films récents, regarder en direct des interviews de vos vedettes préférées et écouter des morceaux de musique avant même leur mise en vente dans les magasins de disques. Des milliers de programmes de jeux interactifs sont disponibles gratuitement sur l'Internet et vous pouvez y jouer avec des gens du monde entier.

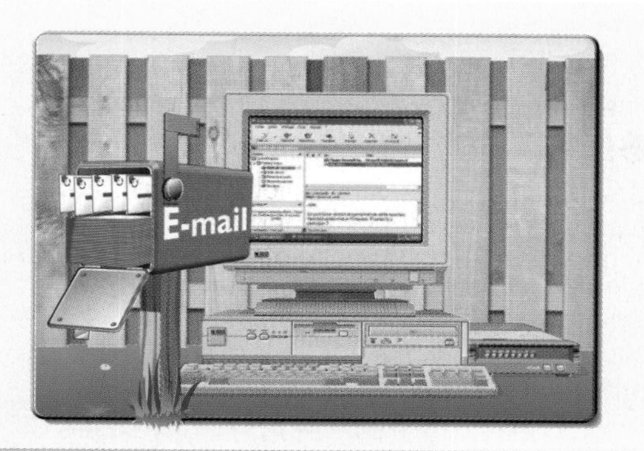

INFORMATIONS

L'Internet vous donne accès à des informations concernant toutes sortes de sujets imaginables. Vous pouvez consulter entre autres : des journaux, des magazines, des documents universitaires ou gouvernementaux, des dictionnaires, des retranscriptions d'émissions de télévision, des discours célèbres, des recettes, des offres d'emploi, des horaires d'avion…

GROUPES DE DISCUSSION

Sur l'Internet, vous pouvez rejoindre des groupes de discussion pour rencontrer des personnes avec qui vous partagez des centres d'intérêt. Vous posez des questions, discutez de problèmes et lisez des histoires passionnantes.

Il existe des milliers de groupes de discussion sur des sujets tels que l'environnement, l'alimentation, l'humour, la musique, les animaux domestiques, la photographie, la politique, la religion, le sport, la télévision.

PROGRAMMES

Des milliers de programmes sont disponibles sur l'Internet. On y trouve, entre autres, des traitements de texte, des programmes de dessin et des jeux. Vous pouvez aussi télécharger des versions d'essai de logiciels appelés shareware. Si le programme vous intéresse et que vous vouliez continuer à l'utiliser après la période d'essai, vous devez alors payer l'auteur de ce programme.

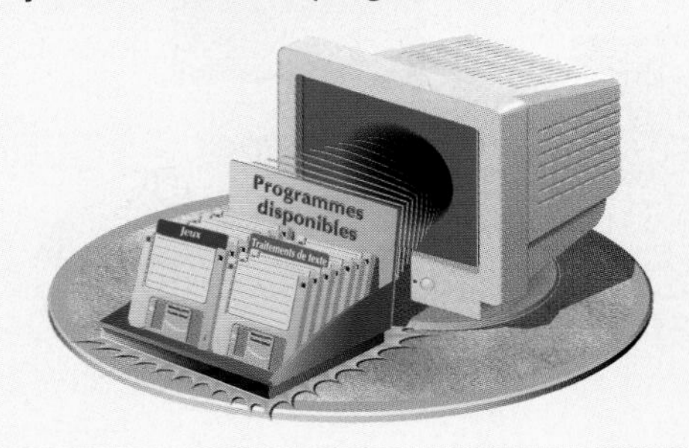

CONVERSATION EN LIGNE

La conversation en ligne, également appelée *chat* ou messagerie instantanée, permet d'échanger des messages écrits avec une ou plusieurs personnes connectées à l'Internet. Les messages que vous envoyez apparaissent immédiatement sur l'écran de vos interlocuteurs.

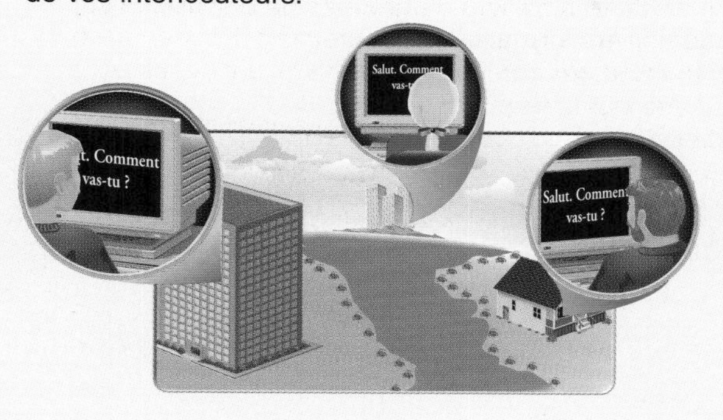

ACHETER EN LIGNE

Sans quitter votre bureau, vous avez la possibilité de commander des produits et des services sur l'Internet. Vous trouverez des articles tels que des livres, des programmes informatiques, des fleurs, des CD audio, des aliments, des voitures d'occasion.

Télécharger des informations

L'opération consistant à réceptionner sur votre ordinateur des informations provenant de l'Internet s'appelle « download » en anglais, ou voie descendante.

L'émission d'informations vers un autre ordinateur sur l'Internet est désignée par le terme anglais « upload », ou voie montante.

Paquets

Lorsque vous envoyez des informations sur l'Internet, elles sont divisées en petites parties, appelées paquets. Chaque paquet voyage indépendamment sur l'Internet et peut prendre un chemin différent pour arriver à l'endroit voulu.

Lorsque les informations arrivent à destination, les paquets sont rassemblés.

TCP/IP

Sur L'Internet, les ordinateurs utilisent le protocole TCP/IP *(Transmission Control Protocol/ Internet Protocol)* pour communiquer entre eux. TCP/IP divise les informations envoyées en paquets et les envoie sur L'Internet. Lorsque les informations arrivent à destination, TCP/IP s'assure que tous les paquets sont en bon état.

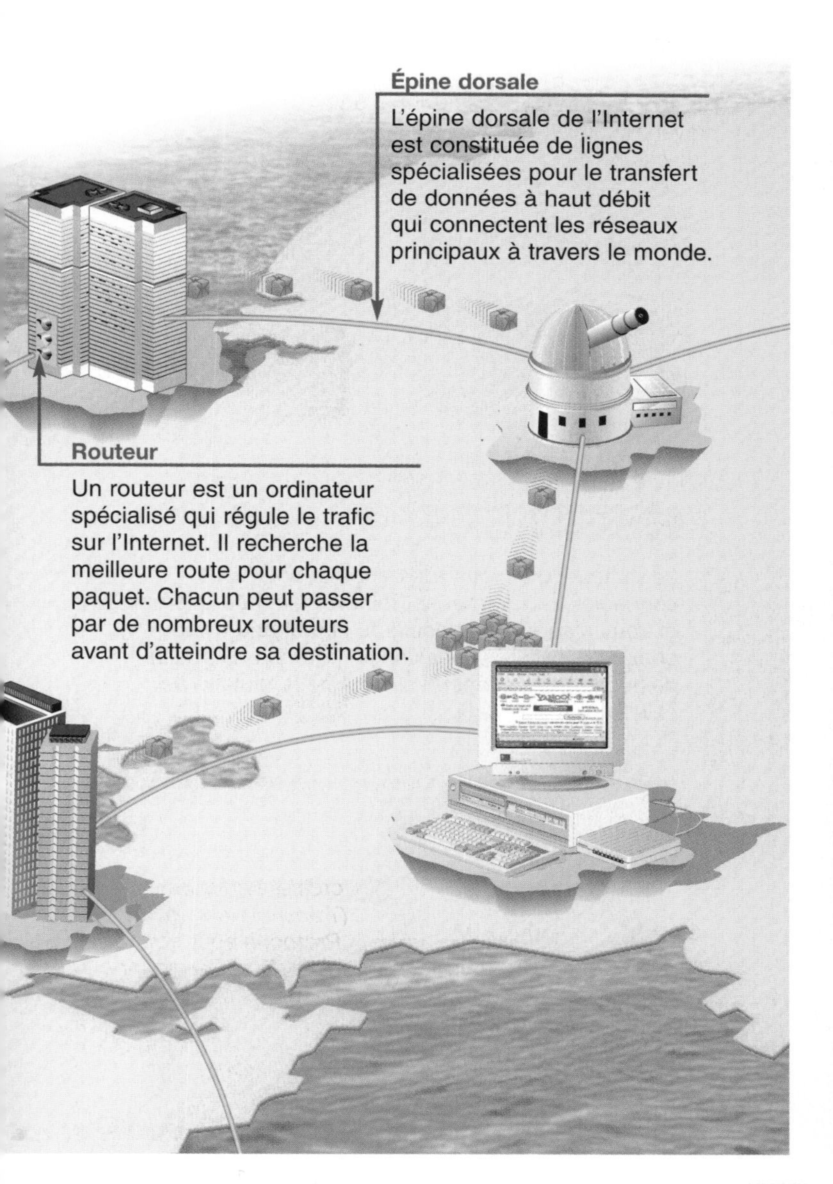
Épine dorsale
L'épine dorsale de l'Internet est constituée de lignes spécialisées pour le transfert de données à haut débit qui connectent les réseaux principaux à travers le monde.
Routeur
Un routeur est un ordinateur spécialisé qui régule le trafic sur l'Internet. Il recherche la meilleure route pour chaque paquet. Chacun peut passer par de nombreux routeurs avant d'atteindre sa destination.

COÛT DU MATÉRIEL

Le matériel que vous allez acheter pour vous connecter à l'Internet est relativement peu onéreux et vous n'aurez pas besoin de le mettre à niveau pour améliorer la connexion à l'Internet. La qualité de la connexion dépend surtout de la rapidité de celle-ci, qui a un prix.

Plutôt que d'hésiter à vous connecter à l'Internet par peur de grosses dépenses supplémentaires, essayez d'évaluer vos besoins exacts. Et n'oubliez pas que certaines opérations effectuées avec l'Internet vous feront plus gagner d'argent et de temps qu'en perdre (accès gratuits aux dépêches d'actualités, réservations de billets de trains, *etc.*).

COÛT DE LA CONNEXION

Le plus gros des dépenses liées à l'Internet dépend du temps de connexion. Évaluez avec précision les besoins auxquels l'Internet est censé répondre. Si vous vous contentez d'échanger du courrier électronique et de consulter un site Web de temps en temps, vous ne dépenserez pas trop d'argent. En revanche, si vous comptez naviguer plus d'une heure par jour, effectuer des achats en ligne, des téléchargements importants, cela vous coûtera plus cher. Il existe une grande variété de forfaits et d'abonnements adaptés à ces différents cas de figure.

ORDINATEUR

Vous pouvez utiliser n'importe quel type d'ordinateur, tel qu'un compatible IBM ou un Macintosh, pour vous connecter à l'Internet.

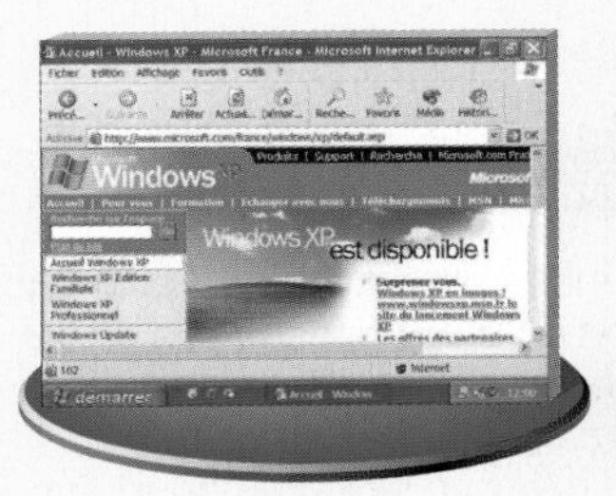

MODEM OU CONNEXION À HAUT DÉBIT

Un modem, ou une connexion à haut débit, est nécessaire pour vous connecter à l'Internet. Pour de plus amples informations sur ces deux types de connexion, consultez les pages 34 à 47.

PROGRAMMES

La plupart des ordinateurs sont fournis avec des logiciels qui vous aident à configurer votre connexion à l'Internet. Par exemple, les ordinateurs équipés du système d'exploitation Windows XP incluent l'Assistant de connexion Internet.

Vous avez également besoin d'un navigateur Web pour accéder aux informations sur l'Internet. Ce logiciel de navigation est généralement installé sur tous les ordinateurs récents.

Un ordinateur est constitué de différentes parties.

Boîtier

C'est dans le boîtier que se trouvent les principaux composants de l'ordinateur.

Écran (ou moniteur)

Un écran est un périphérique qui affiche les images et le texte générés par l'ordinateur.

Haut-parleurs

Les haut-parleurs diffusent les sons générés par l'ordinateur.

Modem

Il s'agit d'un périphérique qui permet à l'ordinateur de communiquer avec d'autres ordinateurs par l'intermédiaire du réseau téléphonique. Il existe des modems internes à l'ordinateur, ou bien externes.

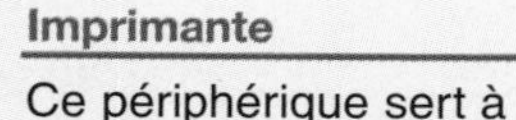

Imprimante

Ce périphérique sert à imprimer sur papier des documents créés sur l'ordinateur.

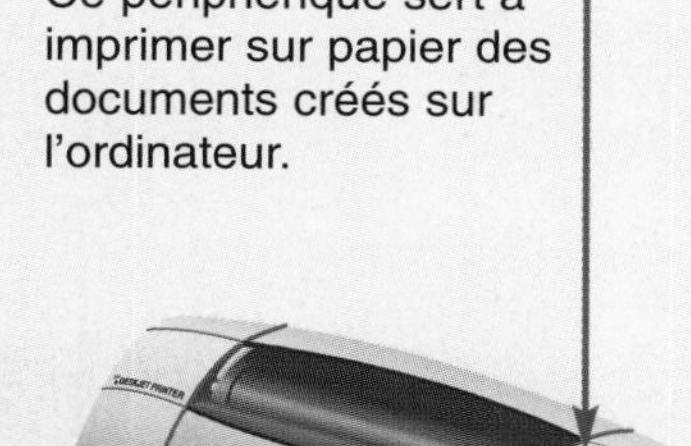

Clavier

C'est un périphérique qui sert à entrer des informations dans l'ordinateur et à lui donner des instructions.

Souris

Une souris est un périphérique que vous manipulez pour sélectionner et déplacer des éléments (comme des icônes, des fichiers, des données) affichés à l'écran.

À L'INTÉRIEUR DE L'ORDINATEUR

Tous les ordinateurs contiennent les mêmes éléments principaux.

Bloc alimentation

Ce dispositif sert à convertir le courant du réseau électrique en courant continu, nécessaire au fonctionnement de l'ordinateur.

Disque dur

C'est le périphérique principal de stockage des informations dont se sert l'ordinateur.

Ports

Un port est un connecteur dans lequel vous pouvez brancher un périphérique externe, comme une imprimante.

Cartes d'extension

Ces cartes ont pour but d'ajouter des capacités à l'ordinateur ou d'en modifier les caractéristiques. Par exemple, installer une carte son permet de jouer et d'enregistrer de la musique.

Connecteurs d'extension

Situés sur la carte mère, ces connecteurs sont utilisés pour brancher les cartes d'extension.

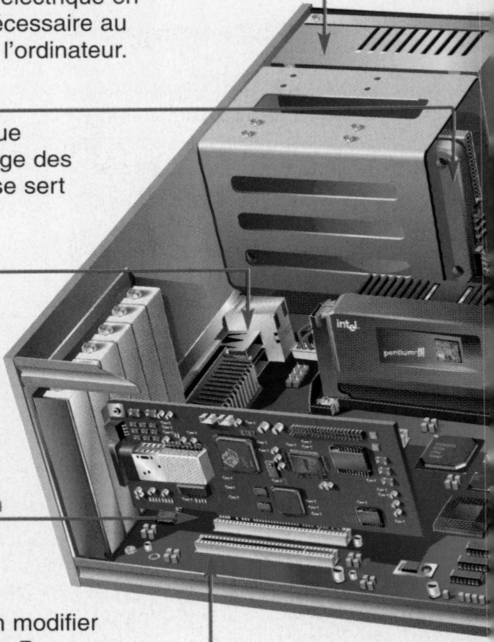

Carte mère

Il s'agit de la carte électronique principale de l'ordinateur. Tous les composants électroniques se connectent sur cette carte.

Lecteur CD-ROM ou DVD-ROM

Grâce à cet appareil, on peut lire les disques compacts (CD-ROM) et les DVD-ROM *(Digital Versatile Disc)*.

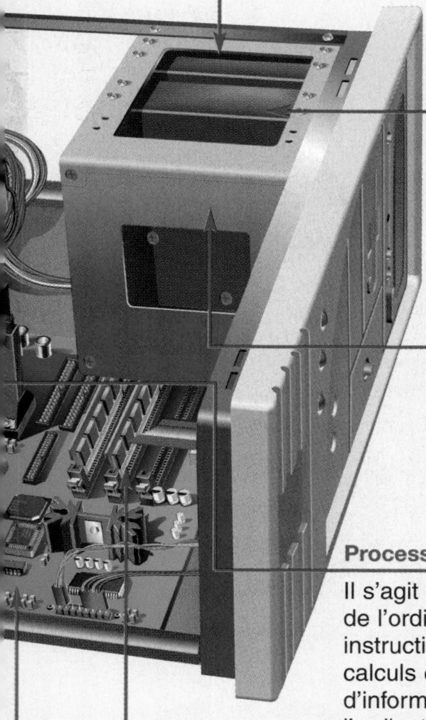

Lecteur de disquettes

Ce périphérique sert à enregistrer et lire des données sur des disquettes.

Emplacement pour lecteurs

Cet espace est réservé aux lecteurs de disquettes, disques durs supplémentaires, lecteurs de CD-ROM ou de DVD.

Processeur

Il s'agit du composant principal de l'ordinateur. Il exécute les instructions, effectue les calculs et gère les flux d'informations qui passent par l'ordinateur.

RAM

La RAM (ou mémoire vive) sert à stocker temporairement les informations utilisées par l'ordinateur lorsque celui-ci est en marche. Ces informations disparaissent lorsque vous l'éteignez.

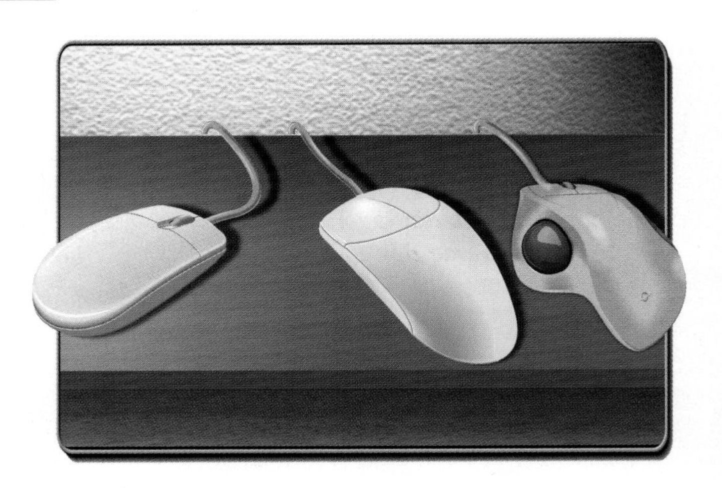

FONCTIONS DE LA SOURIS

Cliquer

Pour sélectionner un objet à l'écran, placez le pointeur sur cet élément, appuyez sur le bouton gauche et relâchez-le.

Cliquer avec le bouton droit

Le bouton droit a pour fonction, le plus souvent, d'afficher une liste de commandes à l'écran. Pour cela, appuyez une fois sur le bouton droit et relâchez-le.

Une souris est un périphérique de pointage que vous manipulez pour sélectionner et déplacer des éléments à l'écran, comme des icônes ou des fichiers.

Il existe des souris de différentes tailles, couleurs et formes.

Double-cliquer

On utilise le double clic pour ouvrir un document ou pour lancer un programme. Pour double-cliquer, il faut rapidement appuyer deux fois de suite sur le bouton et le relâcher.

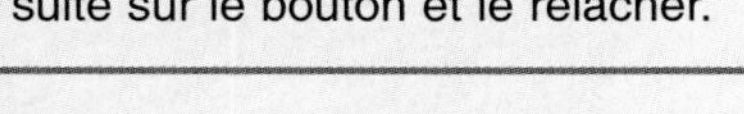

Glisser-Déposer

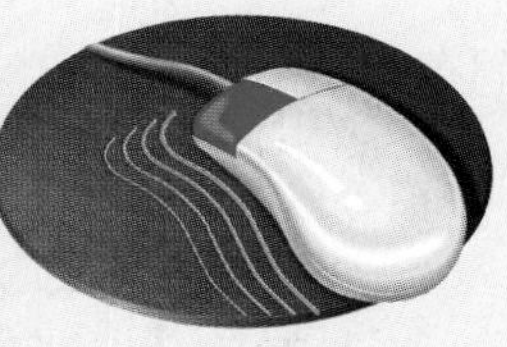

Cette action permet de déplacer facilement des objets à l'écran. Positionnez le pointeur sur l'objet à déplacer, appuyez sur le bouton gauche et maintenez-le enfoncé. Faites glisser ensuite la souris en gardant toujours le doigt sur le bouton. Une fois que vous avez déplacé l'objet à l'endroit souhaité, relâchez le bouton de la souris.

MONITEUR ET CARTE VIDÉO

Le moniteur et la carte vidéo travaillent ensemble pour afficher textes et images sur l'écran.

Moniteur

Un moniteur affiche les images et le texte générés par la carte vidéo.

Il faut un câble pour relier la carte vidéo et le moniteur.

Carte vidéo

C'est une carte électronique qui se branche dans un connecteur d'extension à l'intérieur de l'ordinateur. Elle transforme les instructions de l'ordinateur en dessins que le moniteur peut afficher.

Écran

Il s'agit de la surface d'affichage du moniteur.

La carte vidéo est aussi appelée adaptateur graphique, ou carte graphique.

Certains types d'ordinateurs n'utilisent aucune carte vidéo, parce que les capacités vidéo sont intégrées directement dans la carte mère du système.

RÉSOLUTION DU MONITEUR

La résolution définit la quantité de données que le moniteur peut afficher.

La résolution définit la quantité de données que le moniteur peut afficher.

La résolution est mesurée en nombre de points horizontaux et verticaux, appelés pixels. Un pixel (*picture element,* ou plus simplement point) est le plus petit élément affichable par un moniteur.

La plupart des moniteurs détectent la résolution de votre carte vidéo et adoptent automatiquement les paramètres qui conviennent.

Vous pouvez aussi modifier la résolution du moniteur selon vos besoins. Toutefois, vous ne pouvez la modifier que si la carte vidéo accepte la même résolution.

CHOISIR LA RÉSOLUTION

Il est souvent nécessaire de modifier la résolution pour mieux visualiser certains sites Web.

Les hautes résolutions permettent d'afficher un plus grand nombre d'images de petite taille sur un seul écran.

1,600 x 1,280

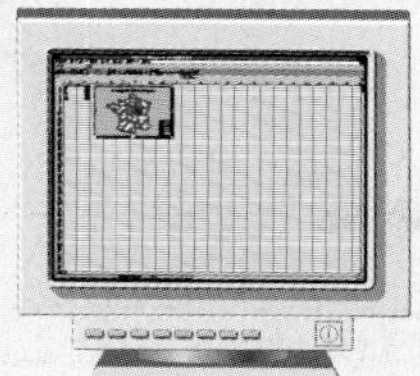

1,280 x 1,024

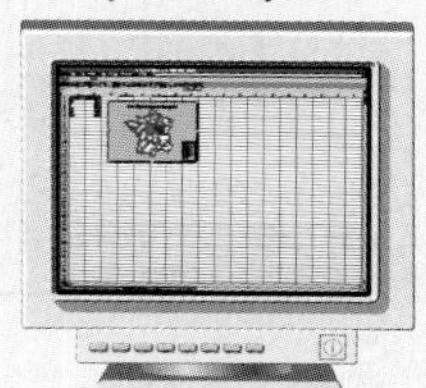

1,024 x 768

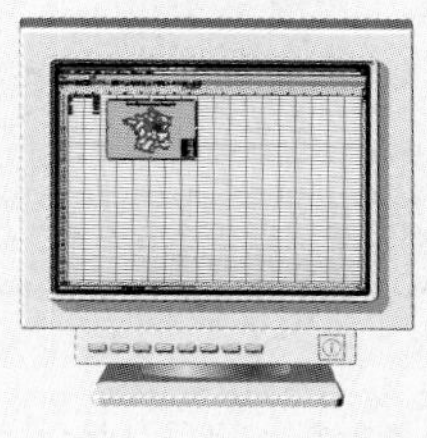

800 x 600

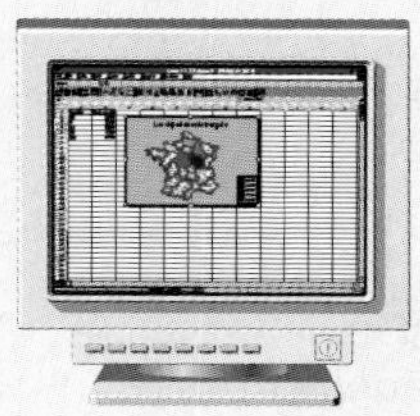

Les basses résolutions affichent des images de grande taille sur toute la surface de l'écran, pour que vous puissiez distinguer plus de détails.

640 x 480

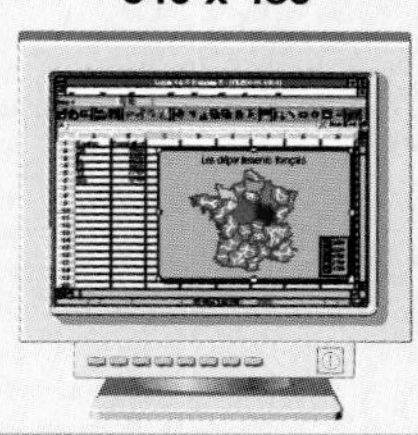

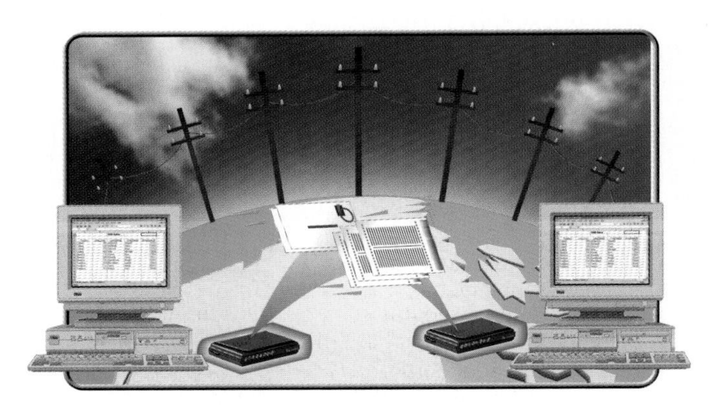

LIGNE TÉLÉPHONIQUE

Il n'est pas nécessaire d'avoir une ligne spéciale pour utiliser un modem – qu'il est possible de brancher sur votre ligne habituelle. Si vous utilisez la même ligne pour le téléphone et pour le modem, il vaut mieux désactiver le signal d'appel pendant que vous utilisez le modem, car cela risque de déconnecter ce dernier.

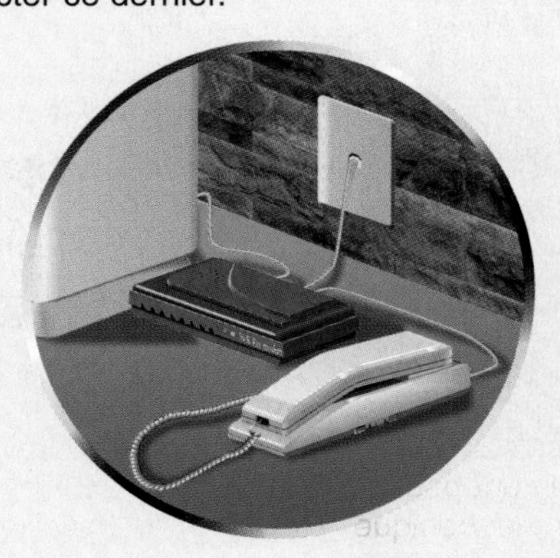

Un modem permet à un ordinateur d'échanger des informations par l'intermédiaire d'une ligne téléphonique.

Le modem transforme les informations provenant d'un ordinateur en signaux qui peuvent passer par une ligne de téléphone. Le modem traduit les informations reçues en un format compréhensible par l'ordinateur.

SE CONNECTER À L'INTERNET

Un modem permet de se connecter à l'Internet. Vous pouvez ainsi accéder à un très grand nombre d'informations et rencontrer des personnes ayant les mêmes centres d'intérêt que vous.

Chez vous ou en voyage, un modem vous est nécessaire pour consulter des informations enregistrées sur le réseau de votre lieu de travail. Il est également possible d'envoyer ou de recevoir du courrier électronique *(e-mail)*, et de travailler sur des fichiers professionnels partagés.

ENVOYER ET RECEVOIR DES FAX

La plupart des modems permettent de recevoir et d'envoyer des fax. Grâce à un modem-fax, il est possible de rédiger un document sur son ordinateur, et de l'envoyer ensuite par fax à un autre ordinateur ou à un fax.

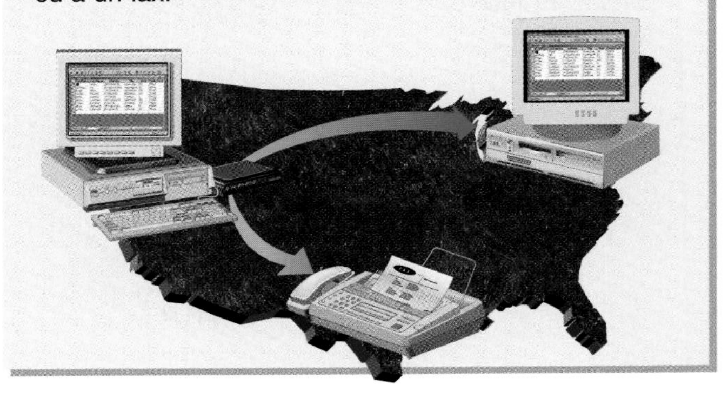

TYPES DE MODEM

Modem interne

Un modem interne est une carte électronique qui se branche dans un port d'extension à l'intérieur d'un ordinateur. Ce type de modem est en général moins cher que les modems externes, mais il est plus difficile à configurer.

CAPACITÉS VOCALES

Certains modems haut de gamme offrent des capacités vocales permettant d'envoyer et de recevoir des appels téléphoniques. Le modem se transforme ainsi en téléphone « mains libres ». Vous pouvez même utiliser ce type de modem comme répondeur enregistreur pour vos messages téléphoniques.

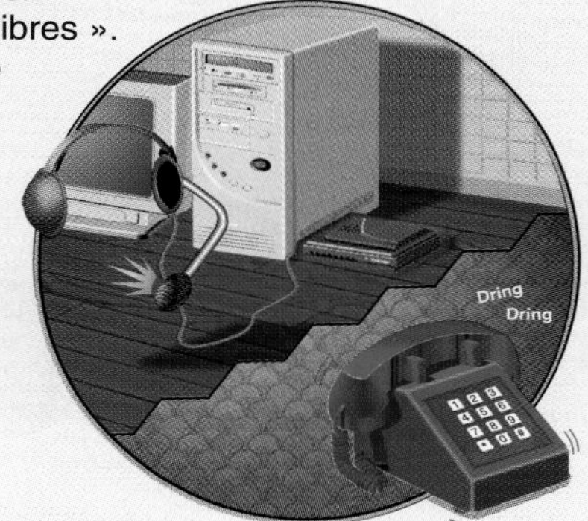

Modem externe

Un modem externe est un boîtier qui se connecte à l'arrière de l'ordinateur. Ce type de modem occupe de la place sur un bureau mais peut être débranché et utilisé sur un autre ordinateur.

Qualité de la ligne

La vitesse de transmission des informations dépend de la qualité de la ligne téléphonique. Par exemple, un modem de 56 000 bps ne pourra pas atteindre cette vitesse si la ligne est de mauvaise qualité.

La vitesse d'un modem est celle à laquelle il peut recevoir et envoyer des informations par la ligne téléphonique.

Cette vitesse se mesure en bits par seconde (bps). Comme les modems rapides transfèrent les informations plus vite, il est recommandé d'acheter le modem le plus rapide possible. Cela vous fera gagner du temps et réduira votre facture téléphonique. Une vitesse d'au moins 56 000 bps est recommandée.

On mesure aussi la vitesse d'un modem en kilobits par seconde (Kbps). Par exemple, une vitesse de 56 000 bps équivaut à 56 Kbps.

Standards de modem

Ces standards permettent à des modems conçus par différents fabricants de communiquer entre eux. Le standard actuel des modems 56 Kbps est appelé V.90, mais il existe un nouveau standard V.92. La norme V.90 permet de recevoir des informations à 56 Kbps mais ne peut en envoyer qu'à la vitesse de 33,6 Kbps.

LIBÉRER LA LIGNE DE TÉLÉPHONE

À la différence des modems V.90, une connexion à haut débit ne mobilise pas votre ligne téléphonique pendant que vous surfez sur l'Internet. Vous pouvez donc téléphoner ou vous servir de votre fax tout en restant connecté à l'Internet.

ACCÈS RAPIDE

Une connexion à haut débit vous donne un accès rapide aux informations qui vous intéressent sur l'Internet. Par exemple, vous pouvez télécharger plus rapidement des vidéos et du son sur votre ordinateur et regarder des émissions de Web TV en direct avec un plus grand confort visuel.

Vous pouvez utiliser plusieurs types de connexions à haut débit pour vous connecter à l'Internet.

Les connexions à haut débit sont parfois appelées connexions à haute bande passante.

CONNEXION PERMANENTE

Avec une connexion à haut débit, vous pouvez rester connecté à l'Internet 24 heures sur 24. Vous n'êtes plus obligé de recomposer le numéro de téléphone de votre fournisseur de services Internet à chaque fois que vous voulez naviguer sur l'Internet. C'est particulièrement utile quand vous voulez suivre en direct l'évolution d'informations changeantes, comme les cours de la bourse, par exemple.

Réseau RNIS

France Télécom, et bientôt d'autres opérateurs de téléphonie, propose un abonnement pour une ligne de téléphone spécialisée, appelée RNIS *(Réseau numérique à intégration de services).* Cette ligne RNIS permet de transférer des informations à des vitesses allant de 56 à 128 Kbps.

ADSL

Une ligne ADSL *(Asymetric Digital Subscriber Line)* est une ligne de téléphone numérique à haut débit à laquelle vous pouvez vous abonner dans la plupart des grandes villes. Sur cette ligne spécialisée, les informations sont transférées à des vitesses variant entre 1 000 et 6 000 Kbps.

Modem câble

Un modem câble utilise le même câble que votre téléviseur, si vous êtes abonné à un opérateur de réseau câblé. Avec un modem câble, vous pouvez transférer des informations sur l'Internet à une vitesse d'environ 4 000 Kbps.

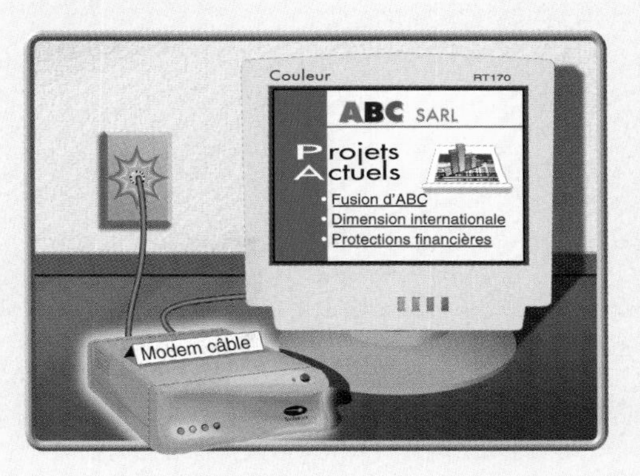

Technologies de pointe

Plusieurs entreprises spécialisées explorent d'autres solutions technologiques pour transférer davantage d'informations sur l'Internet à de plus grandes vitesses. Certaines de ces technologies de pointe utilisent des satellites et les lignes d'électricité classiques pour se connecter à l'Internet et transférer des informations.

CHOISIR UN FOURNISSEUR D'ACCÈS INTERNET

SUPPORT TECHNIQUE

Vous rencontrerez peut-être des problèmes en essayant de vous connecter au serveur de votre fournisseur d'accès Internet. Choisissez de préférence un FAI qui met à votre disposition un service de support technique pour répondre à vos questions. Renseignez-vous directement auprès des différents fournisseurs d'accès Internet pour savoir si leur support technique est également accessible le soir et les week-ends, en plus des heures ouvrables.

Un fournisseur d'accès Internet (FAI) est une société auprès de laquelle vous prenez un abonnement pour accéder à l'Internet. Le choix judicieux d'un FAI dépend de plusieurs critères.

Parmi les principaux FAI français, citons Wanadoo, Club Internet, World-Net et Free.

NUMÉROS DE TÉLÉPHONE DE CONNEXION

La plupart des FAI fournissent un numéro de téléphone au tarif local pour la connexion de leurs abonnés à l'Internet. Certains d'entre eux mettent à votre disposition un numéro d'appel gratuit. Vous évitez ainsi de payer des tarifs longue distance, même quand vous êtes en déplacement professionnel ou en vacances.

CHOISIR UN FOURNISSEUR D'ACCÈS INTERNET

COÛT

De nombreux fournisseurs d'accès offrent un abonnement forfaitaire avec un nombre d'heures de connexion limité par mois ou par jour. Si vous le dépassez, vous supportez un coût pour les heures supplémentaires.

Certains fournisseurs proposent des abonnements avec des accès illimités. Assurez-vous qu'il n'existe pas de charges ou de restrictions cachées.

PÉRIODE D'ESSAI

La plupart des fournisseurs d'accès Internet proposent d'essayer gratuitement leurs services pendant une durée de temps limitée. Cette période d'essai vous permet d'évaluer la qualité technique de la connexion Internet avant de souscrire un abonnement.

TARIFS PROMOTIONNELS

Renseignez-vous pour savoir si le fournisseur d'accès Internet qui vous intéresse propose des tarifs d'abonnement promotionnels. Certains d'entre eux offrent des rabais si vous effectuez des paiements mensuels automatiques, si vous utilisez votre carte de crédit ou si vous payez d'avance une année complète au lieu d'un mois à la fois.

CHOISIR UN FOURNISSEUR D'ACCÈS INTERNET

LOGICIELS

La plupart des FAI fournissent gratuitement les logiciels qui permettent d'accéder aux informations disponibles sur l'Internet. Il s'agit généralement d'un navigateur Web et d'un programme de courrier électronique *(e-mail)*. Ils devraient également fournir des instructions détaillées pour installer et utiliser ces logiciels.

PUBLICATION DE PAGES WEB

Vous pouvez créer des pages Web pour réaliser des objectifs professionnels ou pour échanger des informations avec des internautes dans le monde entier. Un grand nombre de fournisseurs d'accès Internet offrent d'héberger gratuitement sur leur serveur la publication de vos pages Web. Certains d'entre eux mettent également à votre disposition des logiciels spécialisés pour vous aider à créer vos pages Web.

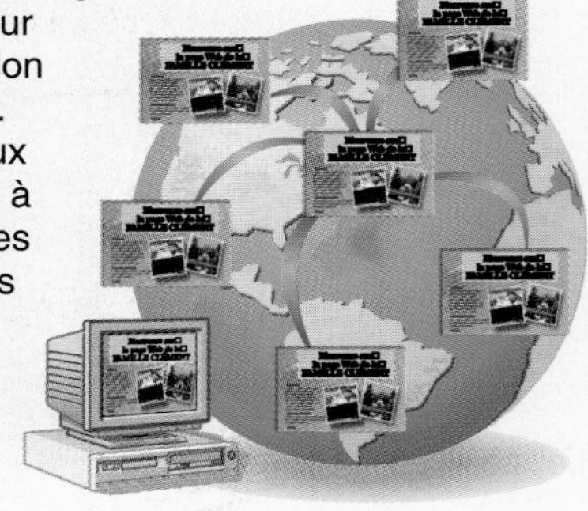

ADRESSES MULTIPLES

La majorité des FAI permettent de créer plusieurs adresses de courrier électronique pour un seul abonnement. De cette façon, vous pouvez attribuer une adresse électronique personnalisée à chaque membre de votre famille.

PROTECTION DE LA FAMILLE

Des FAI offrent un service qui interdit l'accès aux sites Web contenant des informations offensantes ou illégales. Si vous ne voulez pas que ce type d'informations soit accessible aux membres de votre famille, assurez-vous que votre FAI a la capacité technique de bloquer l'accès à ces sites.

FOURNISSEURS D'ACCÈS INTERNET GRATUITS

ABONNEMENT GRATUIT

Lorsque vous souscrivez un abonnement auprès d'un fournisseur d'accès Internet gratuit, vous ne payez que le temps de connexion effectif, au tarif des communications locales ou Internet. Vous continuez donc de payer votre connexion à l'Internet, mais pas l'abonnement au FAI. Ce genre de solution est donc utile surtout pour les utilisateurs occasionnels de l'Internet.

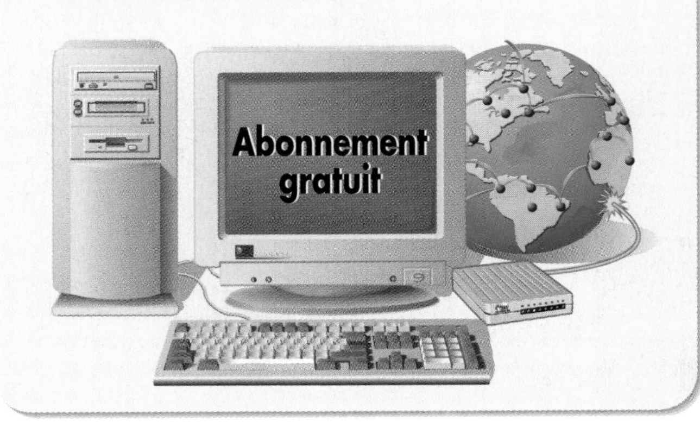

Depuis quelques années, des sociétés fournissent un accès gratuit à l'Internet, qui inclut les mêmes services (aide en ligne, adresse de courrier électronique, etc.) que leurs concurrents payants.

Les FAI gratuits les plus courants sont Free (www.free.fr), LibertySurf (www.libertysurf.fr) et FreeSurf (www.freesurf.fr).

FORFAITS ADAPTÉS

Les fournisseurs d'accès Internet gratuits proposent également des forfaits payants à prix coûtant, pour un temps de connexion mensuels précis, comme la plupart des concurrents payants.

UTILISER L'ASSISTANT NOUVELLE CONNEXION

UTILISER L'ASSISTANT NOUVELLE CONNEXION

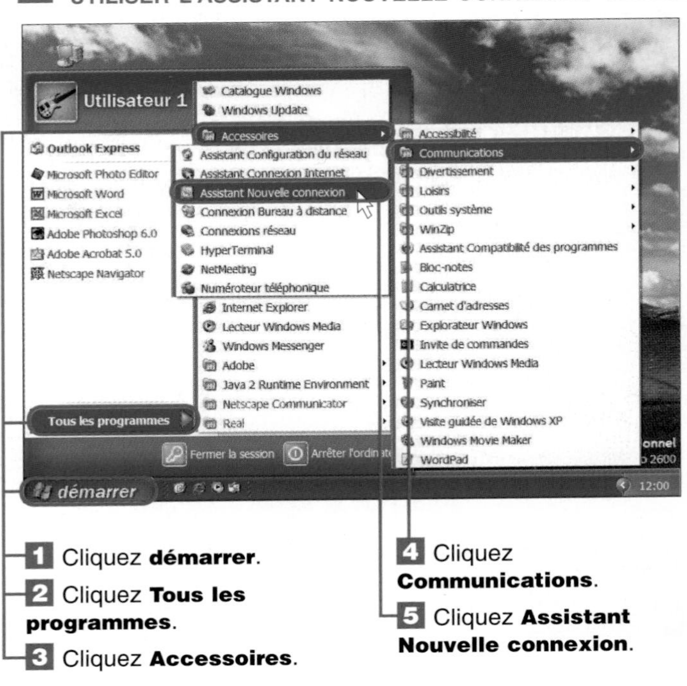

1 Cliquez **démarrer**.

2 Cliquez **Tous les programmes**.

3 Cliquez **Accessoires**.

4 Cliquez **Communications**.

5 Cliquez **Assistant Nouvelle connexion**.

Les ordinateurs vendus avec Windows XP contiennent l'Assistant Nouvelle connexion, qui permet de vous connecter à l'Internet.

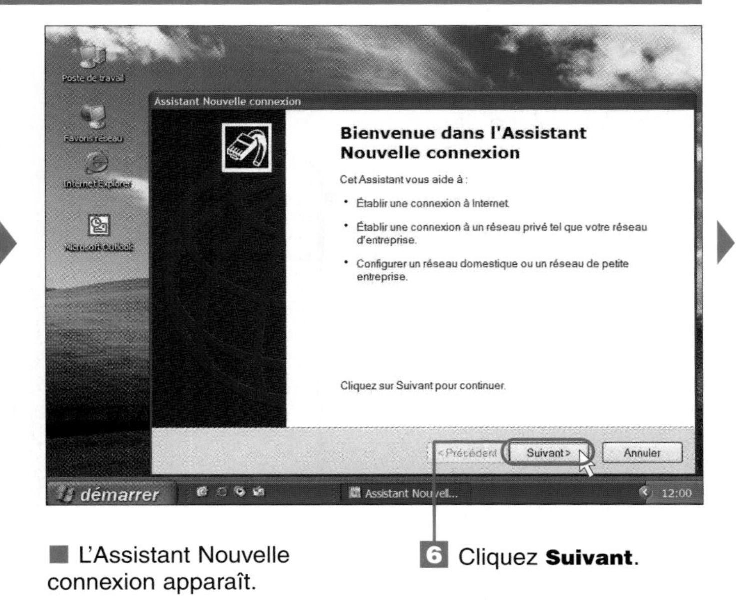

■ L'Assistant Nouvelle connexion apparaît.

6 Cliquez **Suivant**.

UTILISER L'ASSISTANT NOUVELLE CONNEXION

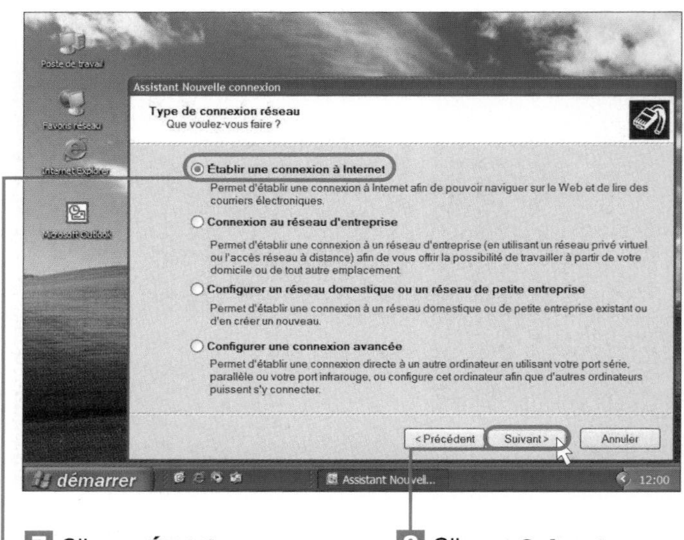

7 Cliquez **Établir une connexion à Internet**.

8 Cliquez **Suivant**.

Munissez-vous des informations fournies par votre FAI pour renseigner les champs de l'Assistant Nouvelle connexion.

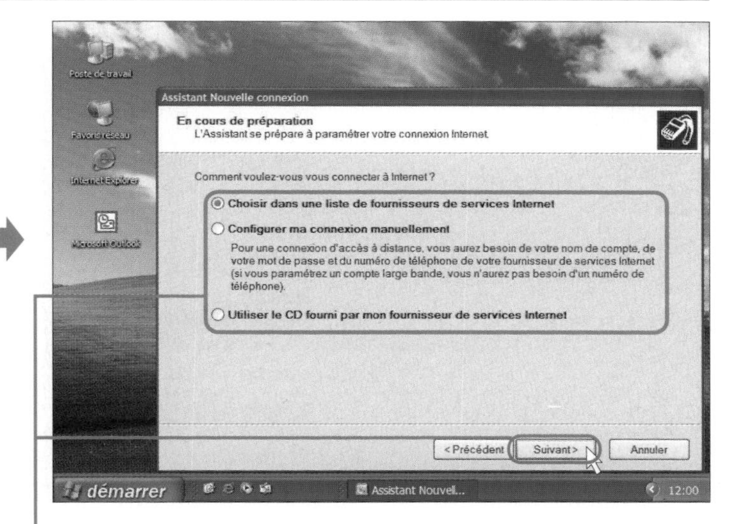

9 Cliquez l'une des trois options proposées selon que vous avez déjà souscrit un abonnement auprès d'un FAI ou non, et selon que vous possédez ou non un CD-ROM de connexion.

10 Cliquez **Suivant**.

■ Il ne vous reste plus qu'à renseigner les différents champs des écrans suivants, jusqu'à parvenir au dernier écran de l'Assistant Nouvelle connexion.

SE CONNECTER À UN FOURNISSEUR D'ACCÈS

SE CONNECTER À UN FOURNISSEUR D'ACCÈS

1 Cliquez **démarrer**.

2 Cliquez **Connexions**.

3 Cliquez le compte d'accès au FAI que vous avez précédemment configuré.

Vous devez entrer votre nom et votre mot de passe afin de vous connecter à l'Internet.

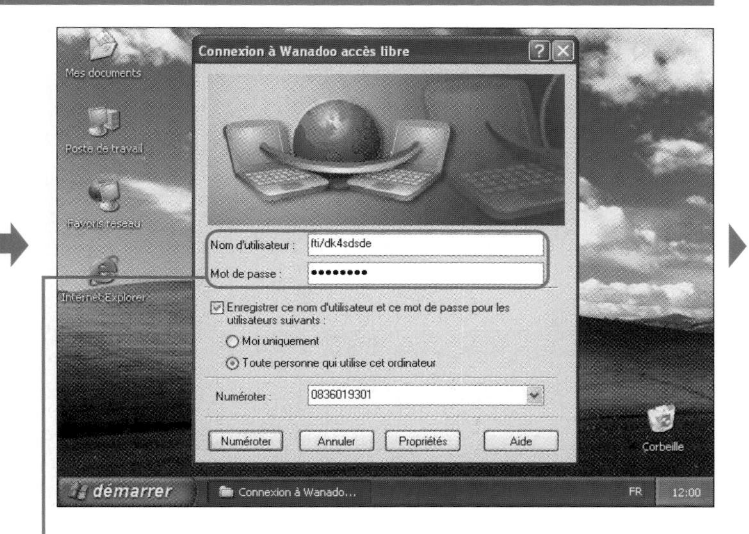

4 Tapez votre nom d'utilisateur et votre mot de passe.

■ Des étoiles apparaissent dans le champ Mot de passe afin de masquer les caractères de votre mot de passe à d'autres personnes.

SE CONNECTER À UN FOURNISSEUR D'ACCÈS

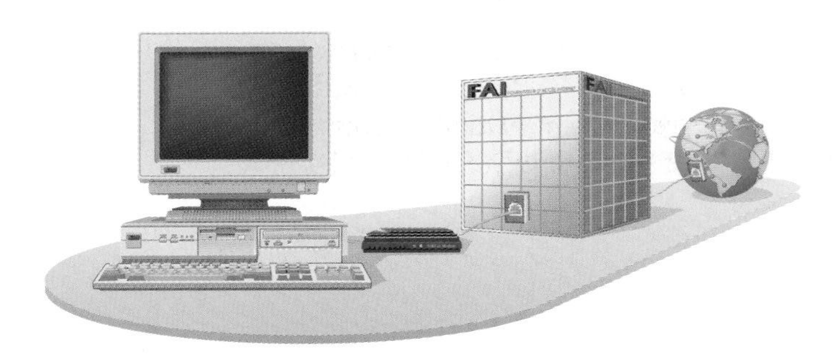

SE CONNECTER À UN FOURNISSEUR D'ACCÈS (SUITE)

■ Une boîte de dialogue apparaît pour témoigner du lancement de la connexion.

Lors de la connexion à votre fournisseur d'accès Internet, votre modem établit le contact avec le modem de votre FAI.

■ L'icône de connexion apparaît dans le coin droit de la barre des tâches, ainsi qu'une info-bulle qui atteste de l'établissement de la connexion avec le FAI.

CONSULTER LE TEMPS DE CONNEXION

CONSULTER LE TEMPS DE CONNEXION

1 À l'aide du bouton droit de la souris, cliquez l'icône de connexion.

2 Cliquez **État**.

Il est possible de prendre connaissance du temps écoulé depuis le lancement de la connexion courante. C'est particulièrement utile pour faire attention de ne pas dépasser le temps de connexion alloué par votre FAI.

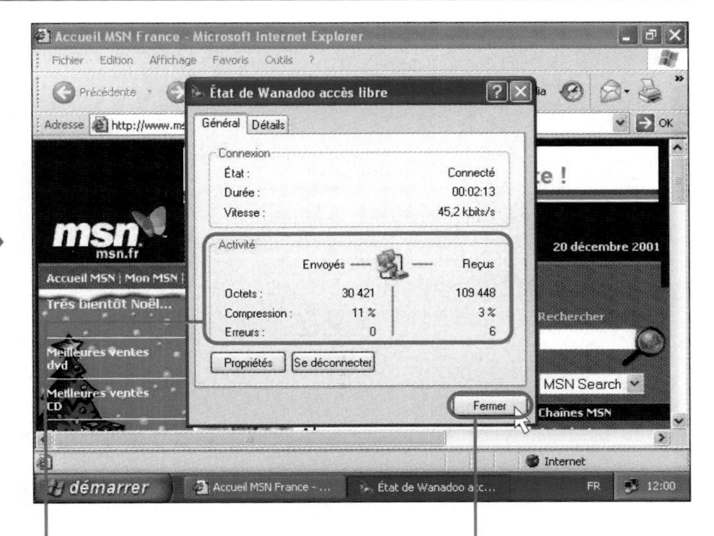

■ La boîte de dialogue d'état de la connexion s'affiche, avec le temps de connexion écoulé ainsi que la quantité d'octets émis et reçus depuis son lancement.

3 Cliquez **Fermer** après consultation des données.

SE DÉCONNECTER

SE DÉCONNECTER

1 À l'aide du bouton droit de la souris, cliquez l'icône de connexion.

2 Cliquez **Se déconnecter**.

Vous pouvez à tout moment vous déconnecter de l'Internet.

■ L'icône de connexion disparaît, attestant que la déconnexion est effective.

Le *World Wide Web* est une partie de l'Internet. Il est constitué de nombreux documents stockés sur des ordinateurs éparpillés dans le monde entier.

Le *World Wide Web* est également appelé le Web ou WWW.

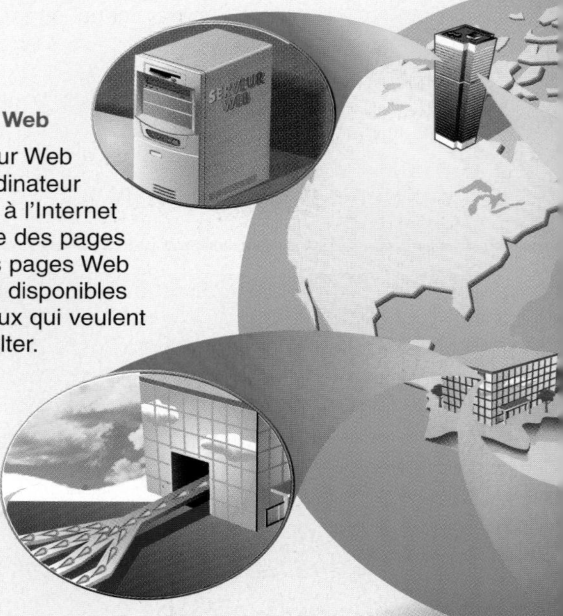

Serveurs Web

Un serveur Web est un ordinateur connecté à l'Internet qui stocke des pages Web. Ces pages Web sont ainsi disponibles à tous ceux qui veulent les consulter.

Sites Web très fréquentés

Certains sites Web sont célèbres et donc surchargés. Vous trouverez peut-être que les informations prennent du temps pour s'afficher sur un tel site. Si c'est trop long, essayez de vous connecter à un autre moment.

Page Web

Une page Web est un document sur le Web. Elle peut contenir des fichiers texte, image, son et vidéo.

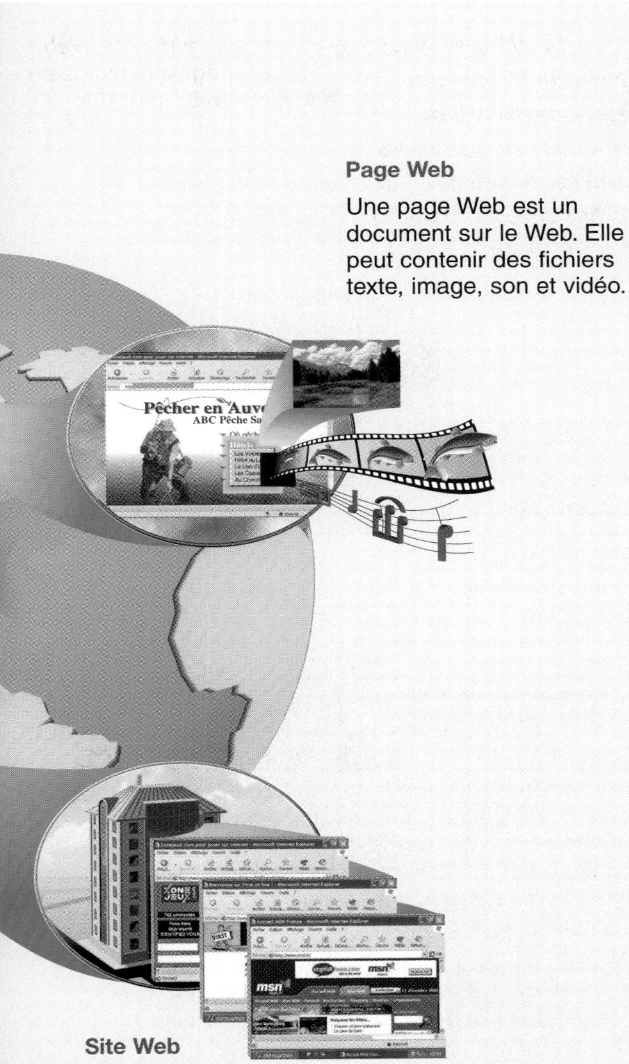

Site Web

Un site Web est un regroupement de pages Web. Ils sont gérés par une école, une université, un organisme public, une société ou un particulier.

URL

Chaque page Web possède une adresse unique appelée URL *(Uniform Resource Locator)*. Vous affichez instantanément n'importe quelle page Web en connaissant son adresse.

Toutes les adresses des pages Web (URL) commencent par **http** *(HyperText Transfer Protocol)* et contiennent le **nom de l'ordinateur**, le **nom du répertoire** et le **nom de la page Web**.

LIENS HYPERTEXTES

Les pages Web sont des documents au format hypertexte. Un tel document contient du texte en couleurs et souligné (ou des images), appelé lien hypertexte ou lien. On passe facilement d'une page Web à une autre : il suffit de sélectionner le texte souligné ou l'image, le curseur de la souris apparaît alors sous forme de main.

La sélection du lien hypertexte peut conduire vers une page stockée sur le même ordinateur ou sur un autre ordinateur situé n'importe où dans la ville, le pays ou le monde.

acc.gif - Microsoft Internet Explorer
Fichier Edition Affichage Favoris Outils ?
Précé... Suivante Arrêter Actual... Démar... Reche... Favoris Média Histori...
Adresse http://www.elysee.fr/pres/index.htm
OK
PRÉSIDENCE DE LA RÉPUBLIQUE
accueil >> Le Président
Dans la Constitutio
Pouvoirs et attribut
Le Président de la I
en 6 questions
Terminé
Internet
http://www.elysee.fr/pres/index.htm

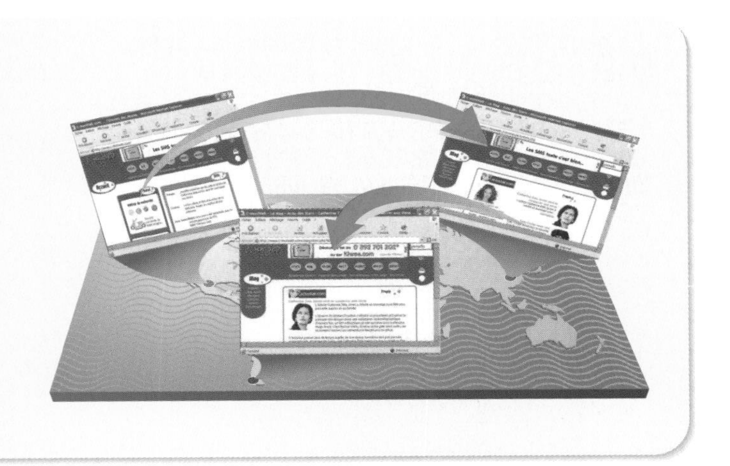

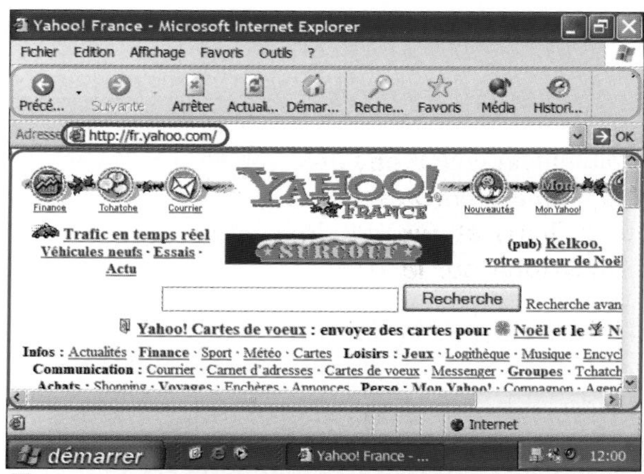

■ Cette zone affiche une barre d'outils qui permet d'effectuer rapidement les tâches courantes.

■ Cette zone affiche l'adresse de la page sélectionnée.

■ Cette zone affiche la page Web.

PAGE D'ACCUEIL

La page d'accueil, ou page de démarrage, est la page qui apparaît chaque fois que vous lancez votre navigateur Web.

Vous pouvez choisir n'importe quelle page comme que page d'accueil. Assurez-vous d'en sélectionner une qui vous fournit un bon point de départ pour l'exploration du Web.

Un navigateur Web est un programme que vous utilisez pour afficher et explorer des informations sur le Web.

La plupart des navigateurs ont le même aspect.

BOUTONS DE NAVIGATION

La plupart des navigateurs Web contiennent des boutons qui vous aident à vous déplacer parmi les informations disponibles sur le Web. Avec ces boutons, vous pouvez revenir, en avant ou en arrière, sur les pages Web que vous avez déjà consultées, afficher votre page d'accueil ou arrêter le téléchargement d'une page Web.

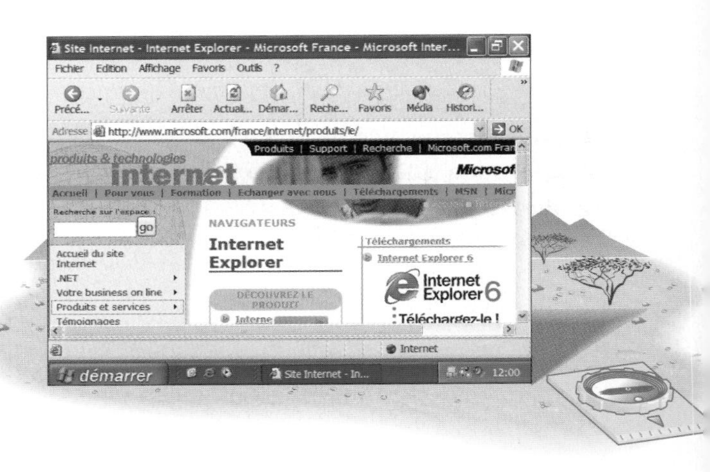

FACILITÉ D'UTILISATION

Internet Explorer a été conçu par la société qui a créé le système d'exploitation Windows. L'aspect d'Internet Explorer est donc semblable à celui des programmes Windows. Si vous êtes habitué à d'autres programmes Windows, vous trouverez qu'il est facile d'apprendre à utiliser le navigateur Web.

Actuellement, Microsoft Internet Explorer est le navigateur Web le plus répandu.

Internet Explorer est fourni avec le système d'exploitation Windows XP. Vous pouvez également vous le procurer gratuitement sur le site Web suivant :

www.microsoft.com/France

FONCTIONNALITÉS D'INTERNET EXPLORER

Internet Explorer offre de nombreuses fonctions qui vous permettent de travailler efficacement sur le Web. Par exemple, la fonction Recherche d'Internet Explorer permet de trouver rapidement l'information que l'on recherche. On peut également personnaliser Internet Explorer.

VERSATILE

Netscape Navigator est disponible pour des ordinateurs fonctionnant avec différents systèmes d'exploitation, dont Windows, Macintosh et Unix. On peut obtenir Navigator en tant que programme séparé ou inclus dans la suite Netscape Communicator, qui contient de nombreux autres programmes utiles pour l'Internet. Vous pouvez obtenir gratuitement Netscape Navigator sur le site Web suivant :

www.fr.netscape.com/fr

Netscape Navigator est un navigateur Web célèbre. Netscape Navigator était un des premiers navigateurs utilisé sur le Web.

Netscape Navigator contient de nombreuses fonctions qui réduisent le temps passé à rechercher des informations sur le Web.

EXTENSIONS NETSCAPE

HTML *(HyperText Markup Language)* est le nom du langage de programmation utilisé pour créer des pages Web. Netscape apporte sans cesse des améliorations, appelées extensions Netscape, au HTML. Ces améliorations permettent d'ajouter des fonctionnalités aux pages Web, par exemple la vidéo ou le son.

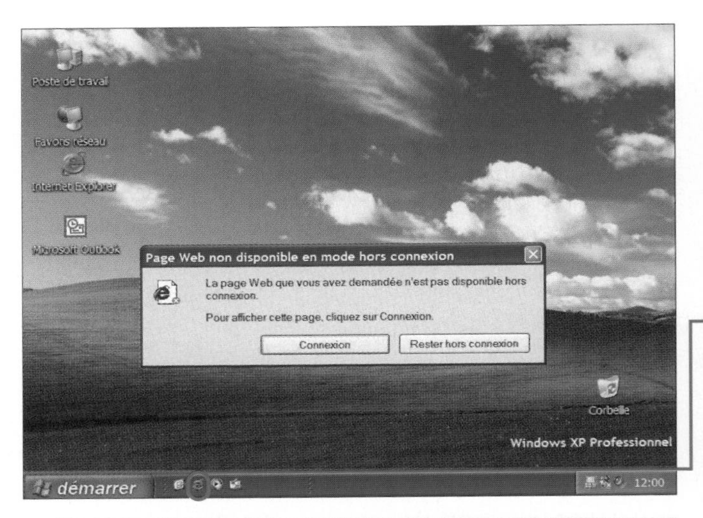

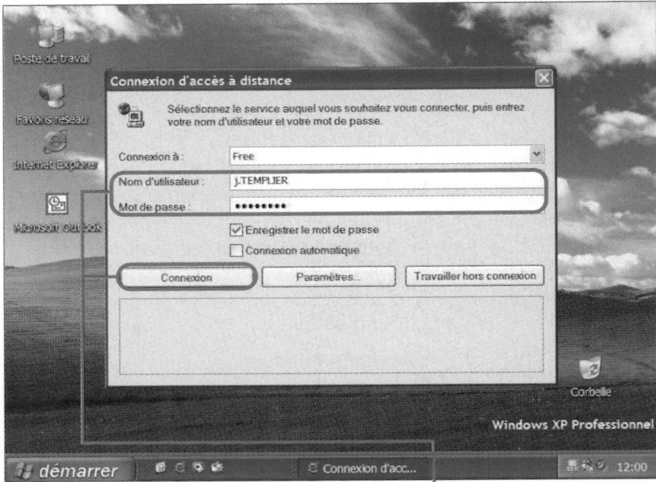

■ La boîte de dialogue Connexion d'accès à distance s'affiche.

2 Saisissez vos nom d'utilisateur et mot de passe, puis cliquez **Connexion**.

Commencez par lancer le navigateur (Internet Explorer ou Netscape) pour pouvoir naviguer sur le Web.

1 Cliquez pour lancer Internet Explorer.

■ Si une boîte vous avertit que la page Web n'est pas disponible hors connexion, cliquez **Connexion**.

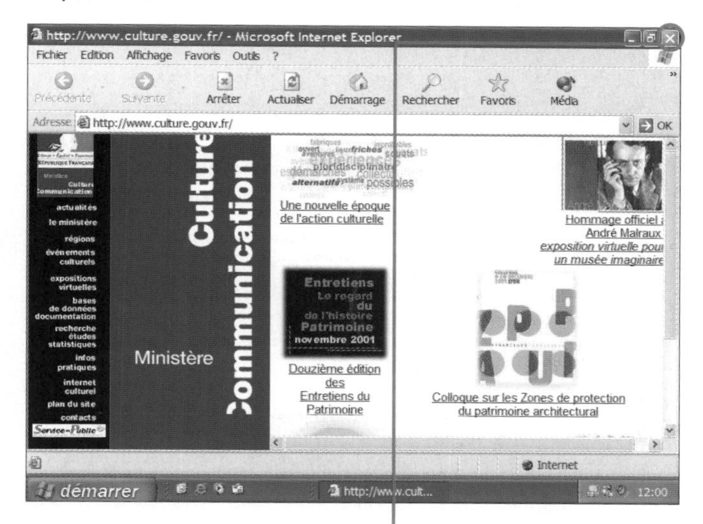

■ Une fois la connexion établie, votre page de démarrage apparaît dans la fenêtre du navigateur.

QUITTER LE NAVIGATEUR

1 Pour quitter le navigateur, cliquez ☒, puis déconnectez-vous.

SAISIR UNE ADRESSE

SAISIR UNE ADRESSE

1 Cliquez cette zone pour mettre en surbrillance l'adresse de la page courante.

Vous pouvez afficher dans le navigateur une page précise dont vous avez entendu parler.

Vous devez connaître l'adresse de la page Web que vous souhaitez consulter. Chaque document Web porte une adresse unique appelée adresse Web ou adresse URL *(Uniform Resource Location)*.

2 Saisissez l'adresse de la page Web à consulter et appuyez sur la touche **Entrée**.

*Note. Vous pouvez omettre **http://** lorsque vous saisissez une adresse Web. Vous n'avez pas besoin, par exemple, de taper **http://** devant **www.houra.fr**.*

■ Vous pouvez suivre la progression du téléchargement ici.

■ La page Web s'affiche à l'écran.

ACCÉDER À UNE PAGE DÉJÀ CONSULTÉE

Quels sont les exemples de pages consultables sur le Web ?

ACCÉDER À UNE PAGE DÉJÀ CONSULTÉE

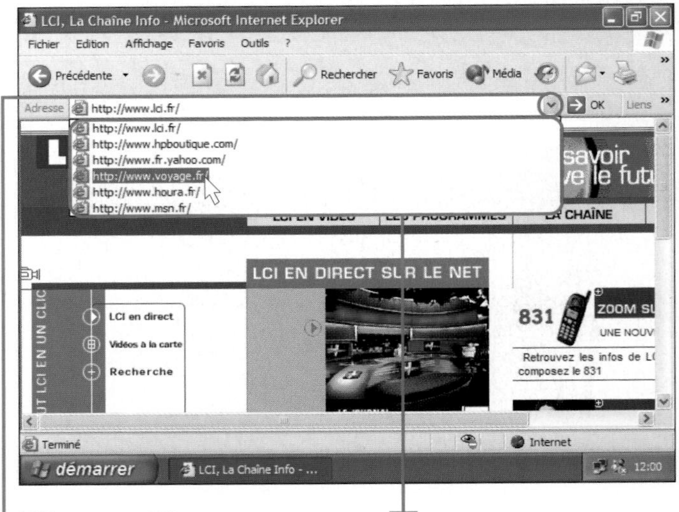

1 Cliquez ⌄ dans cette zone pour afficher l'adresse des pages Web consultées récemment.

2 Cliquez l'adresse de la page Web à afficher.

Page Web	Adresse Web
Amazon.fr	www.amazon.fr
Arianespace	www.arianespace.com
Euronews	www.euronews.net
Eurosport	www.eurosport.fr
First on line	www.efirst.com
iBazar	www.ibazar.fr
Lonely	www.lonelyplanet.fr
Marmiton.org	www.marmiton.org
Météo France	www.meteo.fr
Monster.fr	www.monster.fr
MP3.com	fr.mp3.com
Quid	www.quid.fr
Voyage	www.voyage.fr
Webencyclo	www.webencyclo.com
Yahoo! Finance	fr.finance.yahoo.com

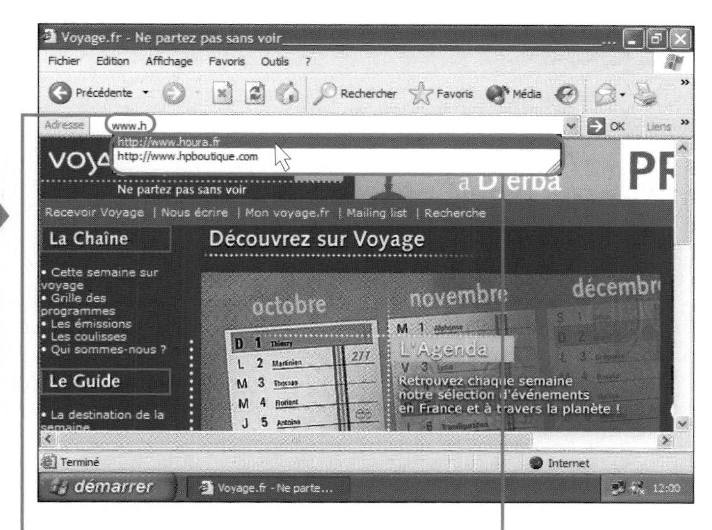

■ La page sélectionnée s'affiche à l'écran.

AFFICHER À NOUVEAU RAPIDEMENT UNE PAGE

1 Si vous saisissez le début d'une adresse Web récemment visitée, une liste des adresses qui correspondent apparaît automatiquement.

2 Cliquez l'adresse de la page à consulter.

ACCÉDER À UNE PAGE PAR UN LIEN

ACCÉDER À UNE PAGE PAR UN LIEN

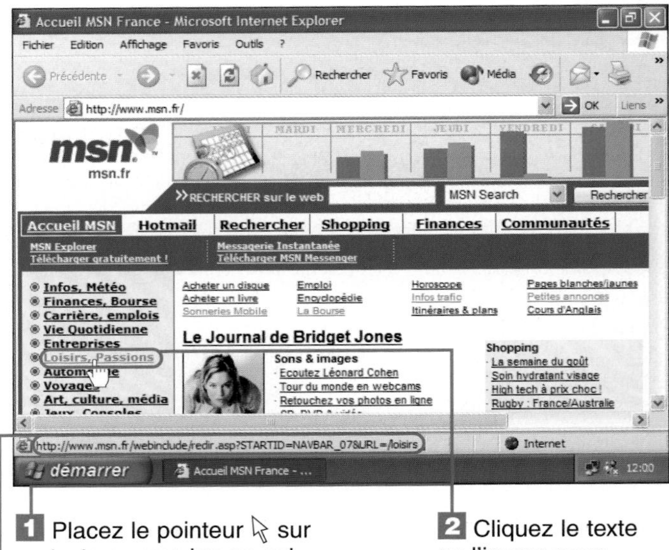

1 Placez le pointeur sur un texte ou une image qui semble mis en relief. Le pointeur devient .

■ L'adresse de la page Web vers laquelle mène le lien s'affiche ici.

2 Cliquez le texte ou l'image pour afficher la page liée.

Un lien relie un élément d'une page Web (texte, image) à une autre page Web. Lorsque vous le sélectionnez, la page liée s'affiche.

En menant directement d'une page à une autre, les liens facilitent l'exploration du contenu du Web. Les termes « lien hypertexte » ou « hyperlien » sont aussi utilisés.

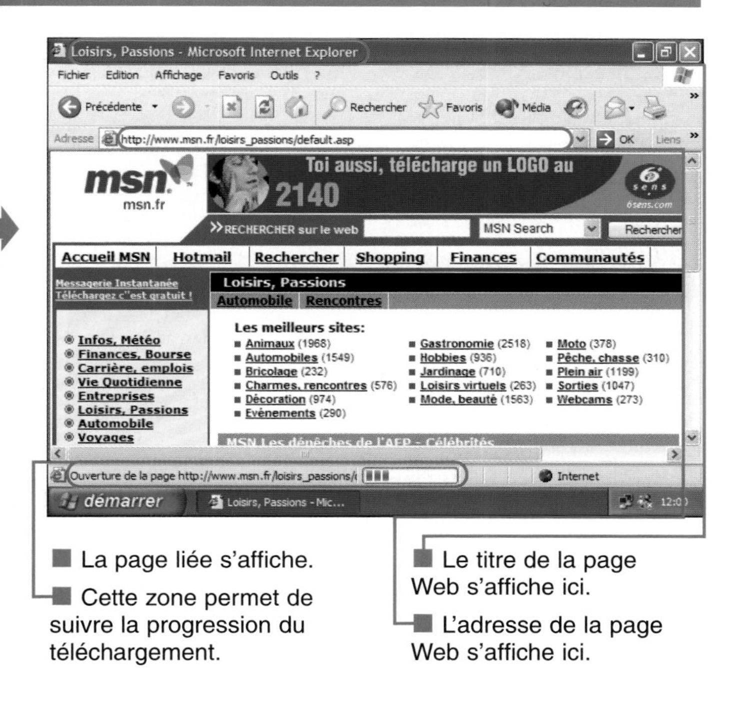

■ La page liée s'affiche.

■ Cette zone permet de suivre la progression du téléchargement.

■ Le titre de la page Web s'affiche ici.

■ L'adresse de la page Web s'affiche ici.

INTERROMPRE LE TÉLÉCHARGEMENT D'UNE PAGE WEB

INTERROMPRE LE TÉLÉCHARGEMENT D'UNE PAGE WEB

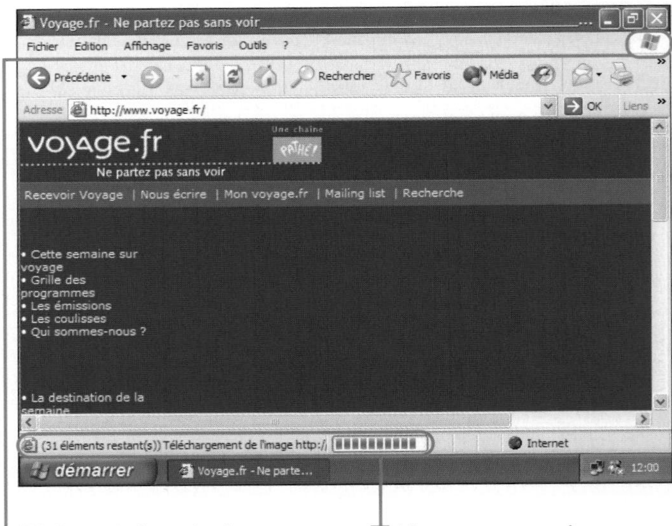

■ Cette icône s'anime au cours du téléchargement d'une page sur votre ordinateur.

■ Vous pouvez suivre ici la progression du téléchargement.

Si une page Web met trop de temps à apparaître à l'écran, vous pouvez interrompre son transfert et essayer de vous y connecter ultérieurement.

Pour naviguer sur le Web dans les meilleures conditions possibles, connectez-vous pendant les périodes creuses (la nuit et le week-end), durant lesquelles le nombre d'utilisateurs connectés est moins important.

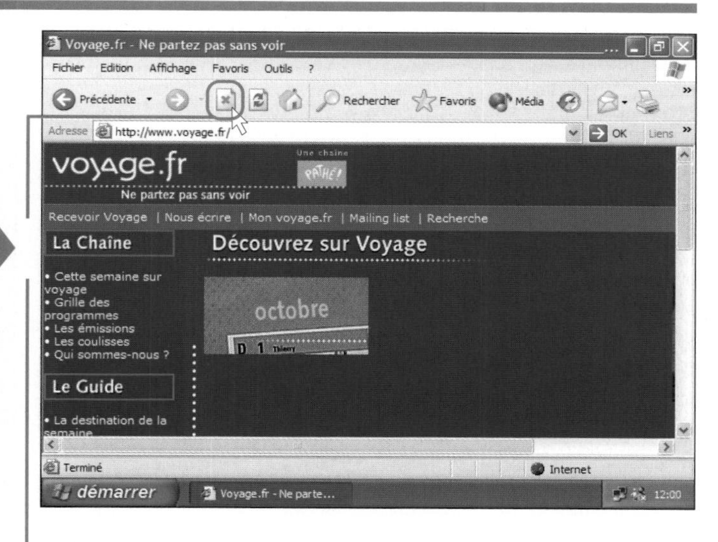

1 Cliquez ⊠ pour interrompre le téléchargement de la page Web.

■ Si vous interrompez le téléchargement parce que la page met trop de temps à apparaître, vous pouvez essayer de l'afficher à nouveau ultérieurement.

SE DÉPLACER D'UNE PAGE WEB À L'AUTRE

SE DÉPLACER D'UNE PAGE WEB À L'AUTRE

RECULER

1 Cliquez **Précédente** pour revenir à la page consultée auparavant.

Note. Le bouton Précédente n'est disponible que si vous avez consulté plus d'une page Web depuis le dernier démarrage d'Internet Explorer.

Vous pouvez facilement avancer ou reculer d'une page dans la succession de pages que vous avez consulté depuis le démarrage d'Internet Explorer.

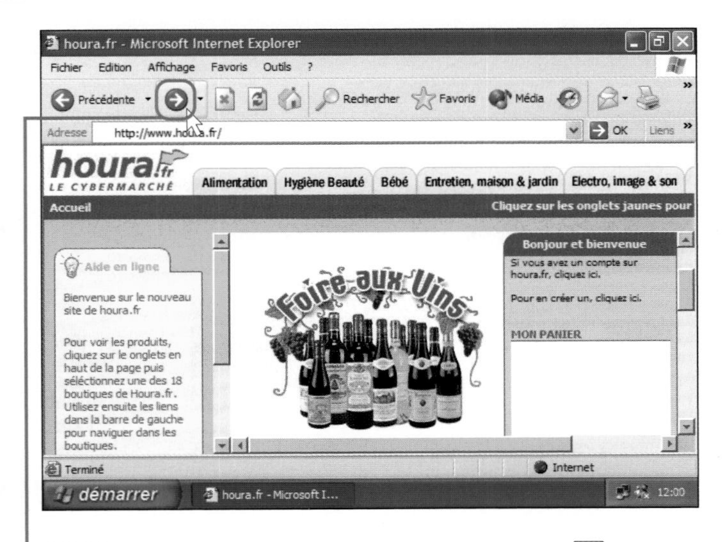

AVANCER

1 Cliquez ⊙ pour avancer dans la succession de pages Web que vous avez consultées.

Note. Le bouton ⊙ n'est disponible que si vous avez utilisé le bouton Précédente pour reculer d'au moins une page.

ACTUALISER UNE PAGE WEB

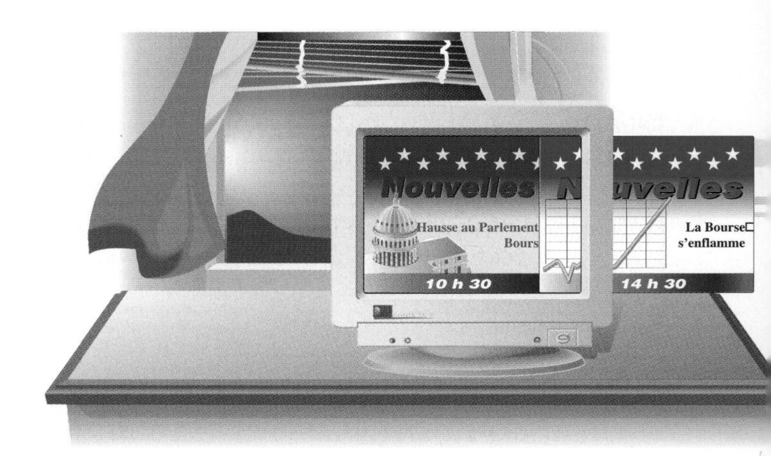

ACTUALISER UNE PAGE WEB

1 Cliquez pour rapatrier sur votre ordinateur une version actualisée de la page Web affichée.

Vous pouvez actualiser une page Web pour mettre à jour les informations affichées et prendre connaissance des dernières nouvelles, par exemple. Internet Explorer rapatriera alors la toute dernière version de la page Web sur votre ordinateur.

Une copie actualisée de la page Web s'affiche à l'écran.

AFFICHER ET CHANGER LA PAGE DE DÉMARRAGE

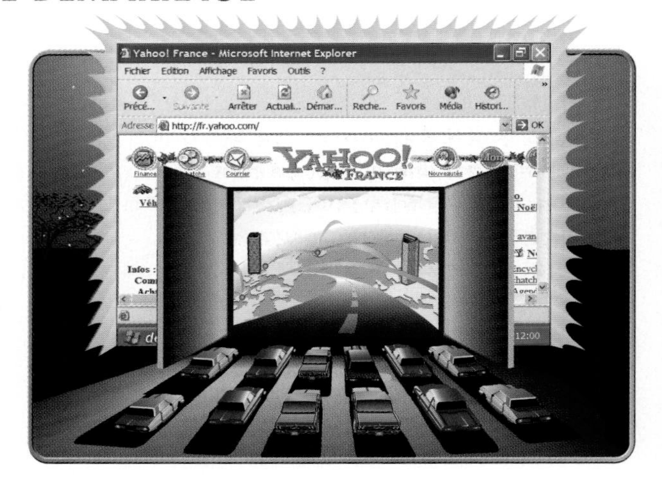

AFFICHER ET CHANGER LA PAGE DE DÉMARRAGE

AFFICHER LA PAGE DE DÉMARRAGE

1 Cliquez 🏠 pour afficher la page de démarrage.

■ La page de démarrage apparaît.

Note. Votre page de démarrage n'est pas nécessairement identique à celle montrée ci-dessus.

La page de démarrage ou page d'accueil s'affiche à chaque fois que vous démarrez Internet Explorer. Vous pouvez remplacer cette page par une autre.

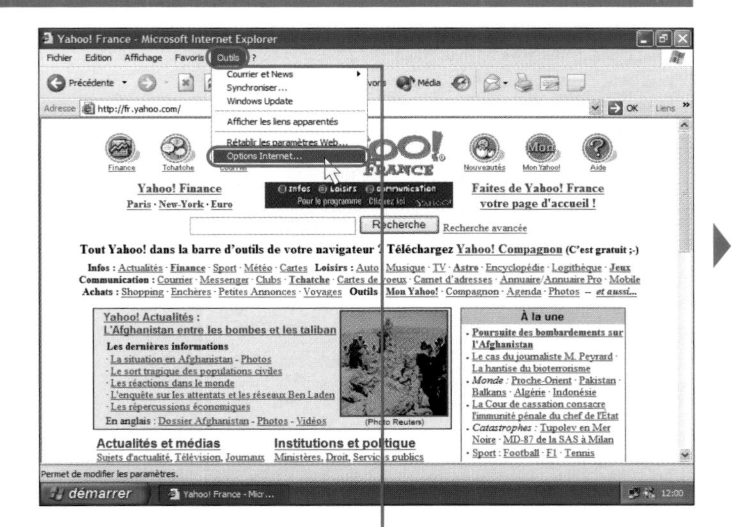

CHANGER LA PAGE DE DÉMARRAGE

1 Affichez la page Web que vous souhaitez définir comme page de démarrage.

Note. Pour afficher une page Web spécifique, consultez la page 70.

2 Cliquez **Outils**.

3 Cliquez **Options Internet**.

AFFICHER ET CHANGER LA PAGE DE DÉMARRAGE

AFFICHER ET CHANGER LA PAGE DE DÉMARRAGE (SUITE)

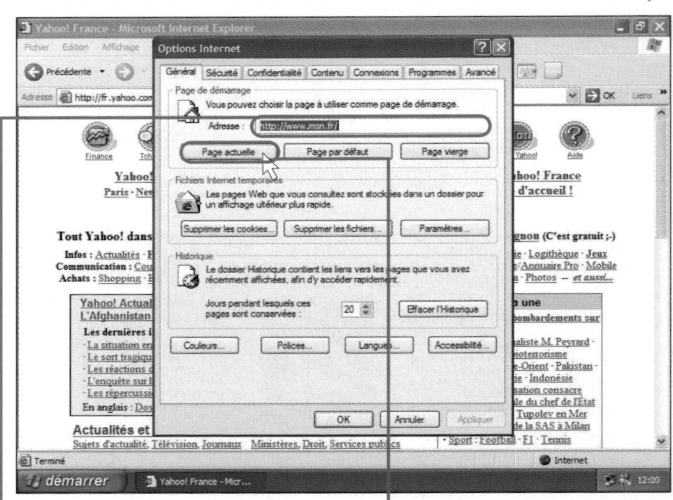

■ La boîte de dialogue Options Internet s'ouvre.

■ L'adresse de la page de démarrage s'affiche dans cette zone.

4 Cliquez **Page actuelle** pour définir la page Web affichée à l'écran comme page de démarrage.

Vous pouvez choisir en tant que page de démarrage n'importe quelle page trouvée sur le Web comme une page que vous consultez souvent, par exemple. Vous pouvez également choisir une page qui représente un bon point de départ à l'exploration du Web tel un annuaire de recherche comme Yahoo! (fr.yahoo.com) ou une page qui présente des informations sur un centre d'intérêt personnel ou votre domaine professionnel.

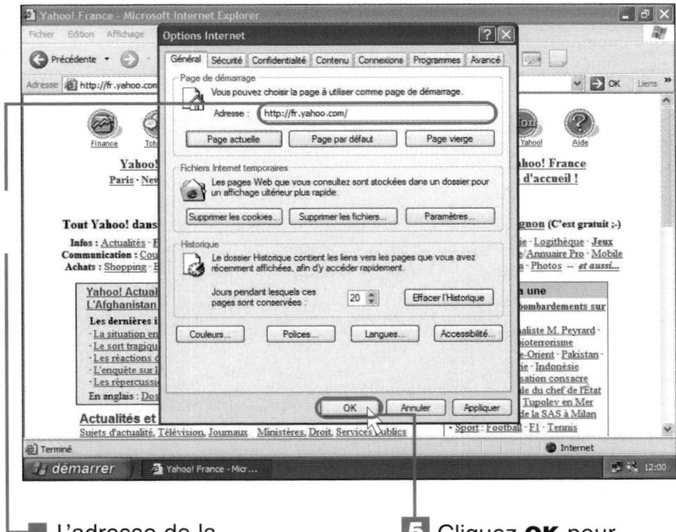

■ L'adresse de la nouvelle page de démarrage s'affiche dans cette zone.

5 Cliquez **OK** pour confirmer la modification.

AJOUTER UNE PAGE WEB AUX FAVORIS

AJOUTER UNE PAGE WEB AUX FAVORIS

1 Affichez la page Web à ajouter à la liste des favoris.

Note. Pour afficher une page Web spécifique, consultez la page 70.

2 Cliquez **Favoris**.

3 Cliquez **Ajouter aux Favoris**.

Vous pouvez utiliser le menu Favoris pour créer une liste des pages Web que vous consultez souvent. Vous pouvez alors afficher, à tout moment, vos pages favorites.

Le menu Favoris vous évite de devoir retenir et saisir constamment l'adresse des mêmes pages Web.

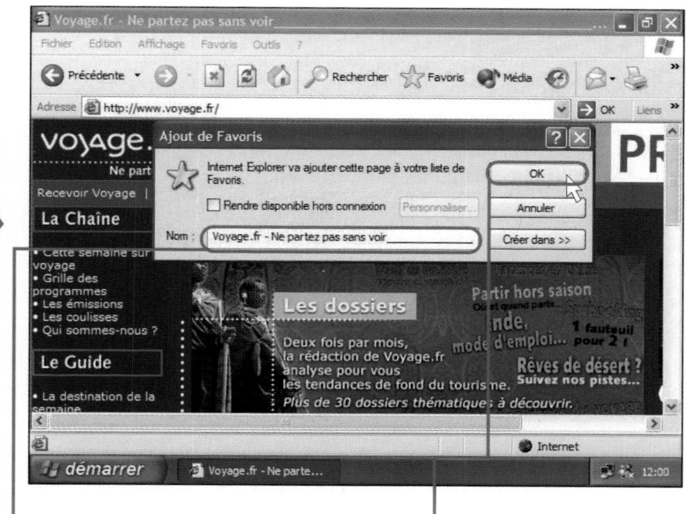

■ La boîte de dialogue Ajout de Favoris s'ouvre.

■ Le nom de la page Web s'affiche dans cette zone.

4 Cliquez **OK** pour ajouter la page Web à la liste de vos pages favorites.

AFFICHER UNE PAGE WEB FAVORITE

Dossier Liens

Contient plusieurs pages Web utiles, telle la page de Hotmail qui permet de créer et d'utiliser un compte gratuit de courrier électronique.

MSN.fr

Un site Web proposé par Microsoft qui représente un bon point de départ à une exploration du Web.

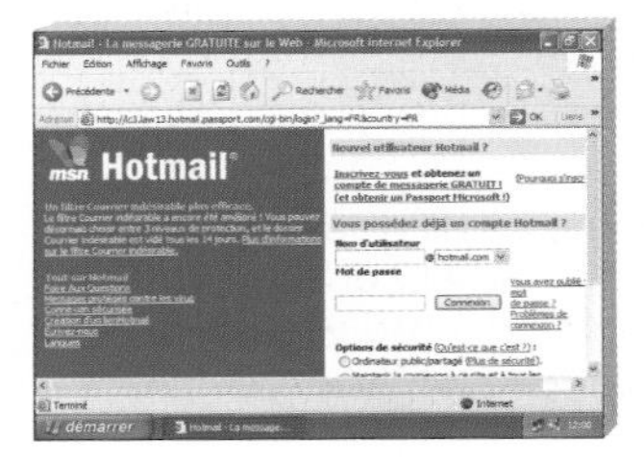

AFFICHER UNE PAGE WEB FAVORITE

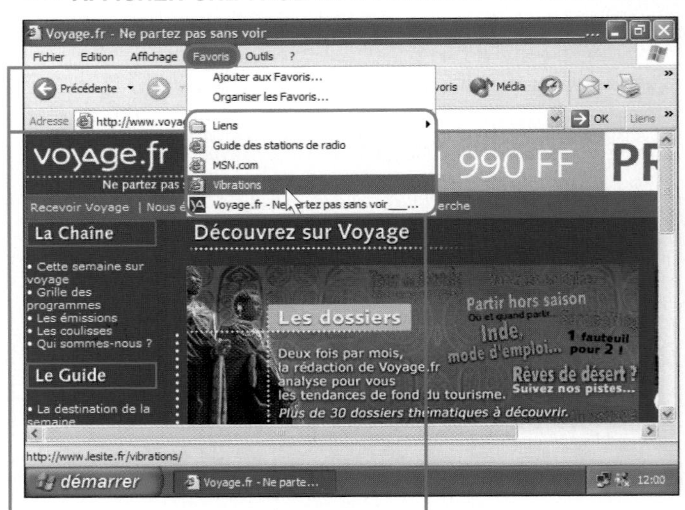

1 Cliquez **Favoris**.

■ La liste de vos pages favorites apparaît.

Note. Si la liste complète ne s'affiche pas, placez le pointeur sur le bas du menu pour faire apparaître le reste de la liste.

2 Cliquez la page Web à consulter.

Note. Si la page est rangée dans un dossier ( ), cliquez ce dernier avant d'effectuer l'étape ***2****.*

Guide des stations de radio

Permet d'écouter des stations de radio du monde entier qui émettent sur l'Internet.

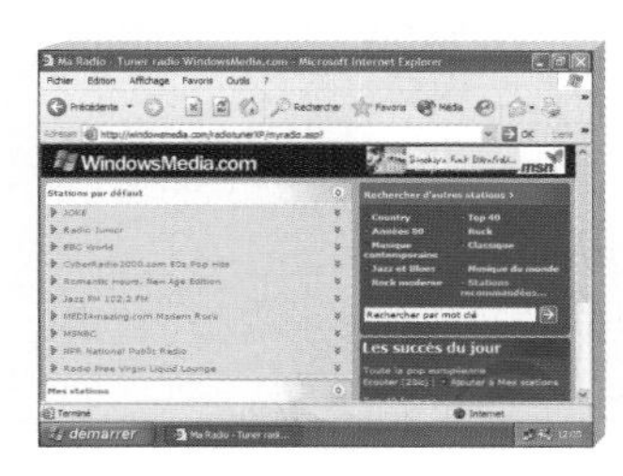

Le dossier Liens et les pages Web ci-contre sont automatiquement ajoutés aux favoris par Internet Explorer.

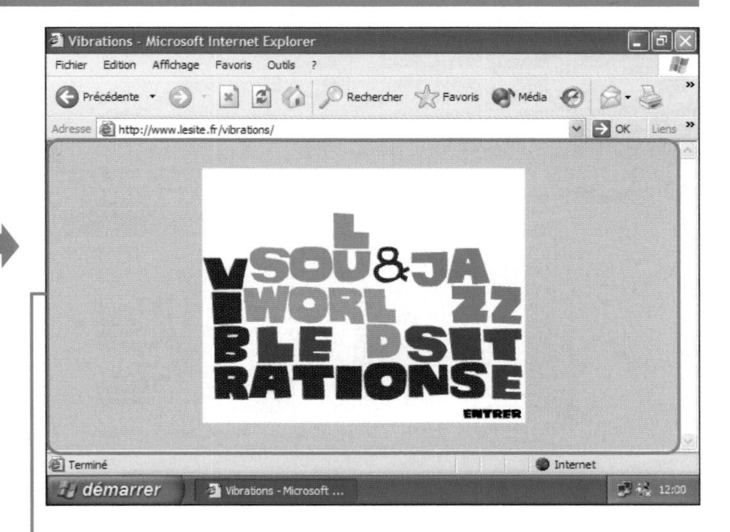

■ La page Web sélectionnée s'affiche.

■ Répétez les étapes 1 et 2 pour afficher une autre page favorite.

UTILISER L'HISTORIQUE DES PAGES DÉJÀ CONSULTÉES

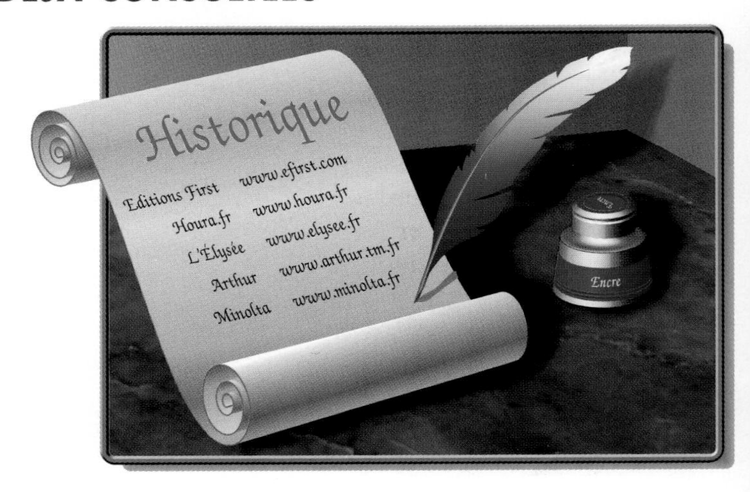

UTILISER L'HISTORIQUE DES PAGES DÉJÀ CONSULTÉES

1 Cliquez [icône] pour afficher la liste des pages Web que vous avez récemment consultées.

■ L'historique s'affiche. Les pages sont classées par jour et semaine de consultation. L'icône [icône] représente chaque semaine et chaque jour.

2 Cliquez l'icône correspondant à la semaine ou au jour de consultation de la page qui vous intéresse.

L'historique permet à Internet Explorer de garder une trace des pages Web que vous avez récemment consultées. Vous pouvez ouvrir cette liste à n'importe quel moment pour afficher à nouveau une page Web.

■ Les sites Web ( ) visités ce jour ou cette semaine-là apparaissent.

Note. Si vous avez ouvert des fichiers stockés sur votre ordinateur durant cette période, les dossiers qui les contiennent apparaissent aussi.

3 Cliquez le site Web qui vous intéresse.

■ Les pages Web ( ) consultées sur ce site Web s'affichent.

4 Cliquez la page Web à afficher.

UTILISER L'HISTORIQUE DES PAGES DÉJÀ CONSULTÉES

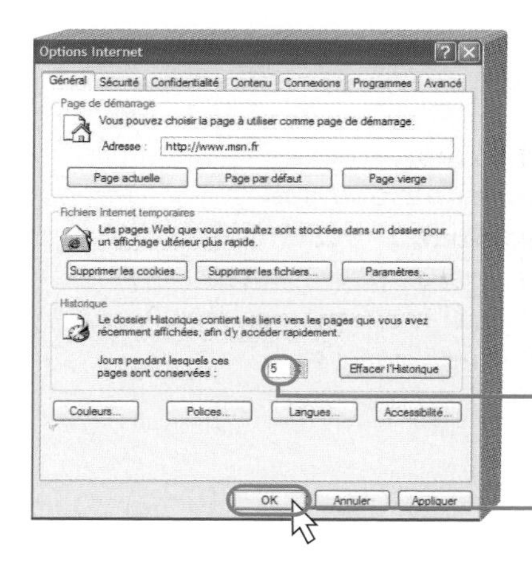

1 Pour modifier la durée de la période pendant laquelle l'historique garde une trace des pages consultées, répétez les étapes **1** et **2** des pages 90-91. La boîte de dialogue Options Internet s'ouvre.

2 Double-cliquez cette zone et saisissez un nombre de jours.

3 Cliquez **OK** pour confirmer la modification.

UTILISER L'HISTORIQUE DES PAGES DÉJÀ CONSULTÉES

■ La page Web s'affiche dans cette zone.

■ Répétez les étapes **2** à **4** pour consulter une autre page Web.

5 L'utilisation de l'historique terminée, cliquez pour masquer la liste.

EFFACER L'HISTORIQUE

1 Cliquez **Outils**.

2 Cliquez **Options Internet**.

Par défaut, l'historique garde une trace des pages consultées durant les vingt derniers jours.

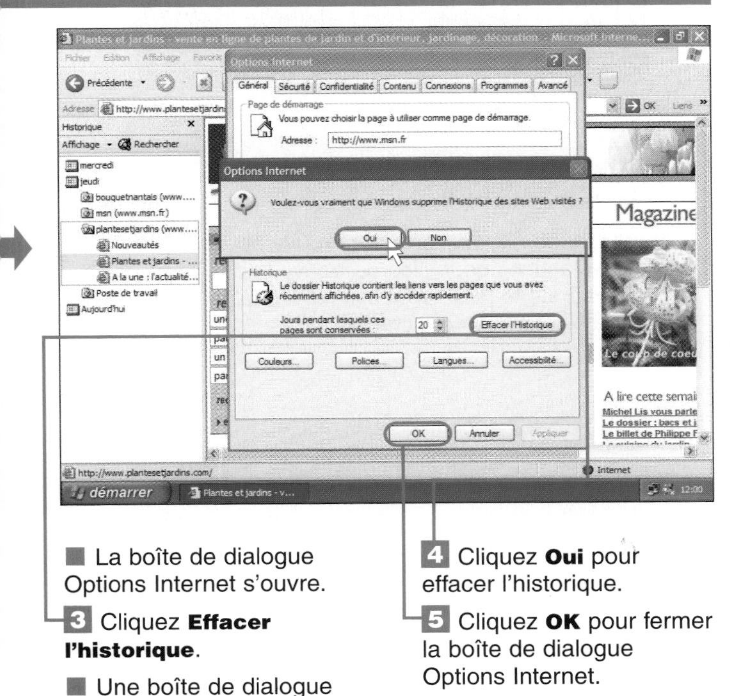

■ La boîte de dialogue Options Internet s'ouvre.

3 Cliquez **Effacer l'historique**.

■ Une boîte de dialogue s'ouvre pour confirmation.

4 Cliquez **Oui** pour effacer l'historique.

5 Cliquez **OK** pour fermer la boîte de dialogue Options Internet.

403 INTERDIT

Le message d'erreur 403 Interdit apparaît lorsque vous essayez d'ouvrir une page Web à laquelle vous n'avez pas le droit d'accéder. Vous ne pouvez pas afficher cette page sans autorisation.

404 NON TROUVÉ

Le message d'erreur 404 Non trouvé apparaît lorsque le navigateur Web ne trouve pas la page spécifiée. Cette page peut avoir été déplacée ou son nom peut avoir été changé.

Un message d'erreur apparaît lorsque le navigateur Web ne peut pas afficher correctement une page Web.

SERVEUR NON TROUVÉ

Le message d'erreur Serveur non trouvé apparaît lorsque le navigateur Web ne peut pas accéder au serveur spécifié. Un serveur est un ordinateur stockant les informations sur l'Internet. Ce serveur peut être occupé, temporairement arrêté ou ne pas exister.

VÉRIFIER LES FAUTES DE FRAPPE

Si vous avez saisi l'adresse d'une page, vous devez vérifier qu'elle ne comporte pas de faute de frappe. C'est une des raisons majeures du non-affichage d'une page.

UTILISER LES HEURES CREUSES

Vous pouvez essayer d'ouvrir la page Web plus tard. Le meilleur moment pour tenter d'afficher une page Web célèbre reste les heures creuses, par exemple la nuit et les week-ends. C'est-à-dire quand peu de personnes naviguent sur l'Internet.

Lorsqu'un message d'erreur apparaît à l'écran, vous pouvez essayer une des options suivantes pour voir la page Web que vous souhaitez afficher.

ESSAYER DE NOUVEAU

Parfois le navigateur Web ne parvient pas à ouvrir une page au premier essai. Vous pouvez essayer de cliquer le bouton Actualiser ou Recharger de votre navigateur Web pour tenter de charger à nouveau la page Web.

VÉRIFIER LA CONNEXION À L'INTERNET

Si vous ne parvenez toujours pas à ouvrir de pages Web, assurez-vous que vous êtes connecté à l'Internet. Parfois, une perturbation sur la ligne peut déconnecter votre ordinateur.

RECHERCHE AVEC LE NAVIGATEUR WEB

La plupart des navigateurs Web permettent de chercher rapidement une information sur le Web. Au lieu de saisir l'adresse d'une page Web dans la barre d'adresse du navigateur, vous pouvez saisir un point d'interrogation (?) suivi du ou des mots que vous recherchez.

Le navigateur Web affiche une liste de liens vers les pages Web contenant le ou les mots saisis. Cliquez l'un de ces liens pour afficher la page Web.

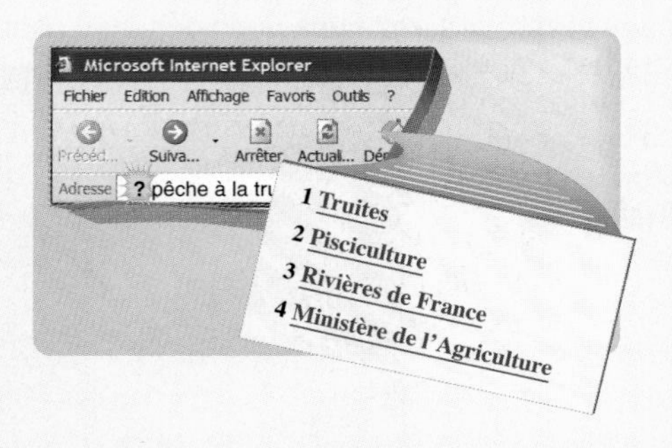

Il existe de nombreux moyens de trouver une information sur le Web.

MOTEURS DE RECHERCHE

Il existe de nombreux sites, appelés moteurs de recherche, spécialisés dans la recherche d'informations. La plupart des moteurs de recherche possèdent des automates, appelés araignées, qui parcourent le Web à la recherche de nouvelles pages.

Des centaines de nouvelles pages Web apparaissant tous les jours et il est impossible aux moteurs de recherche de toutes les cataloguer.

GRATUIT

Il n'est pas nécessaire de payer pour utiliser la plupart des moteurs de recherche. Ces derniers vendent des espaces publicitaires sur leurs sites Web afin de générer des revenus en contrepartie.

DISPONIBILITÉ DES PAGES

De même que de nombreuses pages Web sont créées chaque jour, de nombreuses autres sont supprimées du Web. Lorsque vous utilisez un moteur de recherche, certaines pages trouvées peuvent avoir été retirées. Un moteur de recherche de qualité vérifie constamment l'existence réelle des pages.

CRITIQUES ET CLASSEMENT

Certains moteurs de recherche utilisent les analyses menées par des personnes pour critiquer et cataloguer chaque nouvelle page Web. Ces personnes regroupent en catégories les sites Web contenant des informations similaires pour en faciliter la recherche.

Lorsque les sites sont critiqués, la qualité du contenu est également examinée. Les moteurs de recherche peuvent noter le contenu d'un site pour favoriser des recherches plus précises.

RECHERCHER À L'AIDE DU NAVIGATEUR

RECHERCHER À L'AIDE DU NAVIGATEUR

1 Cliquez **Rechercher** dans la barre d'outils pour trouver des pages Web.

■ Le volet Rechercher s'affiche.

Vous pouvez rechercher des pages Web qui traitent les sujets qui vous intéressent.

Internet Explorer utilise, entre autres, l'outil de recherche MSN pour retrouver une page Web. Un outil de recherche est un service qui répertorie les pages Web pour faciliter la recherche d'informations dans le Web.

2 Cliquez **Rechercher une page Web** (○ devient ◉).

3 Cliquez dans cette zone et saisissez les mots ou l'expression à rechercher.

4 Cliquez **Rechercher** pour lancer la recherche.

Si vous ne voulez pas utiliser cette fonction de recherche du navigateur, utilisez un moteur de recherche comme ceux illustrés ci-contre.

RECHERCHER À L'AIDE DU NAVIGATEUR (SUITE)

■ Une liste des pages Web qui correspondent aux critères de recherche apparaît.

5 Cliquez le lien vers la page qui vous intéresse.

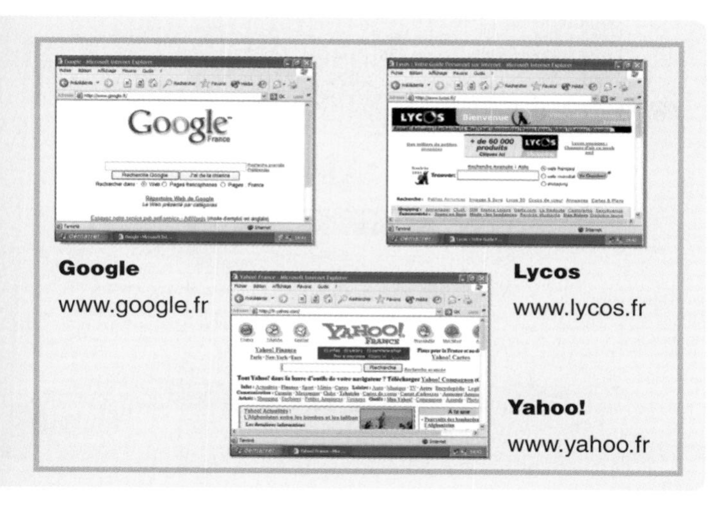

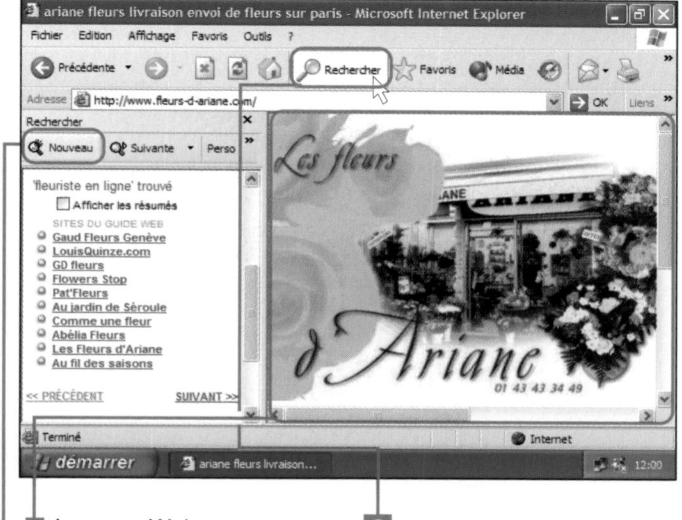

■ La page Web sélectionnée s'affiche dans cette zone.

■ Pour effectuer une nouvelle recherche, cliquez **Nouveau**.

6 La recherche terminée, cliquez à nouveau **Rechercher** dans la barre d'outils pour masquer le volet Rechercher.

CATÉGORIES

Chacun des sites du répertoire de Yahoo! est analysé et catalogué par des spécialistes. Les sites Web contenant des informations semblables sont regroupés en catégories. Vous pouvez parcourir les catégories et sous-catégories jusqu'à trouver les pages Web qui vous intéressent.

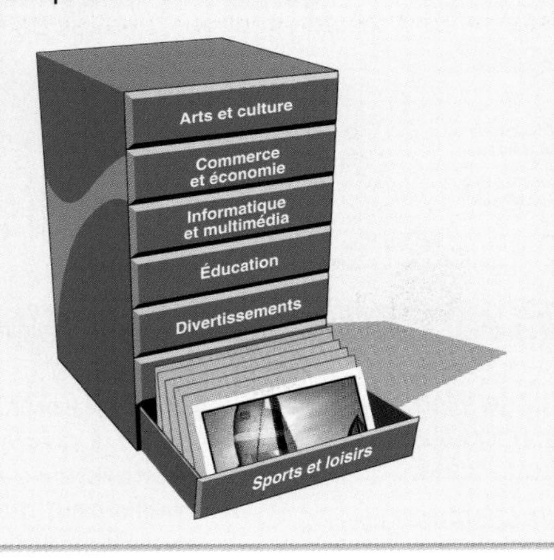

Yahoo! est souvent considéré comme le meilleur moteur de recherche du Web.

Vous trouverez Yahoo! sur le site Web suivant :

www.yahoo.fr

NOTATION

Lorsque Yahoo! critique les sites, il en vérifie également la qualité des informations. Yahoo! affiche une petite image représentant des lunettes de soleil à côté des sites fournissant des informations intéressantes. Lorsque vous recherchez avec Yahoo!, vous devez d'abord essayer les sites affichant ces lunettes de soleil.

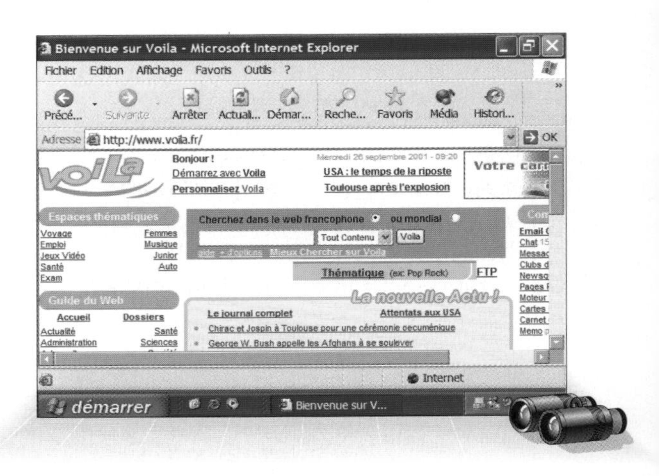

RECHERCHES

OPTIONS DE RECHERCHE

Lorsque vous effectuez une recherche, vous pouvez choisir si celle-ci doit être faite dans le Web francophone ou mondial. Vous pouvez également préciser si vous recherchez du contenu multimédia (image, son ou vidéo).

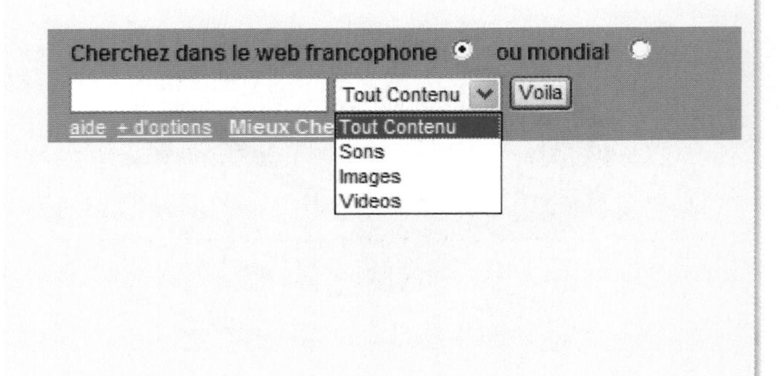

Voila est le moteur de recherche et le guide Web de France Telecom. Il fait également office de portail généralisé, avec une multitudes de services complémentaires (courrier électronique gratuit, espace d'hébergement, actualités, etc.).

Voila se trouve sur le site Web suivant : www.voila.fr

COMMANDES SPÉCIALES

Vous pouvez utiliser des commandes spéciales pour préciser votre recherche. Par exemple, saisissez le signe plus (+) devant un mot qui doit absolument apparaître dans une page Web. Vous pouvez également saisir le signe moins (-) devant un mot pour indiquer qu'il ne doit pas figurer dans la page.

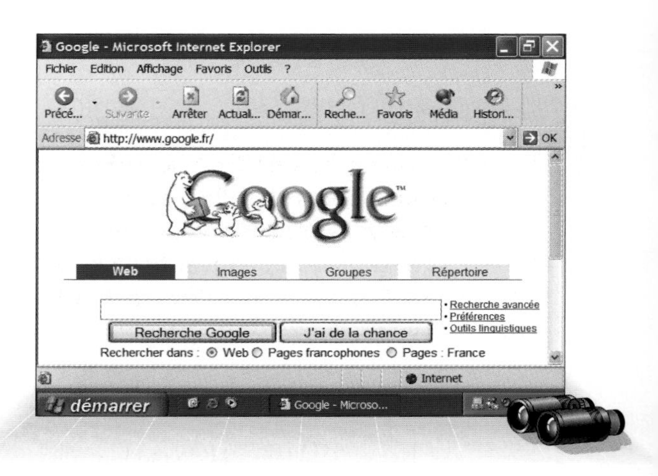

RAPIDITÉ ET TYPES DE CONTENUS

La recherche s'effectue très rapidement, comme en atteste l'indication figurant en haut de la page des résultats. Les onglets Web, Images et Groupes permettent d'afficher respectivement les pages Web, les images et les groupes de discussion correspondant au terme recherché. L'onglet répertoire permet de chercher les sites par catégories, comme dans un annuaire.

Web | Images | Groupes | Répertoire

Google a recherché **maison** sur le Web.

Recherche effectuée en **0.19** secondes.

Le moteur de recherche Google présente une interface très dépouillée, sans publicité ni services complémentaires, à la différence de ses concurrents Yahoo! et Voila. Les fonctions d'optimisation de recherche sont les mêmes que pour Voila.

L'adresse de Google est www.google.fr.

PERTINENCE

Les pages obtenues à l'issue de la recherche contiennent tous les termes indiqués (soit dans la page elle-même, soit dans les liens qu'elle contient). Google vérifie en outre la proximité entre ces termes au sein de la page, de façon à assurer la plus grande pertinence des résultats.

EFFICACITÉ

L'utilisation d'un programme de recherche est un moyen efficace de trouver des informations précises sur le Web. Ces programmes effectuent les recherches pendant que vous réalisez d'autres tâches. Vous pouvez également planifier les recherches à des heures qui vous conviennent, par exemple pendant la nuit.

Les programmes de recherche sont des programmes que vous exécutez sur votre ordinateur. Ils sont utiles pour les personnes qui effectuent des recherches fréquentes sur le Web.

Vous pouvez télécharger le programme de recherche Copernic à l'adresse www.copernic.com/fr

EXHAUSTIVITÉ

Les programmes de recherche envoient souvent les requêtes à plusieurs moteurs de recherche sur le Web. Un moteur de recherche peut offrir davantage d'informations qu'un autre mais il est possible qu'il les mette à jour moins souvent. Avec un programme de recherche, vous faites appel à plusieurs types de moteurs de recherche en même temps.

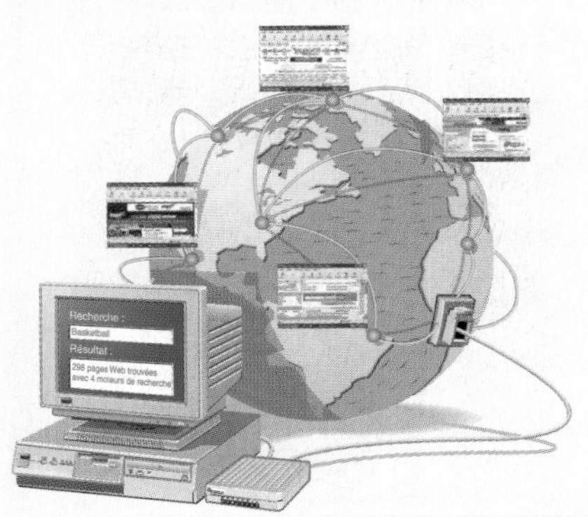

TÉLÉCHARGER DEPUIS UNE PAGE WEB

TÉLÉCHARGER UNE IMAGE

La plupart des navigateurs Web permettent de télécharger une image affichée sur une page Web. Lorsque l'image est enregistrée dans votre ordinateur, vous pouvez l'utiliser dans vos propres documents. Assurez-vous de posséder l'autorisation d'utiliser les images que vous récupérez sur le Web.

Vous pouvez télécharger, ou enregistrer, des éléments intéressants trouvés sur des pages Web. Téléchargez une image, la totalité d'une page Web ou utilisez un lien pour télécharger un fichier.

Lorsque vous avez téléchargé un élément sur votre ordinateur, vous y accédez à tout instant.

TÉLÉCHARGER UNE PAGE WEB

La plupart des navigateurs Web permettent de télécharger la totalité d'une page Web. Cela permet de la consulter lorsque vous n'êtes pas connecté à l'Internet ou d'envoyer cette page à un ami ou un collaborateur en utilisant un programme de messagerie.

TÉLÉCHARGER DEPUIS UNE PAGE WEB

Les pages Web fournissent souvent des liens que vous utilisez pour télécharger des fichiers. Vous pouvez télécharger différents types de fichiers.

TÉLÉCHARGER UN FICHIER TEXTE

Des documents intéressants pour vos recherches et vos loisirs sont disponibles : livres, manuels d'informatique, documents administratifs, titres d'actualité.

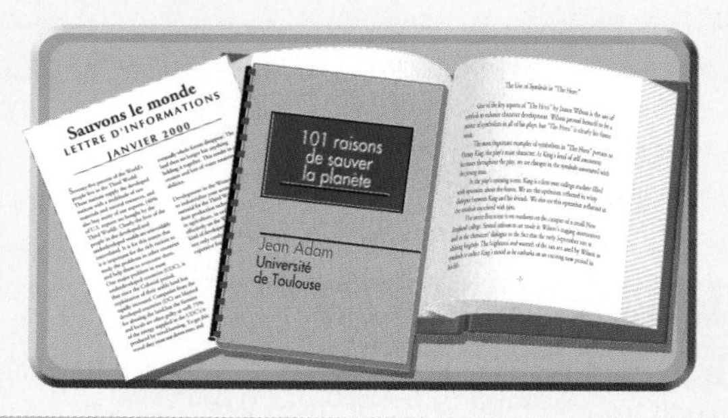

TÉLÉCHARGER UN FICHIER SON

Vous pouvez télécharger des thèmes musicaux, des effets sonores, des extraits de discours célèbres et des airs d'émissions de télévision ou de films. Les formats sonores courants sont MIDI, MP3, RealAudio et Wave.

TÉLÉCHARGER UNE IMAGE

Vous pouvez télécharger des images, par exemple des images générées par ordinateur, des peintures de musée ou des photos de personnes célèbres. Les formats d'images courants sont Bitmap, GIF, JPEG et PNG.

TÉLÉCHARGER UN FICHIER VIDÉO

Vous pouvez télécharger des extraits de films, des dessins animés, des vidéos éducatives et des animations générées par ordinateur. Les formats vidéo courants sur le Web sont AVI, MPEG, Real Video et QuickTime.

TROUVER DES PROGRAMMES SUR LE WEB

Les éditeurs de logiciels, par exemple Microsoft et Netscape, permettent généralement de télécharger des programmes sur leurs sites Web. Il existe également de nombreux sites Web sur lesquels vous pouvez trouver de grandes quantités de programmes à télécharger :

www.shareware.com

www.telecharger.fr

www.tucows.com

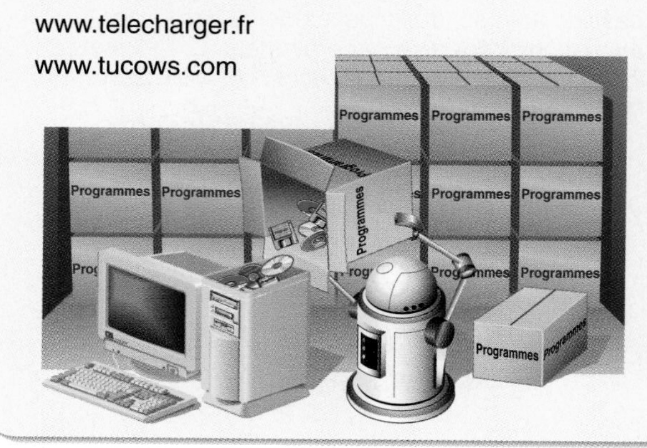

Après avoir téléchargé des programmes sur le Web, vous les utilisez sur votre ordinateur. Il peut s'agir de traitements de texte, de tableurs, de programmes de messagerie ou de jeux.

DESCRIPTION DES PROGRAMMES

La plupart des sites Web donnent une rapide description des programmes à télécharger : la taille et le système nécessaire à son fonctionnement. Certains sites fournissent également une critique du programme, écrite par les auteurs du programme.

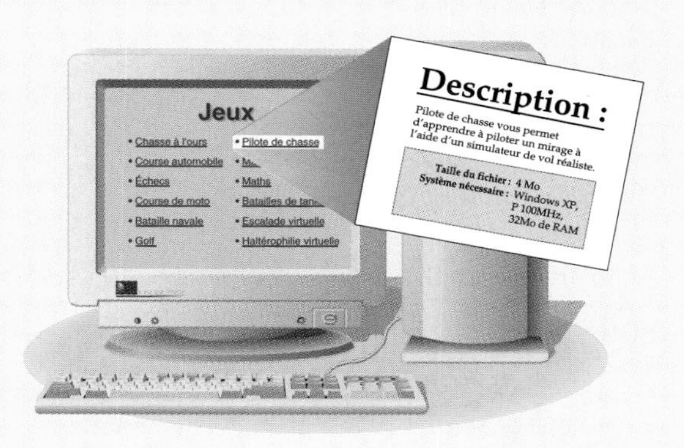

FREEWARE

Les programmes *freeware* sont gratuits mais soumis à des droits d'auteur. L'auteur peut vous demander de suivre certaines règles si vous souhaitez modifier ou distribuer un tel programme.

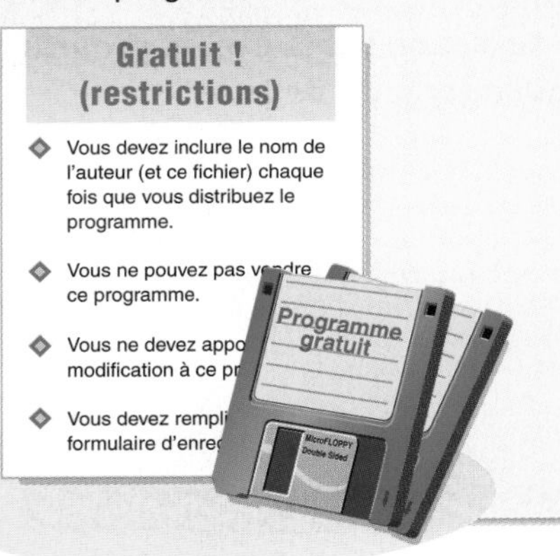

VERSION BÊTA

Une version bêta d'un programme est une version préliminaire qui n'est pas prête à être commercialisée. De nombreux éditeurs de logiciels permettent aux utilisateurs de tester des versions bêta d'un programme avant de diffuser la version officielle.

SHAREWARE

Vous pouvez essayer gratuitement un programme *shareware* pendant une période de temps limitée. Si vous appréciez le programme et continuez de l'utiliser, vous devez le payer à son auteur. Souvent, les programmes *shareware* ne vous permettent pas d'accéder à toutes les fonctionnalités tant que vous n'avez pas payé.

VERSION DE DÉMONSTRATION

Vous pouvez télécharger une version de démonstration d'un programme. Généralement, cette version permet d'utiliser toutes les fonctionnalités d'un programme pendant une période limitée. À la fin de cette période, vous devez acheter le programme si vous souhaitez encore l'utiliser.

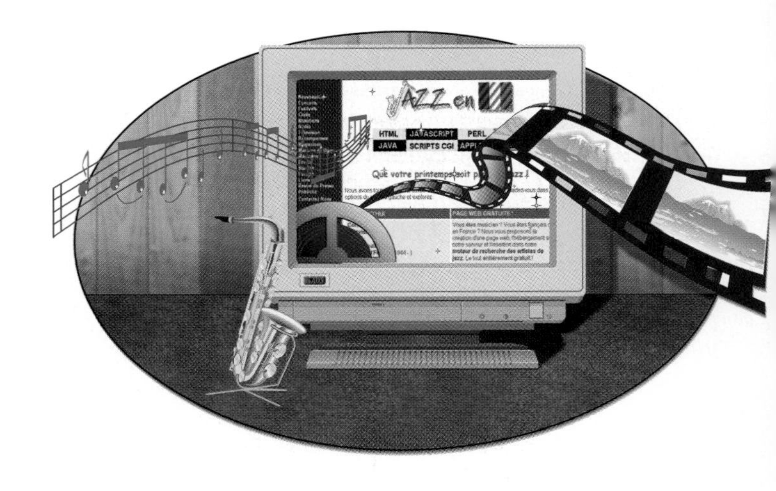

TEMPS DE TRANSFERT

Certains fichiers mettent du temps à être transférés sur votre ordinateur. Une page Web affiche habituellement la taille des fichiers, ce qui peut vous donner une idée de son temps de chargement.

Recourir aux techniques multimédias est un bon moyen d'attirer l'attention sur certaines informations d'une page Web.

Le multimédia consiste en une combinaison de textes, images, sons, vidéos ou animations. Beaucoup de sociétés qui proposent de la publicité sur le Web utilisent des techniques multimédias pour vendre leurs produits ou services.

Taille des fichiers			Temps
Octet	Kilo-octet (Ko)	Mégaoctet (Mo)	(estimé)
10 000 000	10 000	10	25 minutes
5 000 000	5 000	5	12 minutes
2 500 000	2 500	2,5	8 minutes

Utilisez ce tableau pour vous guider dans l'estimation des temps de téléchargement des fichiers sur votre ordinateur.

Il se fonde sur un transfert effectué avec un modem fonctionnant à la vitesse de 56 Kbps. Si votre modem est doté d'une vitesse moindre, les fichiers seront transmis plus lentement que les temps indiqués ci-dessus.

TROUVER DES SONS

Il existe de nombreuses pages Web fournissant des sons. Vous pouvez écouter les sons sur une page Web ou les copier sur votre ordinateur pour les utiliser par la suite. Assurez-vous d'obtenir l'autorisation d'utiliser les sons que vous récupérez sur le Web.

Vous pouvez entendre des sons sur les sites suivants :

www.mp3.com

www.mp3.fr

www.multimania.com/mp3

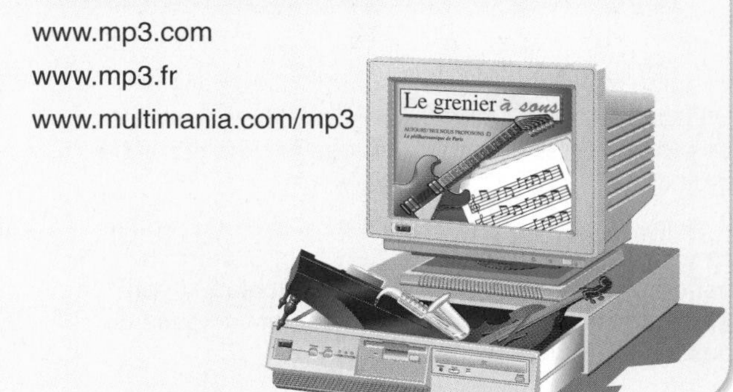

Les pages Web peuvent contenir des sons pour vous distraire tout en vous informant.

Votre ordinateur doit être en mesure de restituer des sons.

FORMATS DE FICHIERS SON

On trouve plusieurs formats de sons sur le Web. Les plus répandus sont les sons Wave. Les lettres qui suivent le point du nom du fichier son (par exemple, alouette.wav) permettent de savoir quel est le format d'un fichier sonore.

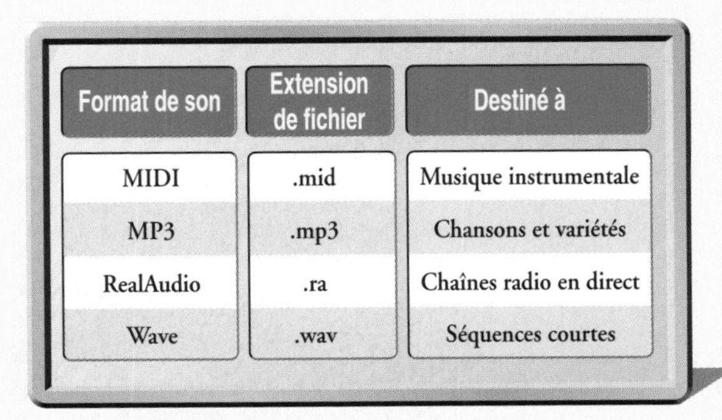

Format de son	Extension de fichier	Destiné à
MIDI	.mid	Musique instrumentale
MP3	.mp3	Chansons et variétés
RealAudio	.ra	Chaînes radio en direct
Wave	.wav	Séquences courtes

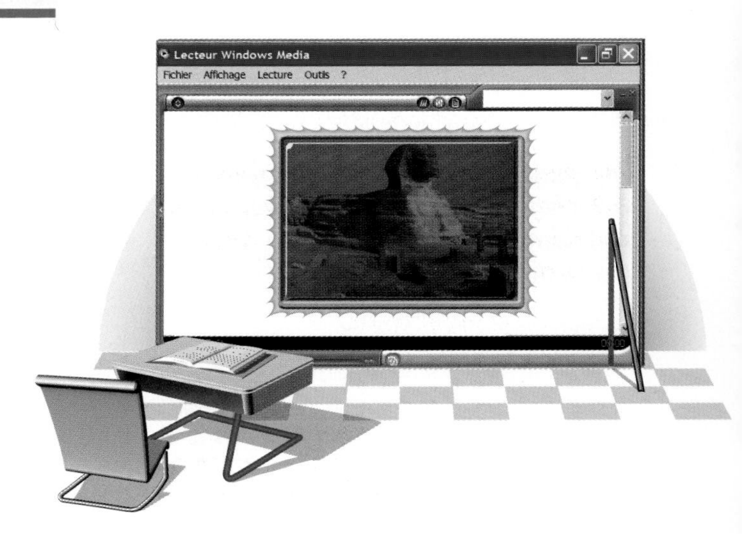

TROUVER DES VIDÉOS

Il existe de nombreuses pages Web qui permettent la lecture ou la copie sur votre ordinateur de vidéos. Assurez-vous d'obtenir l'autorisation d'utiliser les vidéos que vous récupérez sur le Web.

Vous pouvez trouver des vidéos sur les sites suivants :

www.apple.com/fr/quicktime www.lci.fr

www.warner-home-video.fr/index.htm

Des pages Web peuvent comprendre des séquences vidéo pour divertir et instruire aussi bien que pour vanter des produits.

Votre ordinateur doit offrir la possibilité de restituer les sons qui accompagnent la séquence vidéo.

FORMATS DE FICHIERS VIDÉO

Il existe plusieurs formats de fichiers vidéo sur le Web. Vous saurez de quel type il s'agit en regardant les lettres qui suivent le point dans le nom de fichier d'une vidéo (par exemple, auto.avi).

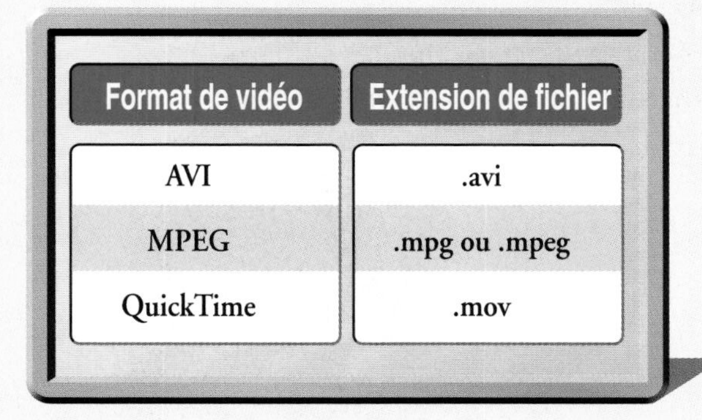

Format de vidéo	Extension de fichier
AVI	.avi
MPEG	.mpg ou .mpeg
QuickTime	.mov

COMMENT FONCTIONNE LE STREAMING ?

Normalement, lorsque vous transmettez un fichier son ou vidéo à partir du Web vers votre ordinateur, vous devez attendre que tout le fichier ait été transféré avant de pouvoir le lire. Grâce à la technique du streaming, le fichier son ou vidéo est transmis à un lecteur installé sur votre ordinateur et celui-ci lit le son ou la vidéo durant le transfert.

Le streaming (flux multimédia) est le procédé qui permet de lire des séquences son et vidéo en temps réel sur le Web.

LECTEURS STREAMING

Vous devez disposer d'un lecteur utilisant le procédé du streaming pour lire des fichiers son et vidéo en continu. Vous trouverez des lecteurs de ce type sur les sites suivants :

RealNetworks Realplayer

www.real.com

Lecteur Windows Media

www.microsoft.fr

Apple QuickTime

www.apple.com/fr/quicktime

PLUG-IN DE NAVIGATEUR

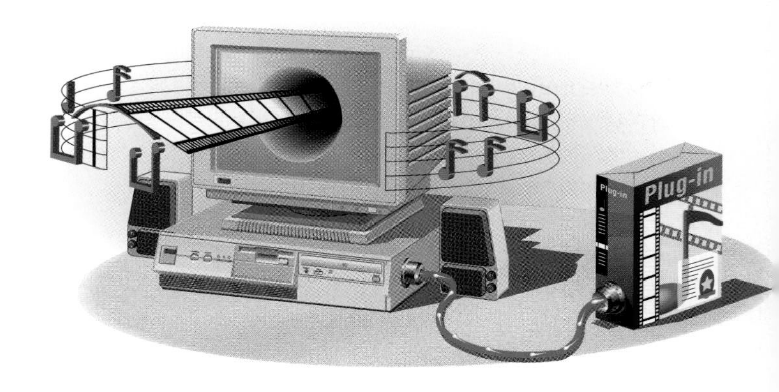

NAVIGATEURS

Certains navigateurs Web intègrent des plug-in très usités. Si votre navigateur ne peut pas afficher ou lire certains fichiers, il affiche une boîte de dialogue vous indiquant quel plug-in est nécessaire.

Les navigateurs nécessitent des programmes spéciaux pour afficher ou lire divers types de fichiers du Web. La fonction d'un plug-in est de mener à bien des tâches que le navigateur ne pourrait réaliser tout seul.

SE PROCURER DES PLUG-IN

Si vous voulez afficher ou lire un fichier que votre navigateur ne peut pas ouvrir, vous pouvez télécharger ou copier le plug-in approprié à partir du Web. La plupart sont disponibles gratuitement. Vous trouvez une liste des plug-in les plus répandus sur le site suivant :

www.netscape.com/plugins

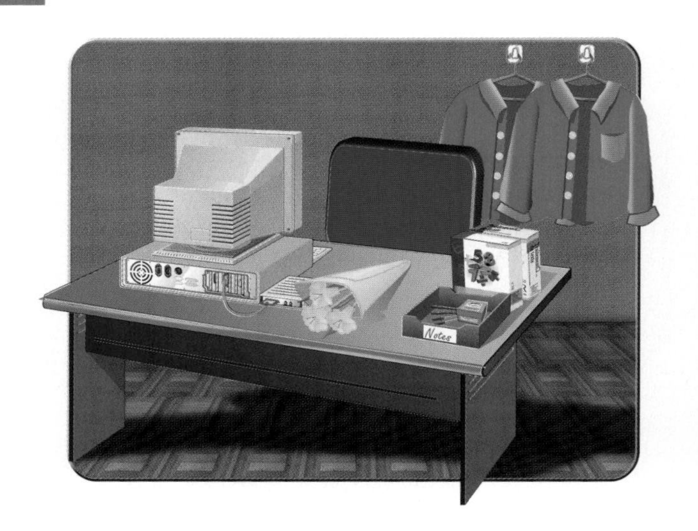

SITES WEB COMMERCIAUX

De plus en plus d'entreprises ont un site Web sur lequel vous pouvez visualiser et acheter leurs produits ou services.

Certains sites commerciaux regroupent toute une variété de produits fabriqués par différentes entreprises. Vous trouverez, par exemple, les produits vendus dans les magasins Fnac sur le site Web www.fnac.com.

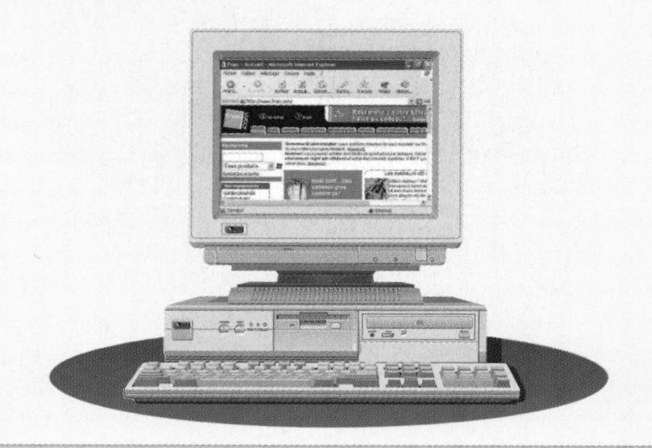

Sans quitter votre bureau, vous pouvez acheter des produits et des services sur le Web.

VENTES AUX ENCHÈRES

Certains sites Web commerciaux organisent des ventes aux enchères où vous pouvez faire monter les enchères sur toutes sortes de produits, ordinateurs, bijoux, cadeaux, *etc.* Visitez, par exemple, le site Web suivant :
www.ebay.fr

SITES WEB SÉCURISÉS

La sécurité est un élément important lorsque vous souhaitez envoyer des informations confidentielles, par exemple votre numéro de carte bancaire, sur l'Internet.

Vous pouvez envoyer des informations confidentielles en toute confiance sur un site Web sécurisé. L'adresse d'un site sécurisé commence par **https** au lieu de **http**.

INFORMATIONS ACTUALISÉES

La plupart des sites Web commerciaux proposent des informations constamment mises à jour sur leurs produits disponibles et leurs prix. Ce n'est pas toujours le cas pour les catalogues ou les prospectus publicitaires qui peuvent contenir des informations périmées. Avant d'acheter un produit, vous pouvez trouver sur le Web les présentations et les évaluations les plus récentes concernant ce produit.

LIVRAISONS

Quand vous achetez un produit sur le Web, vous pouvez généralement le faire livrer à votre domicile. La plupart des sites Web commerciaux facturant les frais de livraison, vous devez donc les ajouter au prix annoncé avant de commander le produit qui vous intéresse.

PRIX ATTRACTIFS

Les prix des produits vendus sur le Web sont généralement plus bas que ceux des magasins traditionnels. Les sites Web commerciaux ont des frais de fonctionnement moins importants, sans vendeurs ni location de locaux de vente, c'est pourquoi leurs prix de vente sont moins élevés. Certains sites Web commerciaux proposent aussi des prix réduits sur des produits en promotion.

PRODUITS DISPONIBLES

Des milliers de produits sont à vendre sur des sites, tels que des vêtements, du mobilier de bureau, des programmes informatiques, des produits d'alimentation. Le Web est aussi un grand pourvoyeur d'articles rares, tels que des livres épuisés, des objets pour collectionneurs.

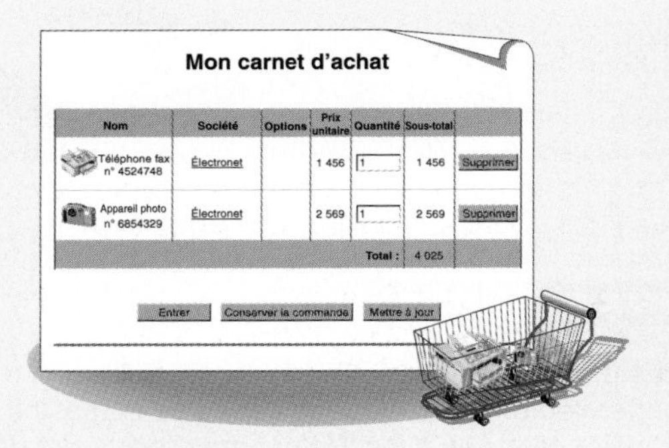

CARTE BANCAIRE

Beaucoup de personnes pensent qu'il est dangereux de donner par l'Internet leur numéro de carte bancaire. En fait, envoyer ce type de renseignement à un site Web sécurisé est moins dangereux que de le donner à un inconnu par téléphone. Pour plus d'informations sur les pages Web sécurisées, consultez la page 150.

CARNET D'ACHAT

Comme dans beaucoup de magasins classiques, vous pouvez vous servir d'un carnet (ou panier) d'achat qui liste les articles que vous souhaitez acquérir. Ce carnet conserve les données relatives à chaque article sélectionné, pendant que vous continuez à parcourir le site d'achat en ligne. Quand vous avez fini de faire votre choix, vous pouvez commander tous les articles qui se trouvent sur la liste en une seule fois.

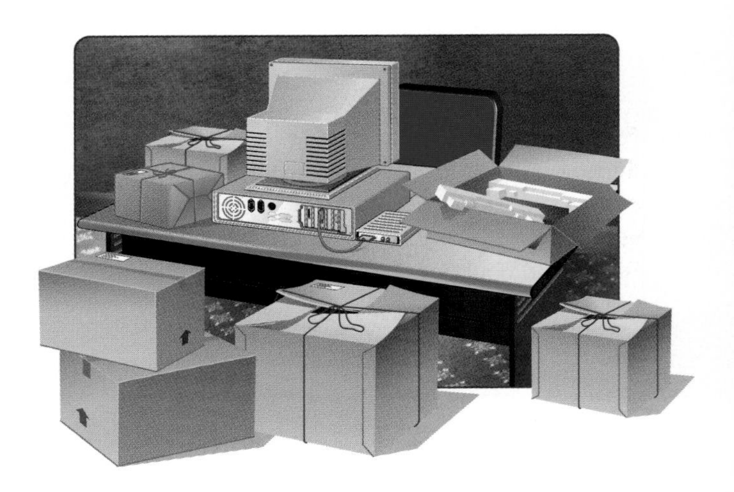

PROCÉDURES D'ACHAT

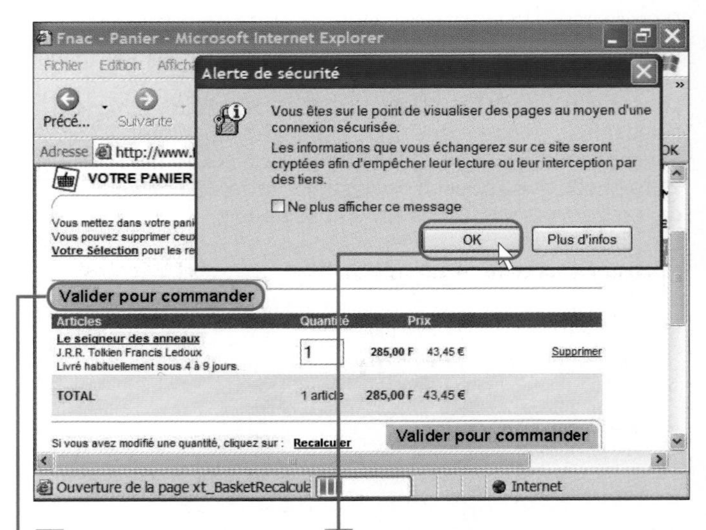

1 Une fois que vous avez choisi un article, cliquez le bouton qui l'ajoute au panier (ou carnet) d'achat, puis validez la commande.

2 Un message vous informe que vous allez accéder à une page Web sécurisée. Cliquez **OK**.

■ Il peut vous être demandé de vous identifier, c'est-à-dire d'indiquer vos identifiant et mot de passe. Si vous n'en possédez pas, il faut vous inscrire.

Pour pouvoir commander un article en ligne, il est nécessaire de créer un compte auprès du site d'achat. Pour cela, vous devrez indiquer votre identité, le numéro de votre carte de paiement et les adresses de facturation et de livraison.

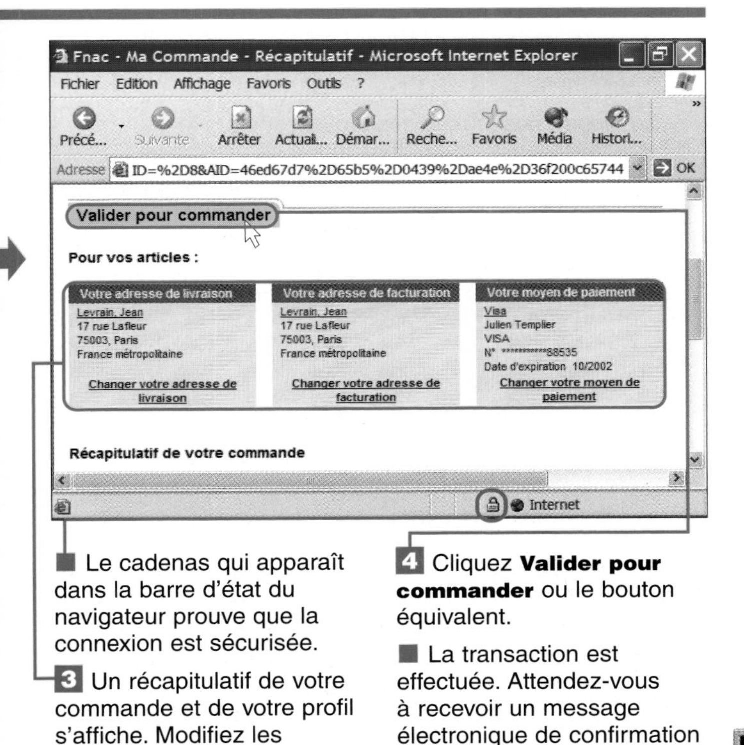

■ Le cadenas qui apparaît dans la barre d'état du navigateur prouve que la connexion est sécurisée.

3 Un récapitulatif de votre commande et de votre profil s'affiche. Modifiez les informations le cas échéant.

4 Cliquez **Valider pour commander** ou le bouton équivalent.

■ La transaction est effectuée. Attendez-vous à recevoir un message électronique de confirmation de la transaction, avec les délais de livraison.

INTRODUCTION AUX JEUX MULTIJOUEURS

LOGICIELS

La plupart des jeux en réseau exigent que le logiciel soit installé sur l'ordinateur du participant. Le téléchargement des jeux est le plus souvent gratuit. Pour certains jeux, vous devez acquérir le CD-ROM et effectuer l'installation.

Une connexion multijoueur permet à plusieurs personnes de jouer ensemble. Les sessions multijoueurs font partie des aspects les plus appréciés de l'Internet.

Vous pouvez jouer à des parties d'échecs, de dames, de cartes, à des jeux d'arcade, à des Doom-like et à des jeux d'aventure.

SITES WEB

Nombreux sont les sites Web sur lesquels vous pouvez jouer avec d'autres personnes, échanger des idées sur vos jeux favoris et en savoir plus sur les derniers trucs et astuces.

Voici deux sites Web de jeux connus :

www.zonejeux.com www.jeuxvideo.com

ÉQUIPEMENT NÉCESSAIRE

LOGICIELS

Pour participer à un jeu sur l'Internet, chacun doit posséder une copie du logiciel sur son ordinateur. Les logiciels du commerce sont onéreux mais la plupart des éditeurs proposent leurs jeux en version d'évaluation sur le Web.

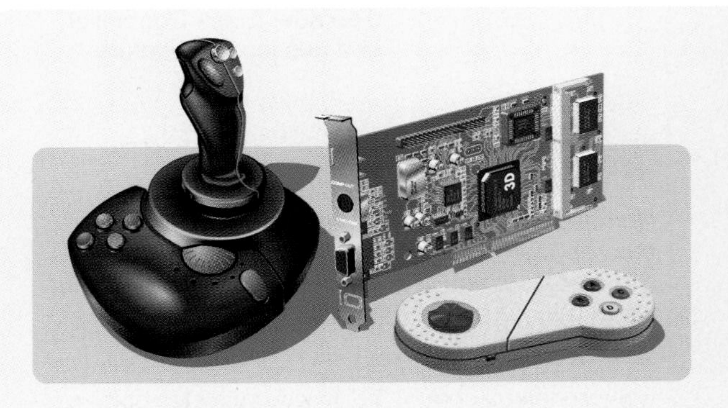

CONNEXION

Établir une connexion avec d'autres internautes est un jeu d'enfant. Il suffit pour cela d'ouvrir une session avec un ordinateur gérant les connexions entre joueurs.

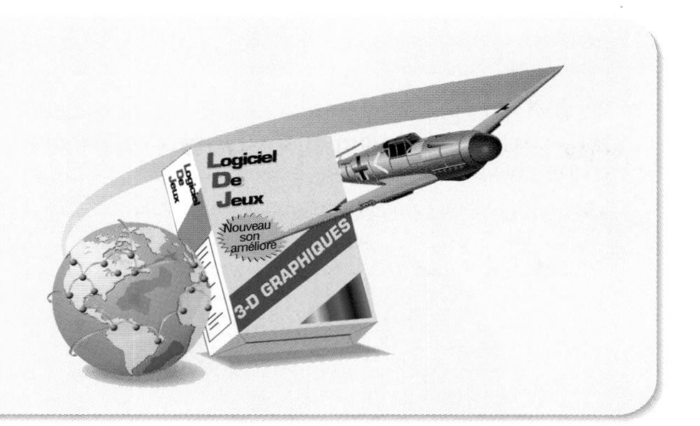

MATÉRIEL REQUIS

Certains jeux requièrent des interactions de la part de l'utilisateur par l'intermédiaire d'un joystick ou d'un *gamepad*. Il est parfois nécessaire de doter l'ordinateur de périphériques appropriés. Par exemple, certains logiciels fonctionnent mieux avec une carte graphique 3D. Avant d'acheter un jeu, consultez la liste des périphériques requis pour jouer dans des conditions optimales.

AGE OF EMPIRES

Il s'agit d'un jeu de stratégie couvrant une période de dix mille ans et permettant de réécrire l'histoire d'une civilisation. Pour en savoir plus :

www.microsoft.com/games/empires

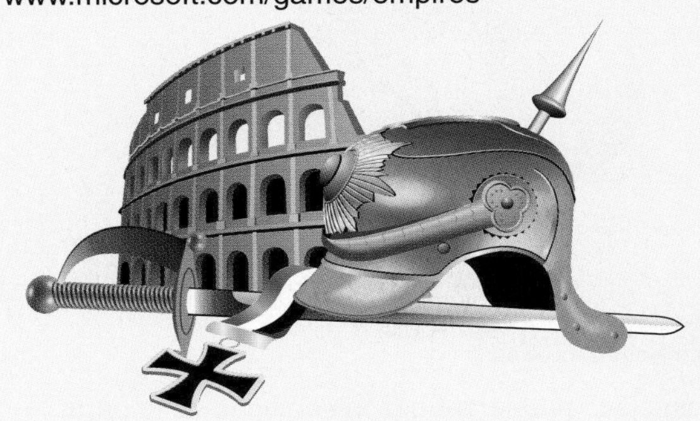

JEDI KNIGHT

Armé de votre épée laser, vous combattez les forces de l'Empire en tant que chevalier Jedi. Ce jeu accepte jusqu'à trois concurrents par partie. Pour en savoir plus, visitez le site suivant :

www.lucasarts.com

COMMAND & CONQUER

Ce jeu de stratégie militaire vous permet d'engager une partie en ligne avec un autre internaute. Pour plus d'informations sur Command & Conquer, visitez le site Web suivant :

www.westwood.ea.com

NEED FOR SPEED : HIGH STAKES

Au volant d'une voiture de rêve, vous participez à des courses au réalisme surprenant. Vous avez le choix entre courir contre une autre personne ou vous lancer à sa poursuite comme shérif. Pour en savoir plus sur Need for Speed, visitez le site Web suivant :

www.needforspeed.com

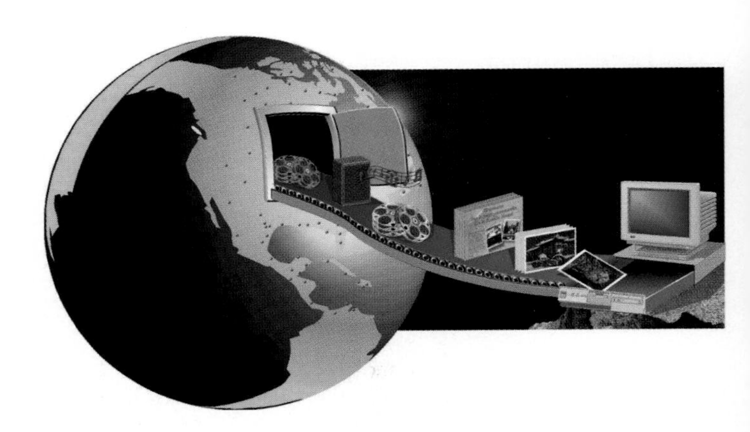

PROGRAMMES D'ÉCHANGE

Le programme d'échange de fichiers le plus connu s'appelle Napster, mais il ne fonctionnait plus lors de l'impression de ce livre. Il en existe de nombreux autres, tous disponibles en *freeware* : Gnutella, LimeWire, AudioGalaxy, Morpheus, *etc.* Téléchargez-en un, puis installez-le et indiquez les différents paramètres de votre connexion fournis par votre FAI.

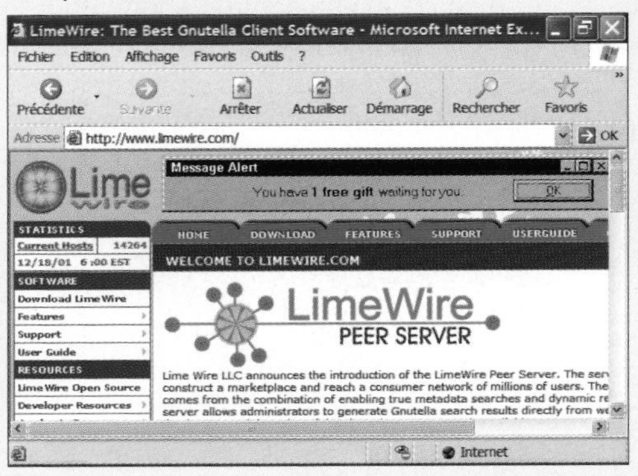

Vous désirez échanger des fichiers multimédias avec d'autres internautes ? Installez un logiciel d'échange de fichiers, qui établit une connexion directe (de poste à poste) entre votre ordinateur et celui des autres utilisateurs.

Chaque utilisateur doit rendre accessibles certains types de fichiers de son disque dur, afin d'accéder à ceux des autres.

TYPES DE FICHIERS À ÉCHANGER

La plupart des logiciels d'échange de fichiers permettent de partager des fichiers de format MP3, c'est-à-dire de la musique. Certains (comme Morpheus) reconnaissent également les images, les vidéos, les fichiers texte et les programmes.

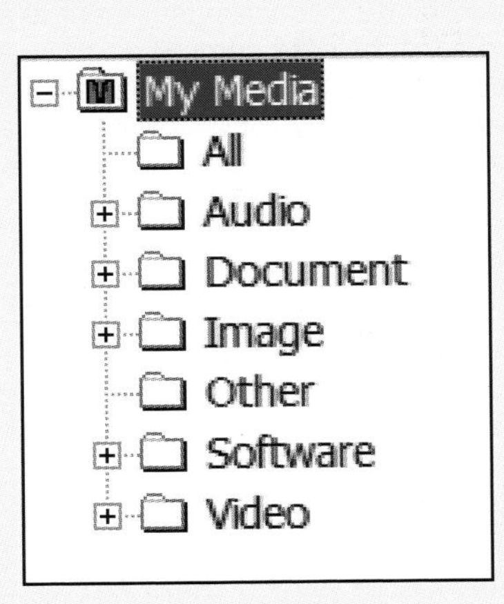

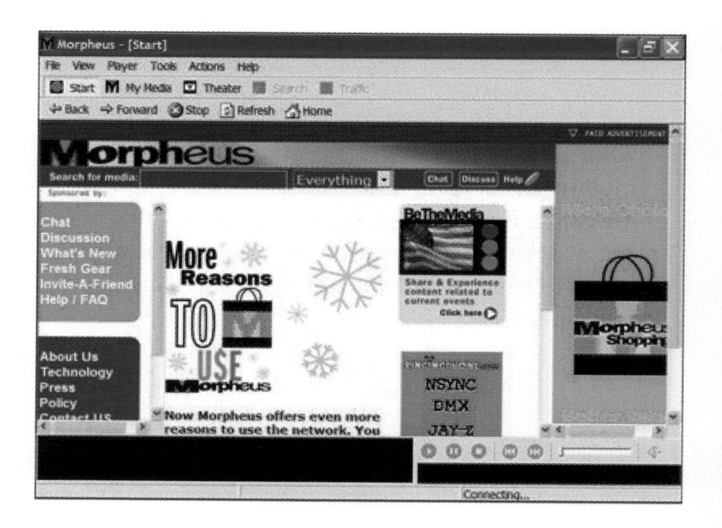

COÛT DES ÉCHANGES

Les logiciels d'échange de fichiers établissent une connexion directe (de poste à poste) entre votre machine et celle des autres utilisateurs du logiciels. Les fichiers contenus dans votre disque dur deviennent alors visibles et accessibles à chacun. Tout fichier qu'un autre utilisateur vient télécharger chez vous est considéré comme du trafic en voie remontante. Prenez garde que ce trafic n'excède pas le quota alloué par votre FAI (surtout s'il s'agit d'un câblo-opérateur), car cela occasionne des dépenses supplémentaires.

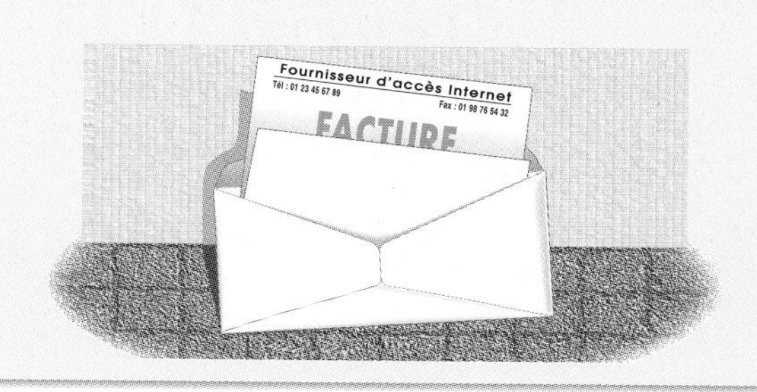

Avant d'utiliser un logiciel d'échange de fichiers, il faut bien connaître le mode de fonctionnement de ce type de programme, qui peut vous exposer à quelques ennuis.

Gardez à l'esprit que les fichiers que vous téléchargez sont destinés à une utilisation privée, sur votre ordinateur.

SÉCURITÉ

Lorsque vous avez téléchargé le fichier d'un autre utilisateur, pensez à le faire analyser par un programme antivirus. Comme vous connaissez rarement l'identité des autres utilisateurs, vous n'êtes jamais assuré que les fichiers sont sains.

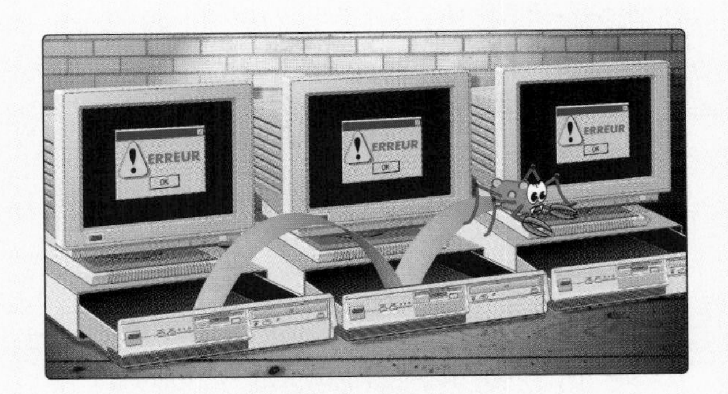

PAGES WEB SÉCURISÉES

Les pages Web sécurisées fonctionnent avec les navigateurs pour créer un système de sécurité pratiquement inviolable. Quand vous envoyez des informations par l'Internet, elles peuvent passer par de nombreux ordinateurs avant d'arriver à destination. Si vous n'êtes pas connecté à un site sécurisé, des personnes sont en mesure de prendre connaissance de ces informations.

Il existe différents moyens pour s'assurer que les informations personnelles envoyées sur l'Internet sont sécurisées.

Beaucoup de personnes pensent qu'il est dangereux de donner par l'Internet un numéro de carte bancaire. En fait, envoyer ce type de renseignement à un site Web sécurisé est moins dangereux que de le donner à un inconnu par téléphone.

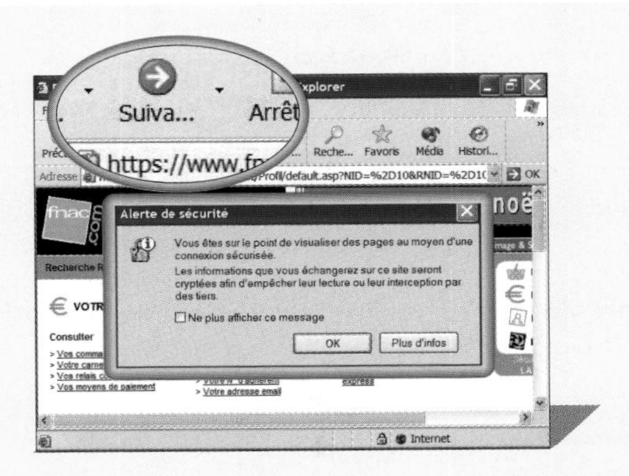

Visiter des pages Web sécurisées

Les adresses de pages Web sécurisées commencent d'habitude par **https** au lieu de **http**.

Quand vous allez sur un site Web sécurisé, votre navigateur affiche habituellement un verrou ou une clé à l'écran pour indiquer que la page est sécurisée. Beaucoup de navigateurs affichent aussi une boîte de dialogue vous signalant que vous êtes sur un site sécurisé.

COOKIES

Un cookie est un petit fichier texte stocké sur votre ordinateur. Les informations de ce fichier sont utilisées par un site Web pour conserver une trace des personnes qui y accèdent. Par exemple, lorsque vous visitez un site Web, celui-ci crée un cookie pour stocker votre nom. Lorsque vous retournez sur ce site, votre navigateur Web accède au cookie stocké sur votre ordinateur et affiche votre nom sur la page Web.

PARE-FEU

Un pare-feu est un programme qui filtre les informations qui passent entre deux réseaux. De nombreuses entreprises utilisent des pare-feu pour éviter l'intrusion d'utilisateurs de l'Internet sur leur réseau privé. Si votre entreprise utilise un pare-feu, vous devrez peut-être contacter l'administrateur système pour accéder à l'Internet à partir de votre bureau.

Partage d'un ordinateur

Si vous partagez un ordinateur avec d'autres personnes au travail, vous devez prendre garde aux cookies stockés sur votre ordinateur. Par exemple, si vous utilisez l'ordinateur pour acheter un produit sur un site Web, les informations de votre carte bancaire peuvent être enregistrées dans un cookie. Si un collaborateur utilise le même ordinateur pour visiter le même site, il peut acheter des produits en utilisant les informations de votre carte bancaire. De nombreux navigateurs Web permettent de désactiver l'utilisation des cookies.

RESTREINDRE LES ACCÈS POUR LES ENFANTS

SURVEILLANCE D'UN ADULTE

La surveillance constante par un adulte reste le meilleur moyen de s'assurer que les enfants n'accèdent pas à des informations non souhaitables sur le Web.

Avant chaque session sur le Web, l'adulte et l'enfant doivent convenir du but de la session, par exemple la recherche pour un projet scolaire. Ceci permet d'établir un ensemble de règles et de naviguer efficacement.

PROGRAMMES DE RESTRICTION

Vous pouvez acheter des programmes qui restreignent l'accès à certains sites Web. La plupart fournissent des listes, régulièrement mises à jour, de sites Web considérés comme choquants pour les enfants.

Vous trouverez des programmes de restriction sur les sites suivants :

Cyber Patrol : www.cyberpatrol.com

Net Nanny : www.netnanny.com

RESTRICTIONS DU NAVIGATEUR

Certains navigateurs Web permettent de restreindre les informations auxquelles les enfants peuvent accéder. De nombreux sites Web font l'objet d'une évaluation avec un système semblable à celui des émissions de télévision et des films.

Vous pouvez configurer votre navigateur pour ne permettre l'accès qu'aux sites correspondant à un certain public.

AltaVista

Pour lancer des recherches rapides dans des millions de pages Web et des milliers de groupes de discussion.

URL fr.altavista.com

Yahoo!

Un des principaux moteurs de recherche du Web mondial, couplé d'un annuaire de sites (avec des appréciations).

URL www.yahoo.fr

Voila

Le moteur de recherche et annuaire de France Telecom permet de spécifier le type de contenu multimédia à trouver (image, son, vidéo).

URL www.voila.fr

Nomade

Un moteur de recherche complété d'un annuaire de sites Web et de nombreux autres services.

URL www.nomade.fr

Lycos

Le moteur de recherche de ce site permet de lancer une recherche sur le Web mondial ou sur le seul Web français.

URL www.lycos.fr

Google

Le moteur de recherche le plus efficace. Une interface très épurée, qui permet d'aller à l'essentiel avec une recherche très ciblée.

URL www.google.fr

Copernic

Pour télécharger, puis installer le logiciel Copernic, qui permet de lancer une recherche simultanée sur plusieurs moteurs.

URL www.copernic.com/fr

Pages Jaunes

La version en ligne de l'annuaire de France Telecom, pour rechercher des coordonnées de professionnels ou de particuliers (Pages Blanches). Donne accès aux sites équivalents des autres pays.

URL www.pagesjaunes.fr

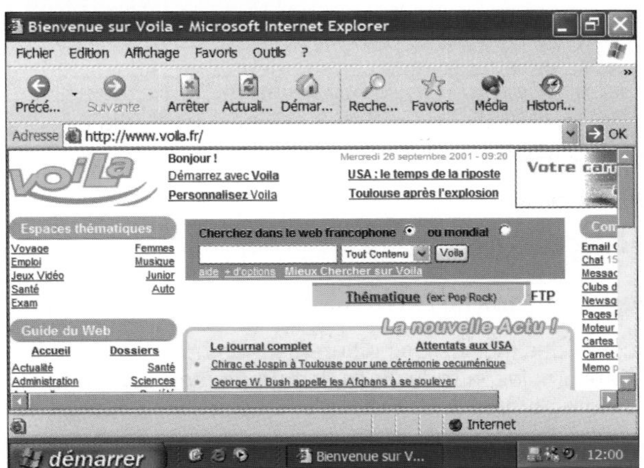

Bottin.fr

Annuaire des entreprises françaises. Recherche par raison sociale, activité, ville, département ou région.

URL www.bottin.fr

Kompass

Pour trouver les coordonnées et d'autres informations sur une entreprise en France et dans le monde.

URL www.kompass.fr

Europages

Annuaire européen des affaires. Recherche par raison sociale, produit ou service.

URL www.europages.com/home-fr.html

Greftel

Information officielle économique et juridique sur les entreprises.

URL www.greftel.fr

Bourse de Paris

Le cours des indices des différents marchés, le palmarès des valeurs, les introductions, les dernières opérations financières et des informations sur les sociétés cotées.

URL www.bourse-de-paris.fr

Journal des finances

Conseils sur les sociétés cotées et informations sur l'évolution des marchés destinées aux actionnaires individuels.

URL www.journaldesfinances.com

Finance Net

Annuaire de la finance recensant plusieurs milliers de sites financiers internationaux (classés par thème et par pays).

URL www.finance-net.com

Les Echos

Toute l'actualité économique et financière en temps réel.

URL www.lesechos.fr

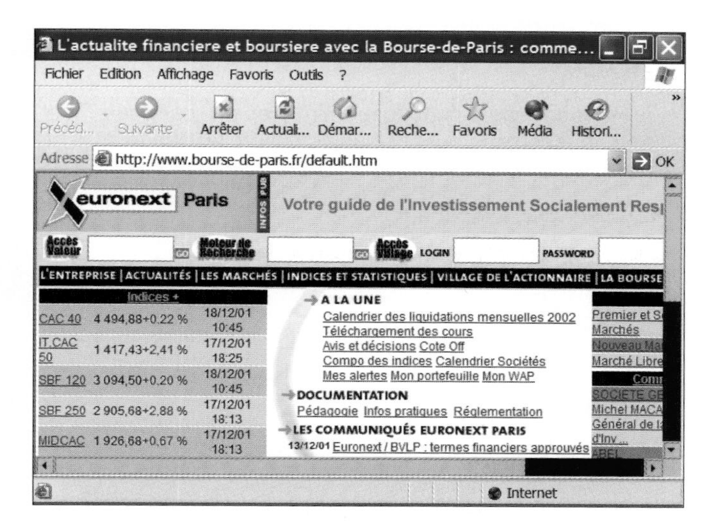

Ministère de la Culture

Le portail le plus complet sur la culture : l'actualité, la liste de toutes les administrations européennes, les aides à la création, les chiffres clés.

URL www.culture.fr

Télérama

La version Web de l'hebdomadaire : les programmes TV et radio commentés, toute l'actualité culturelle, des forums et une sélection de sites.

URL www.telerama.fr

ZoneJeux

Pour les mordus de jeux vidéo et pour ceux qui veulent s'y initier. Communautés de joueurs, jeux en réseau, actualités et tests.

URL www.zonejeux.com

Musée du Louvre

Les activités et l'actualité du Louvre, un parcours virtuel à travers les collections à effectuer avant ou après la visite réelle du musée.

URL www.louvre.fr

Pariscope

Les horaires et l'actualité des spectacles parisiens, pour réussir ses sorties.

URL www.pariscope.fr

Humour.com

Brèves insolites, images et blagues à savourer et partager entre amis internautes.

URL www.humour.com

Marmiton

Plus de 14 000 recettes en ligne, avec des suggestions saisonnières et des sélections pour budget léger.

URL www.marmiton.org

AlloCiné

L'actualité et les bandes-annonces des sorties cinématographiques ainsi que la liste de toutes les séances en France.

URL www.allocine.fr

Microsoft

Le site de la société éditrice du système d'exploitation Windows, et de très nombreux logiciels. Vous pourrez télécharger la dernière version du navigateur Internet Explorer.

URL www.microsoft.fr

Apple

Pour obtenir les dernières informations sur Macintosh et télécharger le plug-in de diffusion vidéo QuickTime.

URL www.apple.com/fr

Dell

Le fabricant de matériel informatique fut le pionnier de la vente d'ordinateurs en ligne.

URL www.dell.fr

Telecharger.fr

Annuaire de logiciels en shareware et freeware à télécharger. Les programmes sont classés par thème.

URL www.telecharger.fr

Choisir son PC

Tous les conseils pour acheter et configurer un PC.

URL www.choixpc.com

Symantec

L'éditeur du logiciel antivirus Norton et d'autres solutions pour sécuriser et protéger votre ordinateur. Pour obtenir les dernières mise à jour et les informations sur les virus les plus coriaces.

URL www.symantec.fr

Hotmail

Le leader des services de messagerie électroniques gratuits.

URL www.hotmail.fr

Free

Le fournisseur d'accès Internet gratuit. Inscrivez-vous pour obtenir un numéro d'abonné et vous connecter en ne payant que les communications au tarif Internet.

URL www.free.fr

Libération

Retrouvez le sommaire et les articles du quotidien, ainsi que des dossiers et des forums pour échanger vos opinions.

URL www.liberation.fr

Le Monde

Version en ligne du quotidien d'information avec archives et services interactifs.

URL www.lemonde.fr

Yahoo! Actualités

Les dépêches d'actualité des plus grandes agences de presse, actualisées en temps réel.

URL fr.news.yahoo.com

Paris Match

Le poids des mots et le choc des photos sur le Web.

URL www.parismatch.com

Radio France

Retrouvez la grille des programmes et les fréquences des stations de Radio France, avec diffusion en direct des émissions.

URL www.radio-france.fr

LCI

La chaîne d'informations en continu émet aussi en direct sur le Net. Vous pouvez également visionner les différentes chroniques déjà diffusées à l'antenne.

URL www.lci.fr

France 2

L'actualité avec les dépêches et les vidéos du JT, la grille des programmes et des différentes émissions de la chaîne.

URL www.france2.fr

Actustar

Toute l'actualité des stars. Au menu : potins, brèves, fiches et interviews pour régaler les fans.

URL www.actustar.fr

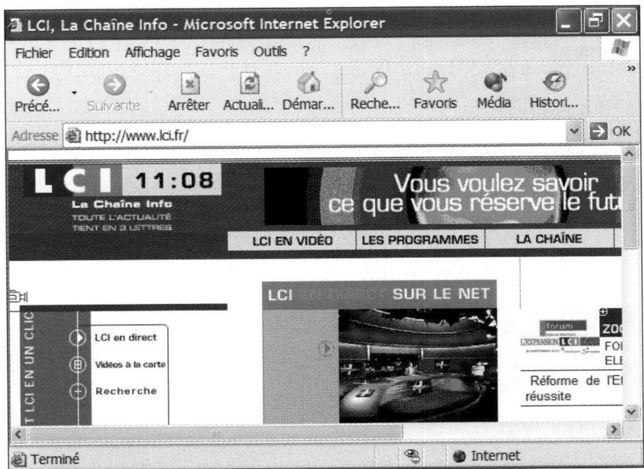

RATP

Itinéraires conseillés, plan du réseau (métro, autobus, tramway, RER), services (horaires, abonnements, état du trafic, accès aux aéroports, *etc.*)

URL www.ratp.fr

SNCF

Tarifs, horaires, réductions, fret et réservations en ligne : tout pour préparer son voyage en France et à l'étranger.

URL www.sncf.com

AIR France

Tarifs, horaires et achats en ligne pour tous les vols au départ de la France, informations en temps réel sur les vols.

URL www.airfrance.fr

Nouvelles Frontières

Catalogue en ligne du voyagiste et vente aux enchères de séjours et de billets.

URL www.nouvelles-frontieres.fr

Bourses des vols et des voyages

Centrale de réservation en ligne des vols et des voyages organisés de 80 compagnies aériennes et de 40 voyagistes.

URL www.bourse-des-voyages.com

Uniterre

L'annuaire des carnets de voyage en ligne. De nombreuses galeries sur les destinations du monde entier et des liens utiles pour les voyageurs.

URL www.uniterre.com

Degriftour

Le soldeur des invendus du voyage. Spécialiste des réservations de dernière minute.

URL www.degriftour.fr

Conseils aux voyageurs

La page du ministère des Affaires étrangères consacrée aux formalités d'accès aux différents pays du monde, assortie de conseils et de mises en garde.

URL
www.diplomatie.gouv.fr/voyageurs/etrangers/avis/conseils

Photo

La célèbre revue photographique française met son sommaire et ses images en ligne.

URL www.photo.fr

Laphotographie.com

Actualité, interviews, galeries et portraits de personnalités du monde de la photo.

URL www.laphotographie.com

Real

Pour télécharger le lecteur (de contenu multimédia) Real et écouter ou visionner les séquences proposées par le site.

URL www.real.com

Photim

Le magazine *Chasseur d'images* sur le Web : tout pour choisir, changer ou améliorer son matériel photographique. Tests, argus, annonces et liste de revendeurs.

URL www.photim.com

Canon

Vitrine sur le Web du fabricant de matériel photographique.

URL www.canon.fr

Yamafoto

Pour créer vos albums de photos en ligne et les partager avec vos amis.

URL www.yamafoto.com

Adobe

L'éditeur de logiciels graphiques (Photoshop, Illustrator, Acrobat, Premiere).

URL www.adobe.fr

Macromedia

Macromedia édite et diffuse une série de logiciels d'infographie, dont les lecteurs gratuits Flash et Shockwave qui permettent de consulter les sites conçus avec ces technologies.

URL www.macromedia.com/fr

Winamp

Pour télécharger Winamp, un des principaux lecteurs (gratuit) de fichiers MP3 et le personnaliser avec le skin (apparence de l'interface) de votre choix.

URL www.winamp.com

MP3.fr

Une sélection d'artistes à découvrir à travers leurs compositions au format MP3 et tous les utilitaires pour lire ce média.

URL www.mp3.fr

Jazz Magazine

Pour conjuguer swing et interactivité. Actualité du jazz et nombreux articles.

URL www.jazzmagazine.com

Les Inrockuptibles

Retrouvez l'actualité musicale et les artistes défendus par le journal grâce aux fichiers son et vidéo.

URL www.lesinrocks.com

Chronic'art

Un webzine culturel qui ne mâche pas ses mots ni ses goûts musicaux.

URL www.chronicart.com

All Music Guide

La bible des amateurs de musiques : tout sur les musiciens, les producteurs, les disques, les années, les genres. Existe aussi pour la musique classique. Site en anglais.

URL www.allmusic.com

Oui FM

La radio rock émet sur le Net et diffuse même des programmes spécialisés par genre.

URL www.ouifm.fr

Fun Radio

Retrouvez en ligne l'ambiance de la radio pour jeunes.

URL www.funradio.fr

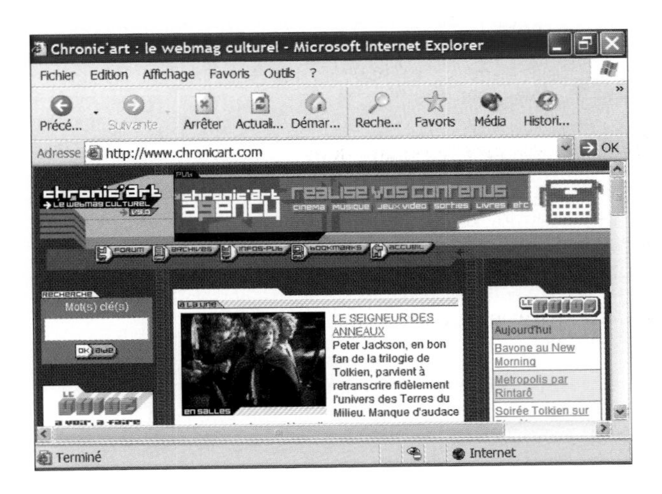

Amazon

Pour commander des produits culturels : livres, disques, vidéos et jeux vidéo. Les clients peuvent donner leur avis sur chaque article.

URL www.amazon.fr

Alapage

Vente de produits culturels et de loisirs (livres, musique, vidéo, CD-ROM, informatique, jeux).

URL www.alapage.fr

Fnac

Achetez en ligne tous les produits des magasins Fnac : livres, musique, vidéo, matériel, billets de spectacles et voyages.

URL www.fnac.com

Telemarket

Un supermarché pour faire ses courses en ligne : choisissez vos articles, passez commande, puis faites livrer. La commande peut être payée à la livraison.

URL www.telemarket.fr

Carrefour

Retrouvez en ligne tous les produits, les services et les promotions de l'enseigne Carrefour.

URL www.carrefour.fr

Ebay

Sites d'enchères en ligne pour vendre ou acheter tous types d'articles d'occasion.

URL www.ebay.fr

123achat

Vous êtes perdu dans la forêt des sites marchands ? Ce guide d'achat en ligne (qui en répertorie plus de 1 500) vous aide à faire le bon choix.

URL www.123achat.com

Kelkoo

Un guide pour comparer les prix des différentes boutiques en ligne et trouver les meilleures offres du Net marchand.

URL www.kelkoo.com

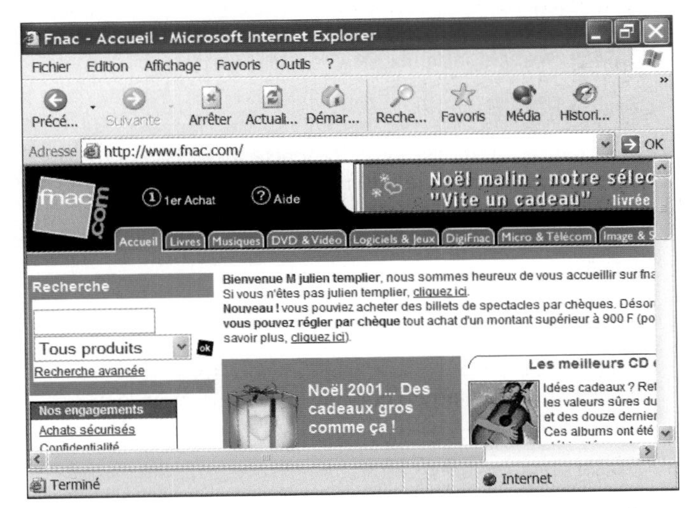

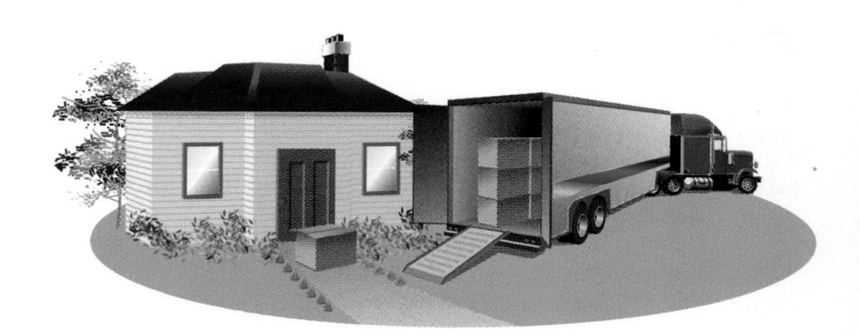

Chez-Vous

Le guide du service à domicile pour les Parisiens (restauration, fêtes, loisirs, gardes d'enfants, aides, *etc.*).

URL www.chez-vous.com

Le Particulier

Vos droits au quotidien, avec fiches juridiques en libre consultation.

URL www.leparticulier.fr

Service Public

Le portail de l'administration française. Pour connaître vos droits et vous faciliter les démarches.

URL www.service-public.fr

Legifrance

L'essentiel du droit français : la mise en ligne officielle de textes de loi.

URL www.legifrance.gouv.fr

Météo France

Cartes des prévisions en France, en Europe et dans le monde.

URL www.meteo.fr

Que Choisir

Découvrez l'histoire, les prises de positions et les dossiers de l'Union fédérale des consommateurs.

URL www.quechoisir.org

Mappy

Calcul d'itinéraires automobiles (avec estimation des distances, de la rapidité et du coût) pour tous vos déplacements en France et en Europe.

URL www.mappy.fr

ANPE

Conseils pour la recherche d'emploi, offres consultables gratuitement, adresses des différentes agences.

URL www.anpe.fr

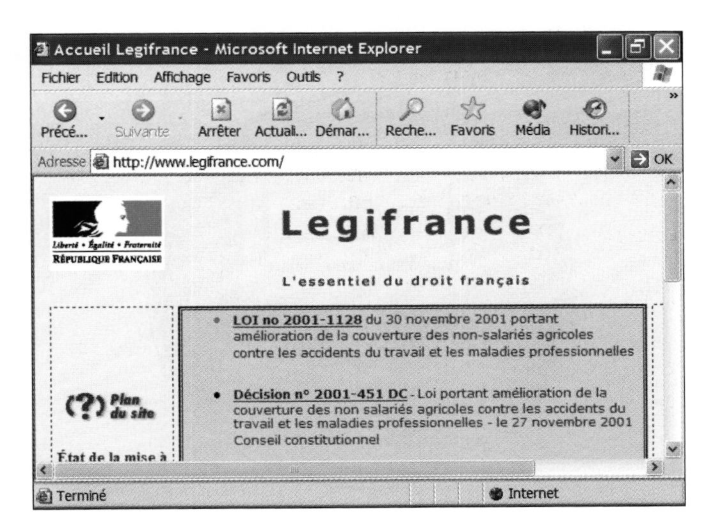

INTRODUCTION AU COURRIER ÉLECTRONIQUE

PROGRAMMES DE MESSAGERIE

Grâce à un programme de messagerie, vous envoyez, recevez et gérez votre courrier électronique.

Parmi les programmes de messagerie les plus répandus, on trouve Outlook Express (Microsoft), et Netscape Messenger.

Vous échangez du courrier électronique (e-mail) avec des personnes du monde entier.

Le courrier électronique permet d'envoyer de manière rapide, économique et simple des messages à votre famille, vos amis ou vos collègues.

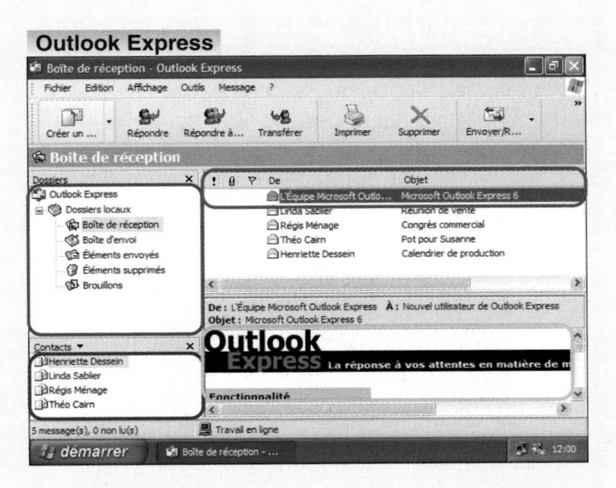

■ Cette zone affiche les dossiers contenant vos messages électroniques.

■ Cette zone affiche la liste de tous vos messages électroniques.

■ Cette zone affiche le contenu d'un message électronique.

■ Cette zone affiche la liste de vos contacts.

ADRESSES ÉLECTRONIQUES

ÉLÉMENTS D'UNE ADRESSE ÉLECTRONIQUE

Une adresse électronique se compose de deux éléments principaux séparés par le symbole @ (arobase ou « at », « chez », en anglais). Tous les caractères sont autorisés, à l'exception des espaces.

- Le **nom d'utilisateur** est le nom du propriétaire du compte. Il peut s'agir d'un nom ou d'un surnom.

- Le **nom de domaine** est l'emplacement du compte de l'utilisateur sur l'Internet. Ses composants sont séparés par des points (.).

À condition de connaître son adresse électronique personnelle, vous pouvez envoyer du courrier à tout contact à travers le monde.

Une adresse électronique définit l'emplacement de la boîte aux lettres d'un internaute.

ADRESSES DE PERSONNES CÉLÈBRES

ORGANISATION OU PAYS

Le suffixe d'une adresse électronique indique le type d'organisation ou le pays de son détenteur.

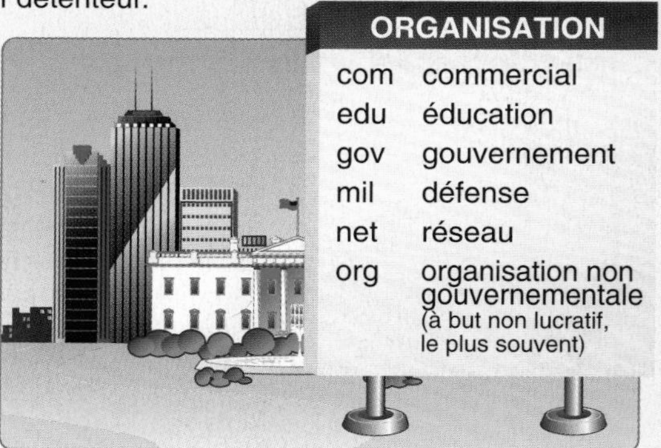

ORGANISATION	
com	commercial
edu	éducation
gov	gouvernement
mil	défense
net	réseau
org	organisation non gouvernementale (à but non lucratif, le plus souvent)

TROUVER DES ADRESSES ÉLECTRONIQUES

Pour connaître les adresses électroniques de vos amis et collègues, le meilleur moyen est de leur demander. Bien qu'il n'existe pas d'annuaire central des adresses électroniques, de nombreux sites Web ont pour objectif de faciliter vos recherches.

Pour rechercher des adresses électroniques, visitez les sites Web suivants :

www.pagesjaunes.fr

www.bigfoot.com

PAYS
au Australie
be Belgique
ca Canada
fr France
it Italie
jp Japon
uk Grande-Bretagne
PASSEPORT

PARTIES D'UN MESSAGE

De :

Adresse de la personne qui envoie le message.

À :

Adresse de la personne qui reçoit le message.

Objet :

Identifie le contenu du message. Veillez à ce qu'il soit explicite, en évitant les mentions comme « Pour information » ou « Important ».

Cc:

Abréviation de « copie conforme ». Une copie conforme est une copie exacte d'un message que vous pouvez adresser à une personne qui n'est pas directement concernée mais susceptible d'être intéressée par le contenu du message

Expéditeur : marie@abc.com
Destinataire : jacques@abc.com
Objet : Félicitations
Cc : sarah@abc.com
Cci : jeanne@abc.com

Félicitations pour tes résultats ! J'espère te voir à la réunion donnée en ton honneur vendredi.

Cci :

Abréviation de « copie conforme invisible ». Envoyer une copie conforme invisible, c'est transmettre une copie exacte du message à une personne à l'insu des autres destinataires.

LIRE LES MESSAGES

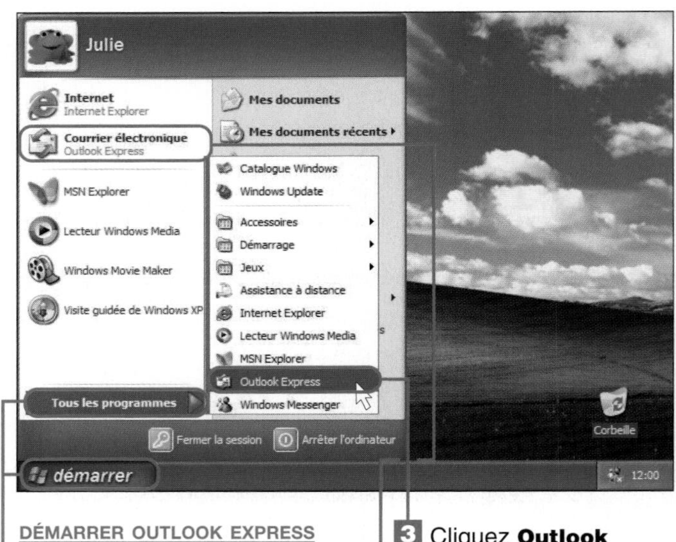

DÉMARRER OUTLOOK EXPRESS

1 Cliquez **démarrer** pour afficher le menu Démarrer.

2 Pointez **Tous les programmes** pour ouvrir la liste des programmes.

3 Cliquez **Outlook Express**.

■ Si Outlook Express est votre logiciel de courrier électronique par défaut, vous pouvez cliquez **Courrier électronique** au lieu d'effectuer les étapes **2** et **3**.

Pour lire vos messages électroniques, vous devez tout d'abord démarrer Outlook Express (ou tout autre logiciel de messagerie).

Au premier démarrage d'Outlook Express, un assistant apparaît si vous n'avez pas encore configuré votre connexion Internet ou votre compte de courrier électronique. Le cas échéant, suivez ses instructions.

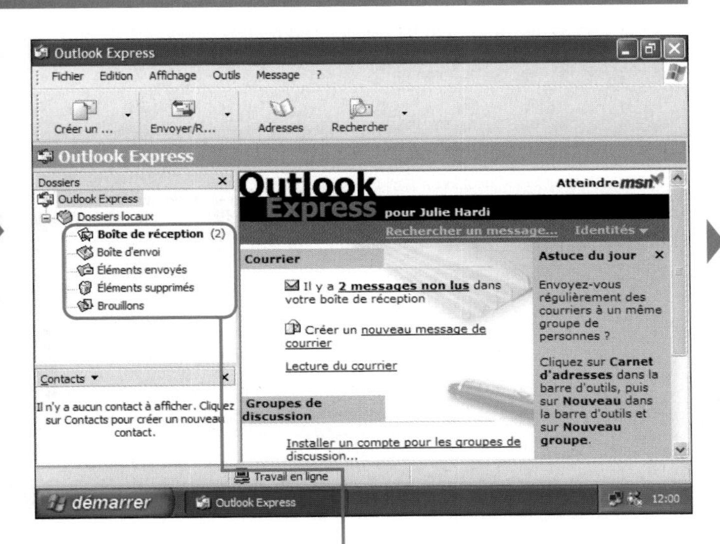

■ La fenêtre d'Outlook Express s'ouvre.

Note. Si la connexion Internet n'est pas encore établie, une boîte de dialogue permettant de le faire apparaît.

LIRE LES MESSAGES

■ Les dossiers contenant vos messages s'affichent dans cette zone.

Note. Le nombre entre parenthèses qui suit le nom d'un dossier indique combien de messages non lus il contient. Le nombre disparaît une fois tous les messages du dossier lus.

Quels dossiers Outlook Express utilise-t-il pour conserver les messages ?

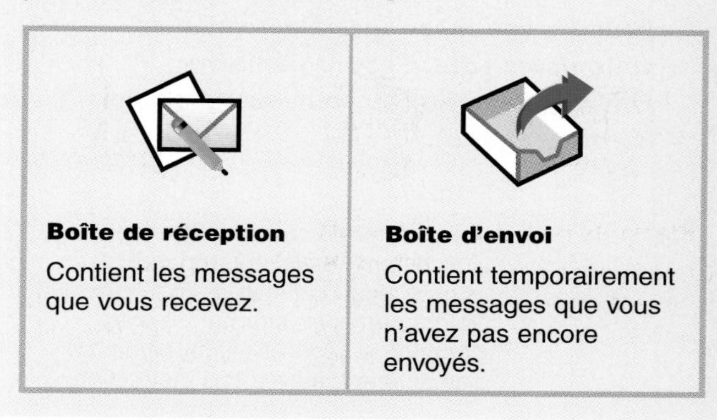

Boîte de réception

Contient les messages que vous recevez.

Boîte d'envoi

Contient temporairement les messages que vous n'avez pas encore envoyés.

LIRE LES MESSAGES (SUITE)

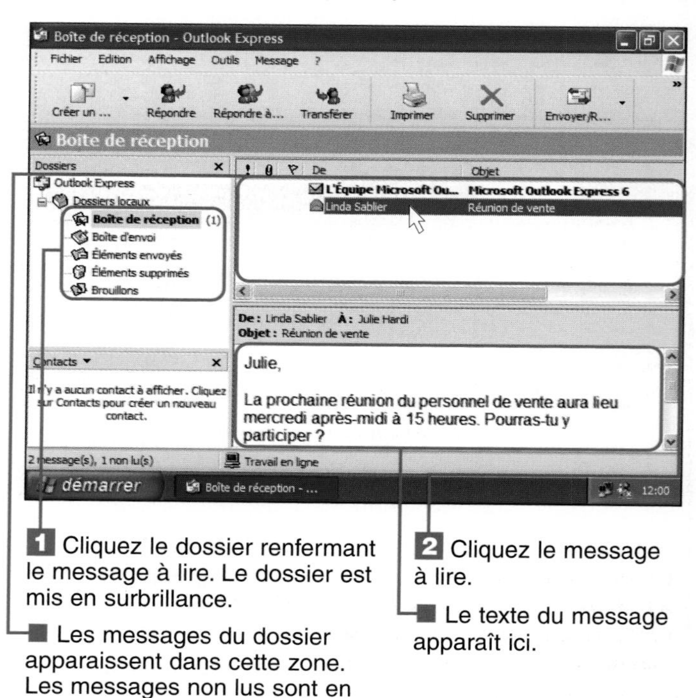

1 Cliquez le dossier renfermant le message à lire. Le dossier est mis en surbrillance.

■ Les messages du dossier apparaissent dans cette zone. Les messages non lus sont en **gras** et signalés par une enveloppe fermée (✉).

2 Cliquez le message à lire.

■ Le texte du message apparaît ici.

Éléments envoyés

Contient les copies des messages envoyés.

Éléments supprimés

Contient les messages supprimés.

Brouillons

Contient les messages dont vous n'avez pas terminé la rédaction.

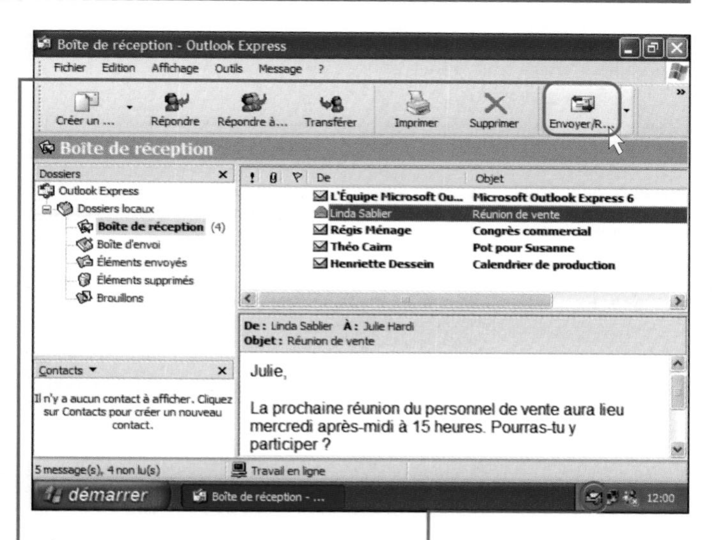

VÉRIFIER LES NOUVEAUX MESSAGES

Lorsque vous êtes connecté à l'Internet, Outlook Express vérifie si vous avez de nouveaux messages toutes les 30 minutes.

1 Pour vérifier si vous avez de nouveaux messages, cliquez **Envoyer/Recev**.

■ Si vous recevez de nouveaux message, une icône ( ) apparaît ici pour vous en avertir.

COMPOSER ET ENVOYER UN MESSAGE

ENVOYER UN MESSAGE

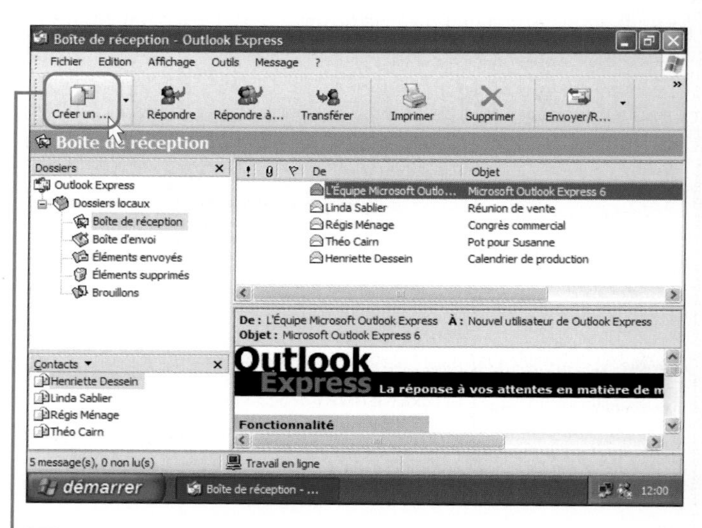

1 Cliquez **Créer un message** pour commencer un nouveau message.

■ La fenêtre Nouveau message s'ouvre.

Vous pouvez exprimer vos idées ou demander des informations dans un message électronique.

Pour vous exercer à envoyer un message, vous pouvez vous en envoyer à vous-même.

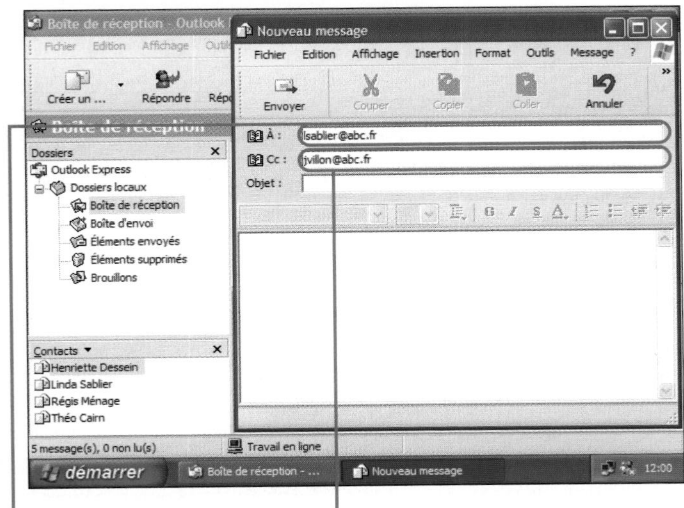

2 Saisissez l'adresse électronique de votre correspondant.

3 Pour envoyer une copie du message à une personne qui peut s'y intéresser sans être directement concernée, cliquez cette zone. Tapez alors l'adresse électronique de cette personne.

Note. Pour envoyer le message à plus d'un correspondant, séparez les adresses par des points-virgules (;).

Comment exprimer des émotions dans les messages électroniques ?

Des suites de caractères appelés *smileys* (ou encore « binettes » ou « frimousses ») servent à exprimer les émotions dans les messages électroniques. En penchant la tête sur le côté, vous voyez que ces caractères suggèrent des visages humains.

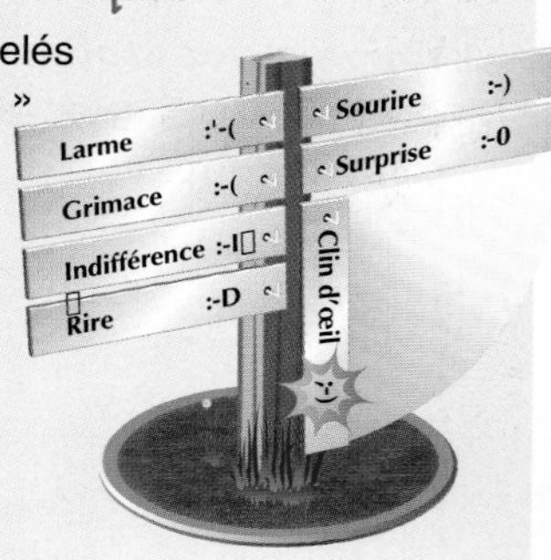

ENVOYER UN MESSAGE (SUITE)

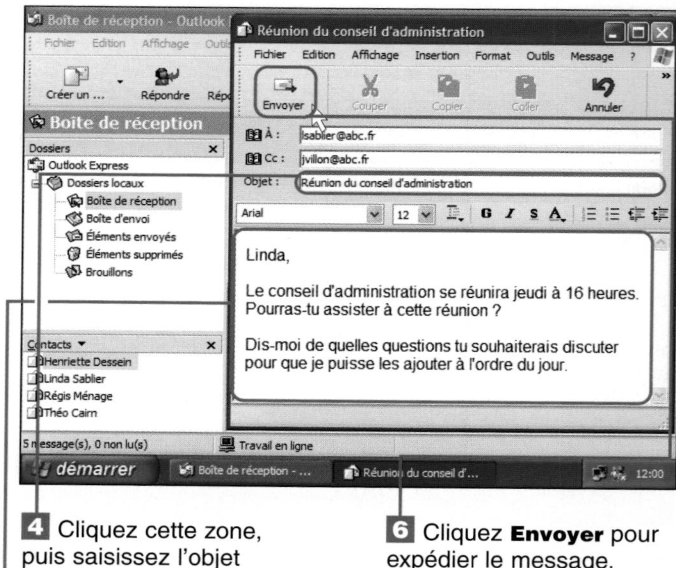

4 Cliquez cette zone, puis saisissez l'objet du message.

5 Cliquez cette zone et tapez le texte du message.

6 Cliquez **Envoyer** pour expédier le message.

■ Outlook Express envoie le message et en garde une copie dans le dossier Éléments envoyés.

Quels sont les points à considérer en envoyant un message ?

UN MESSAGE ÉCRIT EN LETTRES CAPITALES EST GÊNANT À LIRE ET DÉSAGRÉABLE. C'EST COMME PARLER EN CRIANT. Utilisez normalement les lettres majuscules et minuscules lorsque vous rédigez un message électronique.

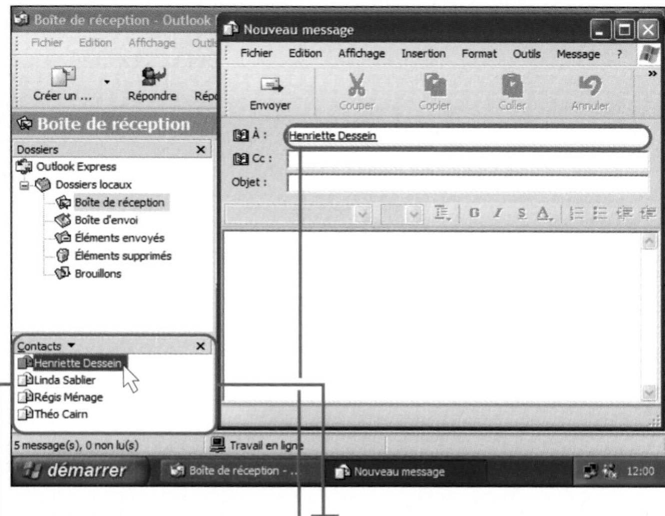

ADRESSER RAPIDEMENT UN MESSAGE

■ La liste Contacts présente le nom de chaque personne répertoriée dans votre carnet d'adresses.

Note. Pour ajouter des noms au carnet d'adresses, consultez les pages 212 à 215.

1 Pour envoyer rapidement un message à une personne qui se trouve dans la liste Contacts, double-cliquez le nom de la personne.

■ La fenêtre Nouveau message s'ouvre.

■ Outlook Express complète automatiquement l'adresse du destinataire.

RÉPONDRE À UN MESSAGE

RÉPONDRE À UN MESSAGE

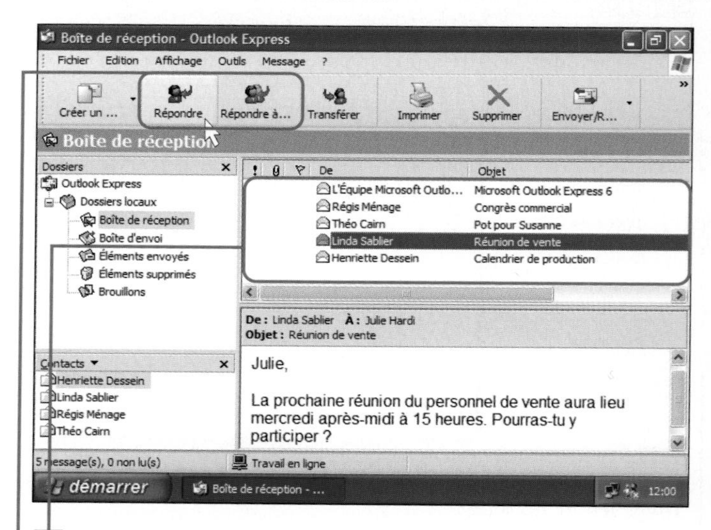

1 Cliquez le message auquel vous voulez répondre.

2 Cliquez l'option de réponse à appliquer.

Répondre
Envoie automatiquement la réponse à l'auteur du message uniquement.

Répondre à tous
Envoie la réponse à l'auteur et à tous les destinataires du message original.

Envoyer une réponse à un message permet de répondre à une question, donner votre avis ou fournir un complément d'informations.

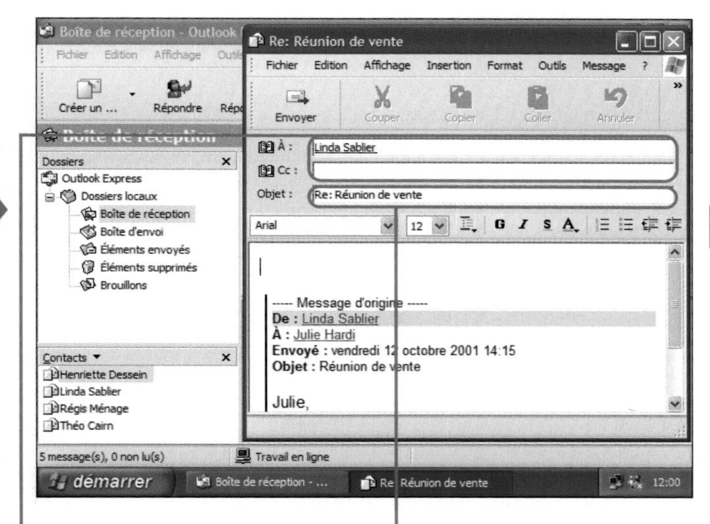

■ Une fenêtre s'ouvre dans laquelle vous composez votre réponse.

■ Outlook Express complète automatiquement les adresses.

■ L'objet est aussi complété automatiquement, précédé de la mention **Re :**.

RÉPONDRE À UN MESSAGE

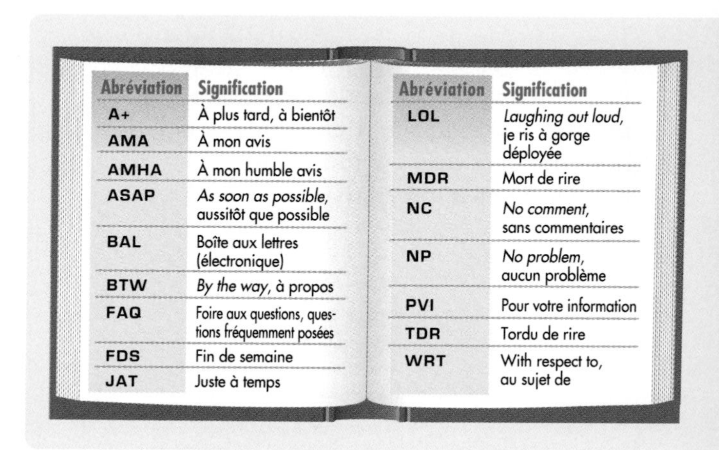

Abréviation	Signification
A+	À plus tard, à bientôt
AMA	À mon avis
AMHA	À mon humble avis
ASAP	*As soon as possible*, aussitôt que possible
BAL	Boîte aux lettres (électronique)
BTW	*By the way*, à propos
FAQ	Foire aux questions, questions fréquemment posées
FDS	Fin de semaine
JAT	Juste à temps

Abréviation	Signification
LOL	*Laughing out loud*, je ris à gorge déployée
MDR	Mort de rire
NC	*No comment*, sans commentaires
NP	*No problem*, aucun problème
PVI	Pour votre information
TDR	Tordu de rire
WRT	*With respect to*, au sujet de

RÉPONDRE À UN MESSAGE (SUITE)

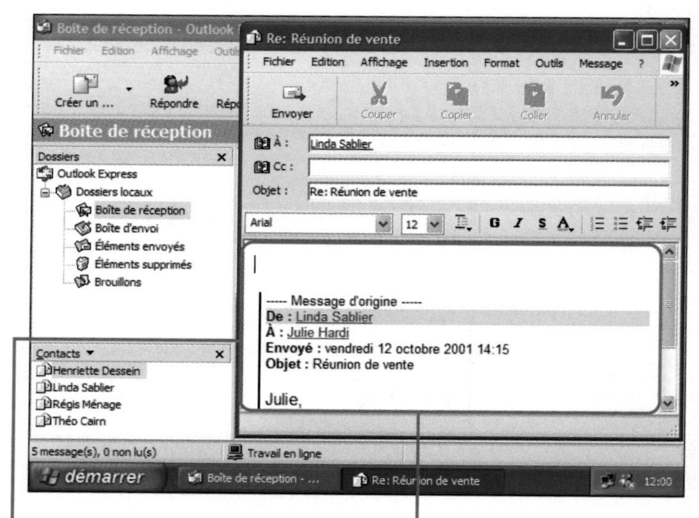

■ Outlook Express inclut le contenu du message original pour que le lecteur identifie facilement à quel message vous répondez. C'est ce que le terme « citation » désigne.

3 Pour faire gagner du temps au lecteur, vous pouvez effacer les parties du message original qui ne se rapportent pas directement à votre réponse.

Comment gagner du temps lors de la rédaction d'un message ?

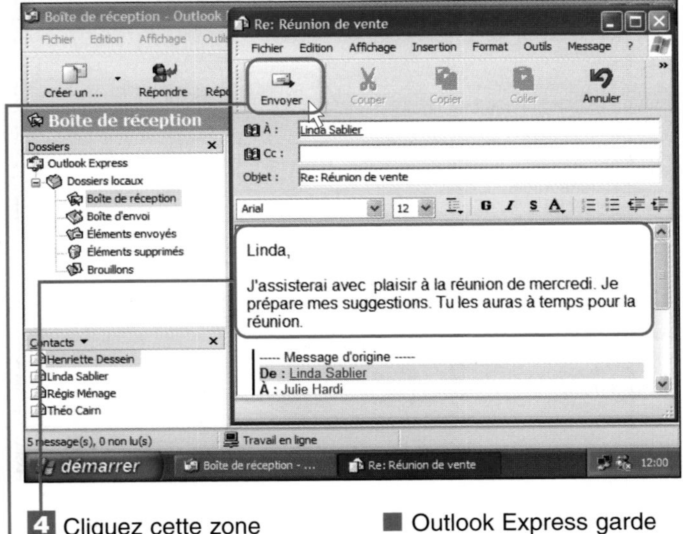

4 Cliquez cette zone et tapez votre réponse.

5 Cliquez **Envoyer** pour expédier la réponse.

■ Outlook Express garde une copie du message dans le dossier Éléments envoyés.

METTRE EN FORME UN MESSAGE

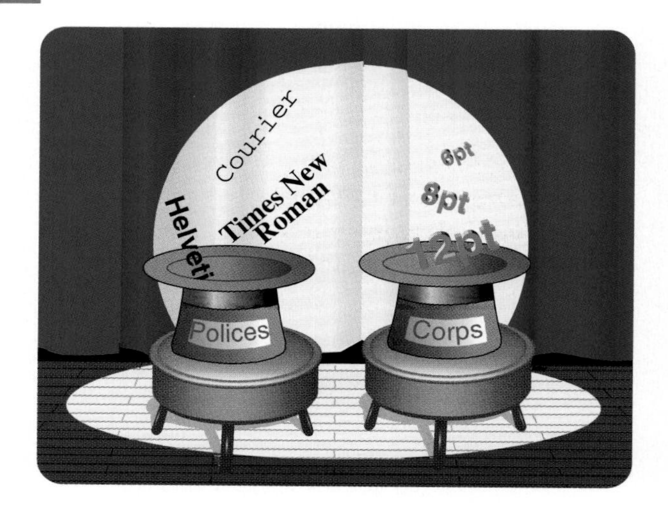

MODIFIER LA POLICE

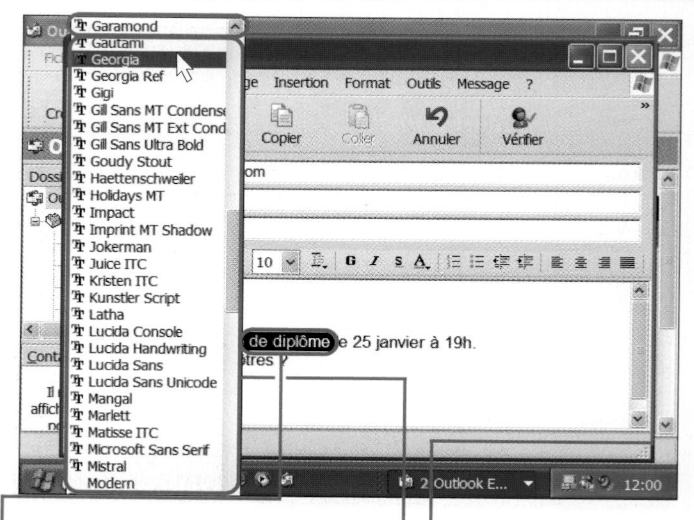

■ Composez un message.

1 Pour sélectionner le texte à modifier, faites glisser le pointeur I sur le texte.

2 Cliquez [^] dans cette zone pour afficher les polices disponibles.

3 Cliquez la police que vous voulez utiliser.

Vous pouvez modifier la présentation et la taille du texte d'un message pour le rendre plus intéressant et attractif.

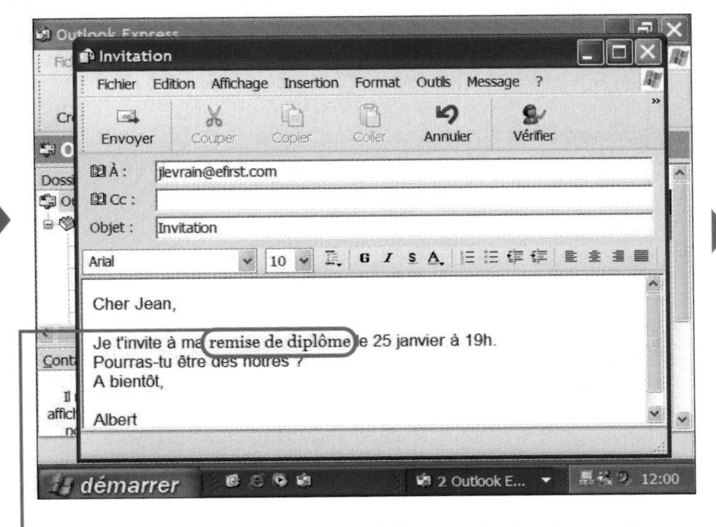

■ Le texte est affiché avec la nouvelle police.

■ Pour désélectionner le texte, cliquez à l'extérieur de la zone sélectionnée.

METTRE EN FORME UN MESSAGE

MODIFIER LA TAILLE DES CARACTÈRES

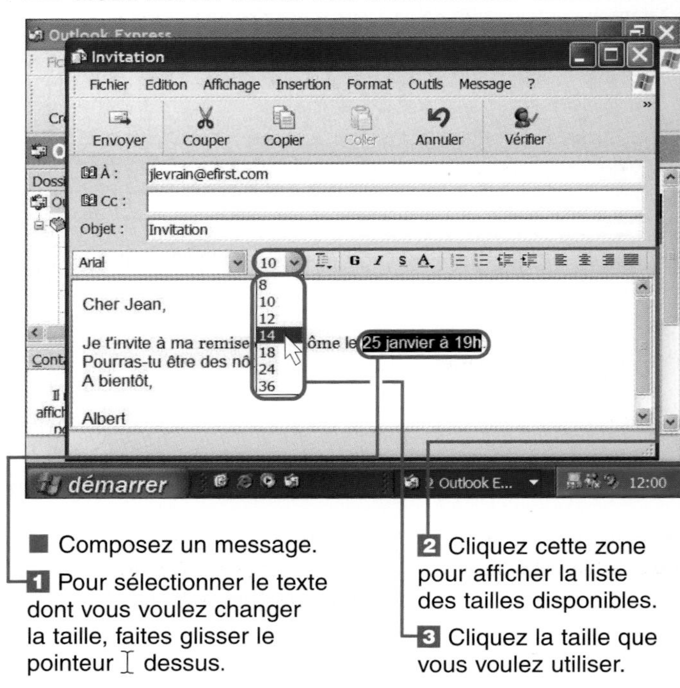

■ Composez un message.

1 Pour sélectionner le texte dont vous voulez changer la taille, faites glisser le pointeur I dessus.

2 Cliquez cette zone pour afficher la liste des tailles disponibles.

3 Cliquez la taille que vous voulez utiliser.

Si le destinataire de votre message n'utilise pas Outlook Express ou un autre logiciel de courrier électronique permettant d'afficher la mise en forme des messages, celui-ci apparaîtra sans mise en forme.

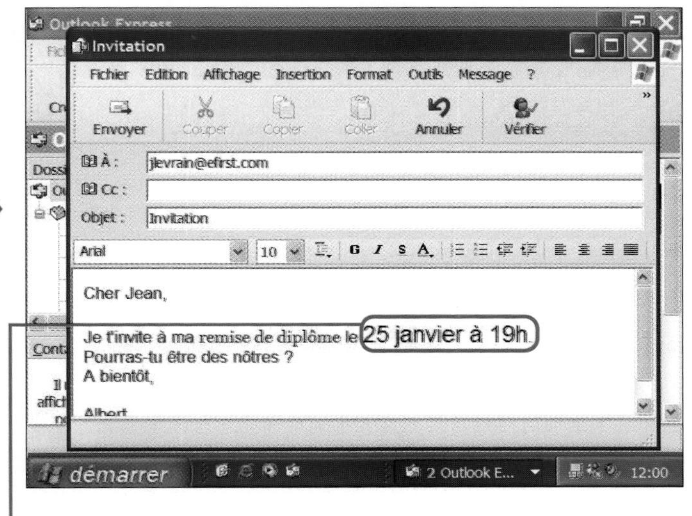

■ Le texte est affiché avec la nouvelle taille.

■ Pour désélectionner le texte, cliquez à l'extérieur de la zone sélectionnée.

METTRE EN FORME UN MESSAGE

METTRE EN GRAS, EN ITALIQUE OU SOULIGNER DU TEXTE

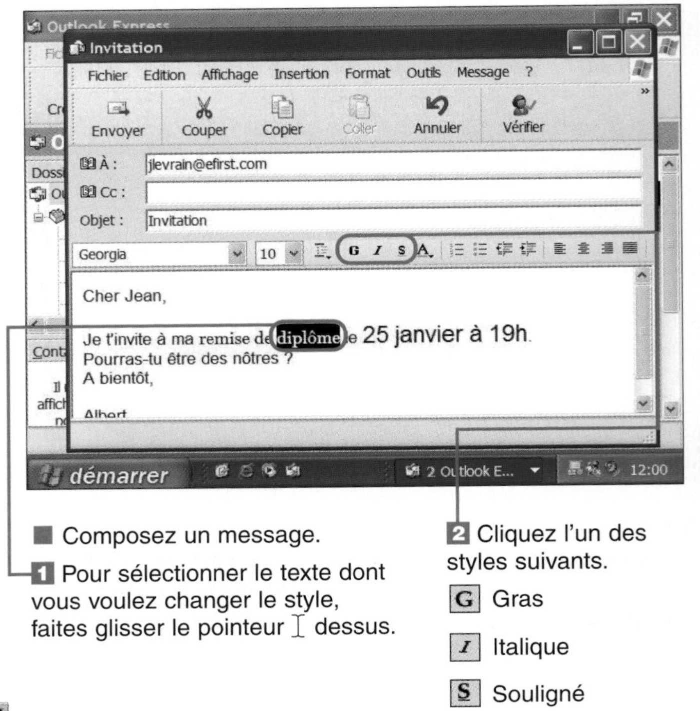

■ Composez un message.

1 Pour sélectionner le texte dont vous voulez changer le style, faites glisser le pointeur I dessus.

2 Cliquez l'un des styles suivants.

- **G** Gras
- *I* Italique
- <u>S</u> Souligné

Vous pouvez utiliser les styles gras, italique et souligné pour mettre en vedette des informations dans un message.

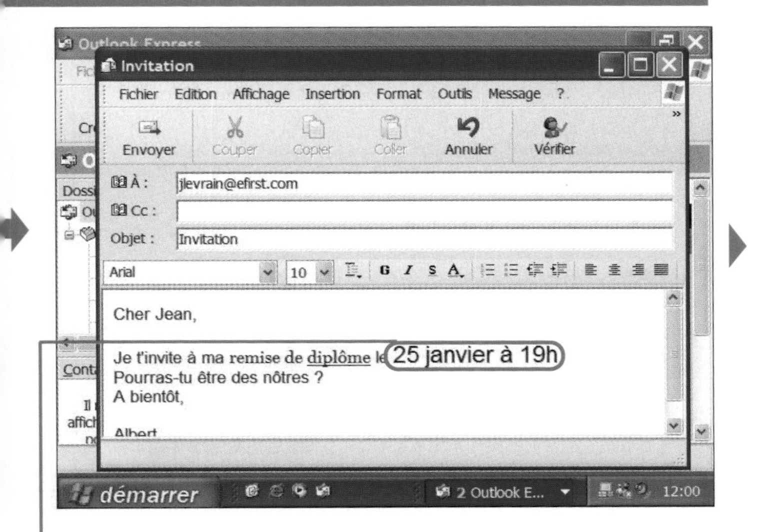

■ Le texte est affiché avec le nouveau style.

■ Pour désélectionner le texte, cliquez à l'extérieur de la zone sélectionnée.

■ Pour supprimer un style gras, italique ou souligné, répétez les étapes **1** et **2**.

METTRE EN FORME UN MESSAGE

AJOUTER DE LA COULEUR

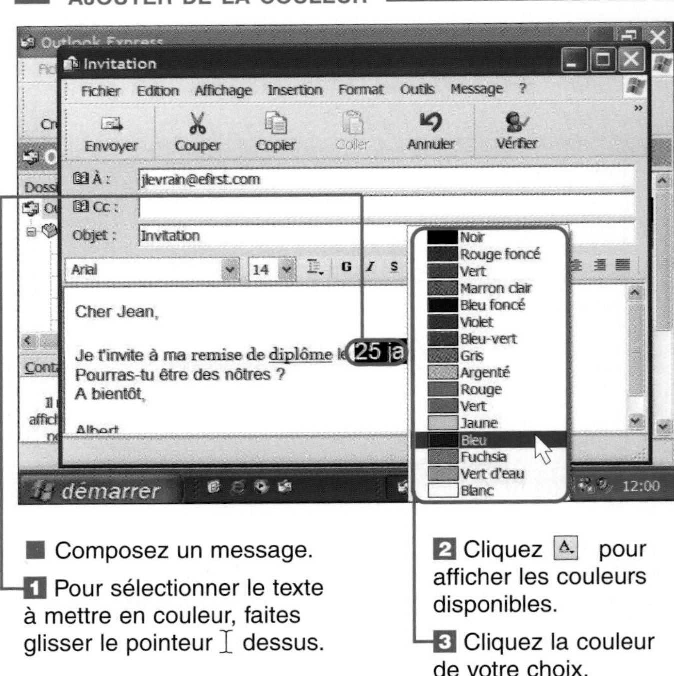

■ Composez un message.

1 Pour sélectionner le texte à mettre en couleur, faites glisser le pointeur I dessus.

2 Cliquez A pour afficher les couleurs disponibles.

3 Cliquez la couleur de votre choix.

Vous pouvez changer la couleur du texte dans un message pour attirer l'attention sur un élément important.

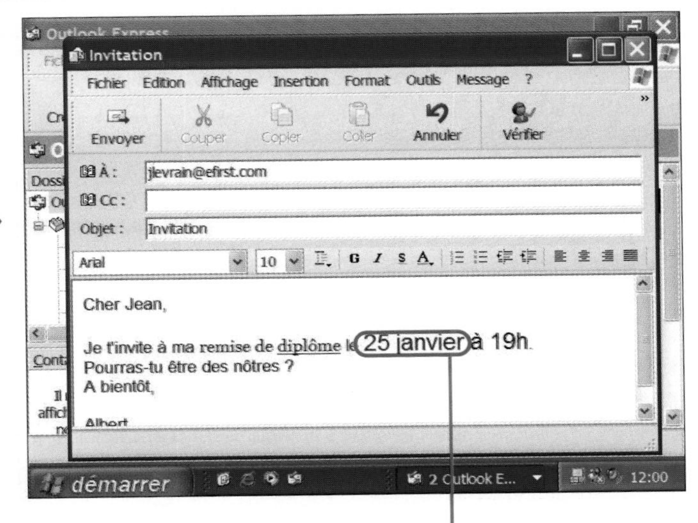

■ Pour désélectionner le texte, cliquez à l'extérieur de la zone sélectionnée.

■ Le texte est affiché avec la couleur choisie.

TRANSFÉRER UN MESSAGE

TRANSFÉRER UN MESSAGE

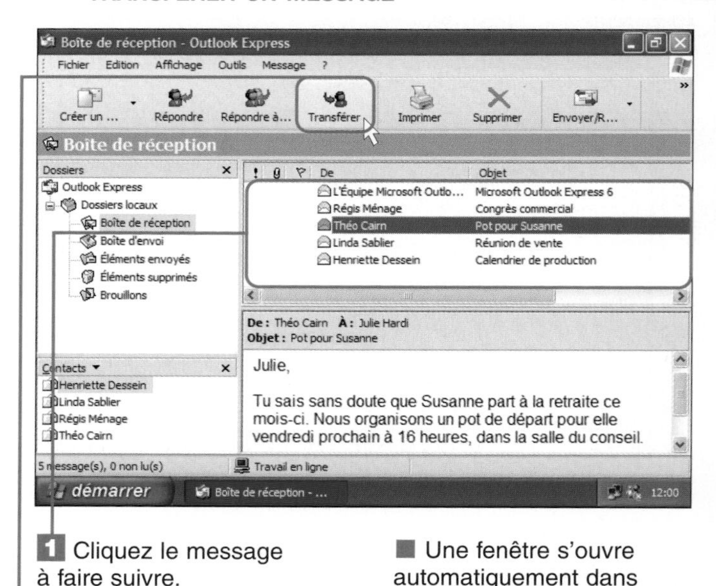

1 Cliquez le message à faire suivre.

2 Cliquez **Transférer**.

■ Une fenêtre s'ouvre automatiquement dans laquelle le contenu du message à transférer apparaît.

Le message lu, vous pouvez y ajouter des commentaires et le faire suivre à un ami, un membre de la famille ou un collègue.

Si vous savez, par exemple, qu'un message que vous recevez peut intéresser une autre personne, vous pouvez le lui transférer.

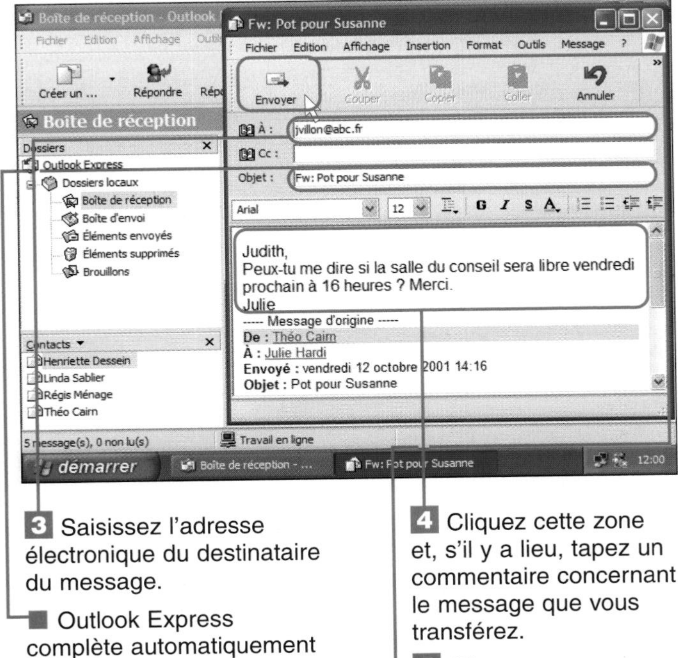

3 Saisissez l'adresse électronique du destinataire du message.

■ Outlook Express complète automatiquement l'objet du message en le précédant de la mention **Tr :** ou **Fw :**.

4 Cliquez cette zone et, s'il y a lieu, tapez un commentaire concernant le message que vous transférez.

5 Cliquez **Envoyer** pour faire suivre le message.

JOINDRE UN FICHIER À UN MESSAGE

JOINDRE UN FICHIER À UN MESSAGE

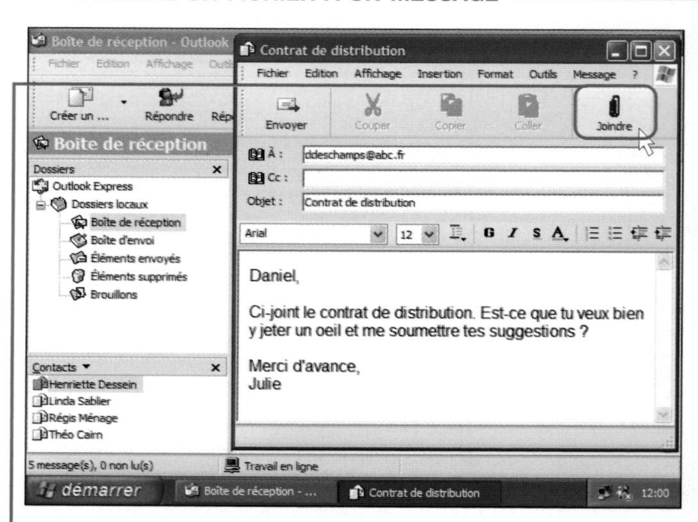

1 Pour créer un message, suivez les étapes **1** à **5** des pages 188 à 191.

2 Cliquez **Joindre** pour joindre un fichier au message.

Vous pouvez joindre un fichier à un message que vous envoyez. Si vous souhaitez, par exemple, inclure des informations complémentaires dans votre courrier, vous pouvez le faire à l'aide d'un fichier joint.

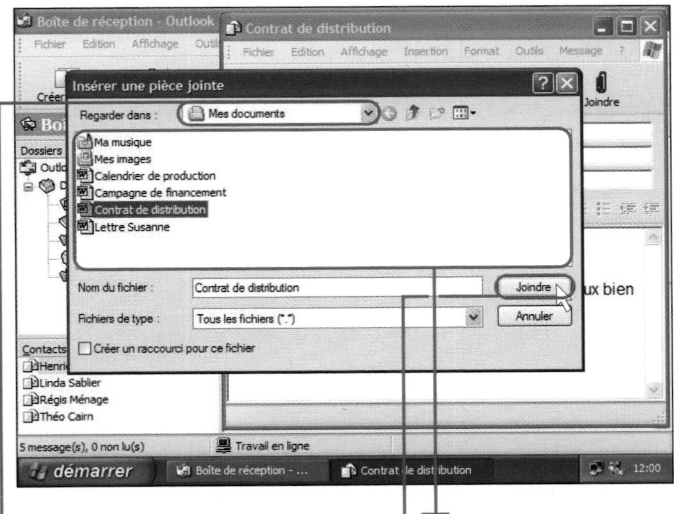

■ La boîte de dialogue Insérer une pièce jointe s'ouvre.

■ L'emplacement des fichiers qui apparaissent dans la boîte de dialogue s'affiche ici. Cliquez cette zone pour choisir un autre emplacement.

3 Cliquez le nom du fichier à joindre au message.

4 Cliquez **Joindre** pour joindre le fichier au message.

JOINDRE UN FICHIER À UN MESSAGE

Quels types de fichiers peuvent être joints à un message ?

Plusieurs types de fichiers peuvent être joints à un message : des documents, des images, des séquences vidéo, des sons et des programmes. L'ordinateur qui reçoit le message doit disposer du matériel et des logiciels nécessaires à la lecture du fichier joint.

Pièces jointes

JOINDRE UN FICHIER À UN MESSAGE (SUITE)

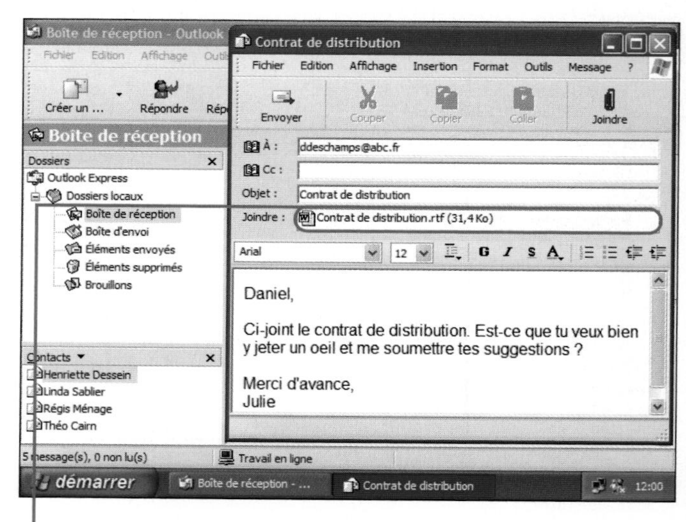

■ Le nom et la taille du fichier choisi s'affichent ici.

■ Pour joindre des fichiers supplémentaires, répétez les étapes **2** à **4** pour chaque pièce jointe.

Existe-t-il une taille maximale des fichiers joints ?

Le fournisseur de votre compte de courrier électronique limite, habituellement, la taille des messages que vous pouvez envoyer et recevoir *via* l'Internet. La plupart des fournisseurs placent cette limite à 2 Mo, pièces jointes comprises.

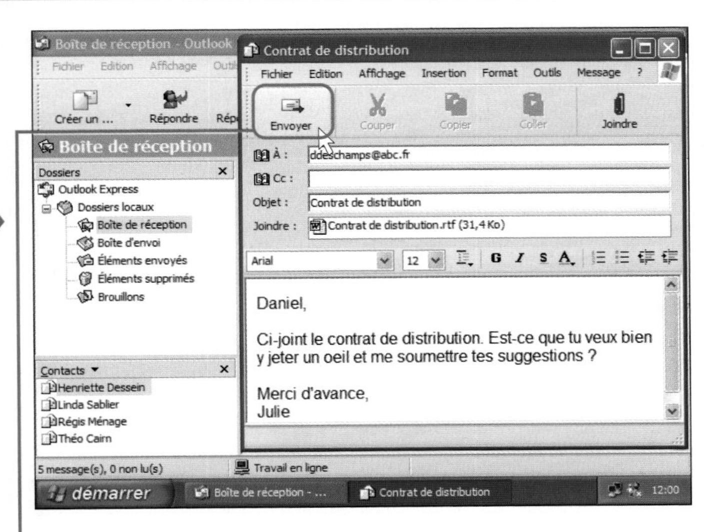

5 Cliquez **Envoyer** pour expédier le message.

■ Outlook Express envoie le message et les pièces jointes à l'adresse que vous spécifiez.

OUVRIR UN FICHIER JOINT

OUVRIR UN FICHIER JOINT

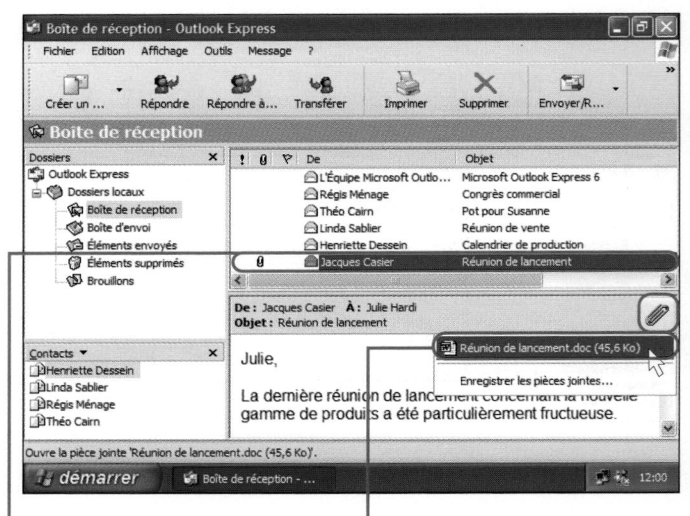

1 Cliquez un message accompagné d'un fichier joint. Il est généralement signalé par une icône en forme de trombone (📎).

2 Cliquez l'icône en forme de trombone (📎) qui se trouve dans cette zone pour ouvrir la liste des fichiers joints au message.

3 Cliquez le nom du fichier à ouvrir.

Vous pouvez très facilement ouvrir un fichier joint à un message que vous recevez.

Avant d'ouvrir un fichier joint, assurez-vous qu'il provient d'une source fiable. Certains fichiers contiennent parfois des virus qui peuvent endommager les informations contenues dans votre ordinateur. Les programmes antivirus, tels McAfee VirusScan, peuvent vérifier si les fichiers contiennent ou non des virus.

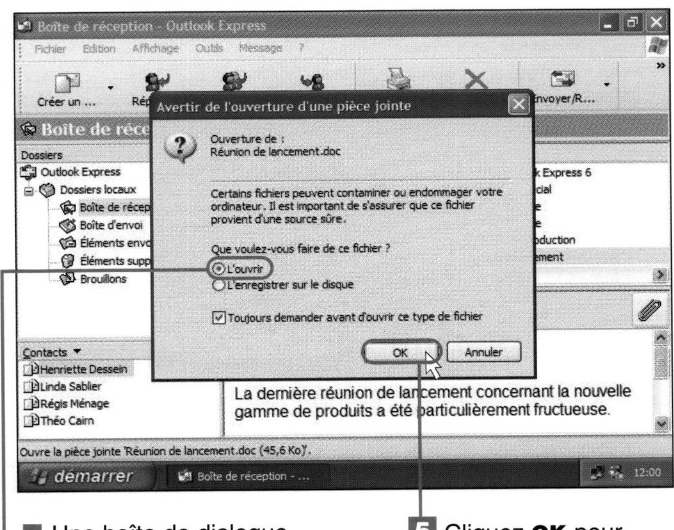

■ Une boîte de dialogue peut apparaître pour vous demander si vous voulez ouvrir ou enregistrer le fichier.

4 Cliquez **L'ouvrir** (○ devient ◉).

5 Cliquez **OK** pour ouvrir le fichier.

AJOUTER UN NOM AU CARNET D'ADRESSES

AJOUTER UN NOM AU CARNET D'ADRESSES

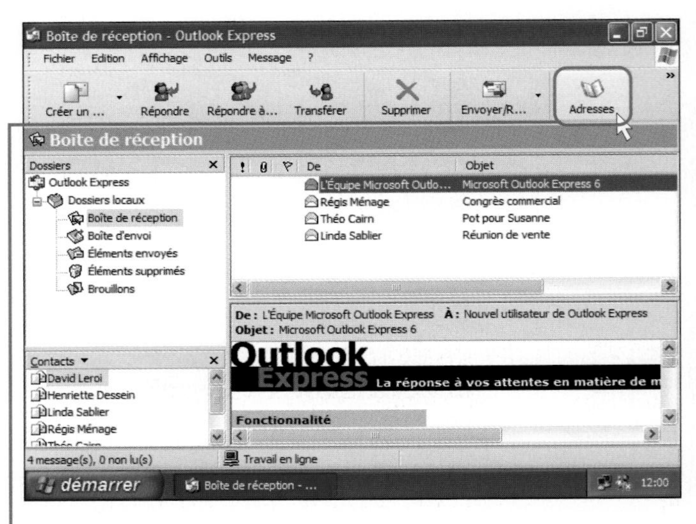

1 Cliquez **Adresses** pour ouvrir le carnet d'adresses.

■ Le carnet d'adresses s'ouvre.

Le carnet d'adresses sert à noter les adresses électroniques des personnes auxquelles vous envoyez régulièrement des messages.

Pour éviter les fautes de frappe lors de la saisie d'une adresse, vous pouvez la sélectionner directement dans le carnet d'adresses. Si l'adresse du destinataire d'un message contient une erreur, le message n'est pas remis à la bonne personne ou vous est retourné.

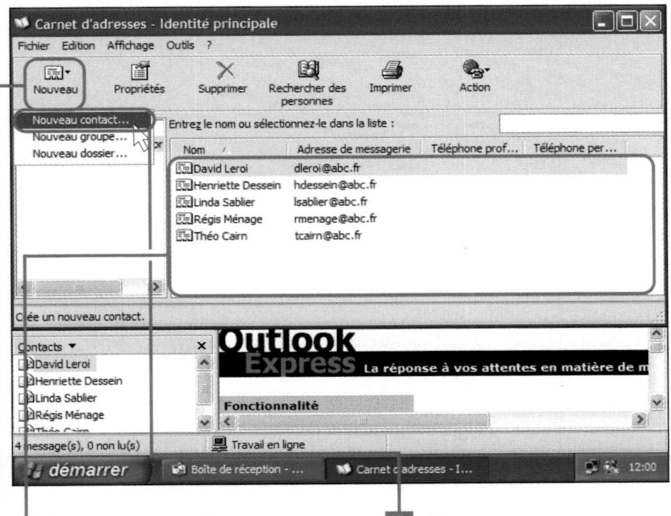

■ Les noms et adresses des correspondants enregistrés dans le carnet d'adresses s'affichent dans cette zone.

2 Cliquez **Nouveau** pour ajouter un nom au carnet d'adresses.

3 Cliquez **Nouveau contact**.

■ La boîte de dialogue Propriétés s'ouvre.

AJOUTER UN NOM AU CARNET D'ADRESSES

Est-ce qu'Outlook Express peut ajouter automatiquement des noms au carnet d'adresses ?

Oui. À chaque fois que vous répondez à un message, le nom et l'adresse de l'expéditeur du message original est automatiquement ajouté à votre carnet d'adresses.

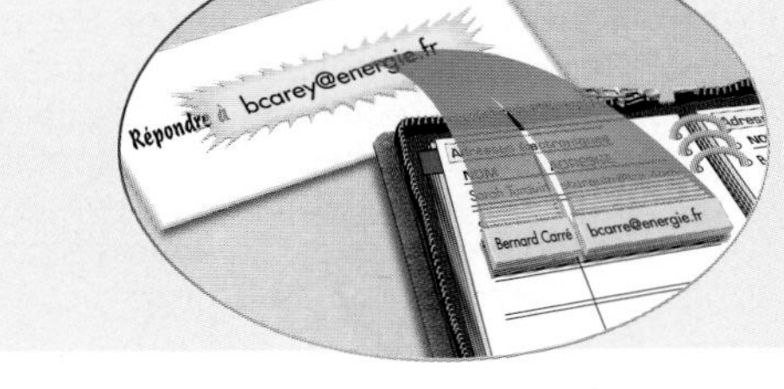

AJOUTER UN NOM AU CARNET D'ADRESSES (SUITE)

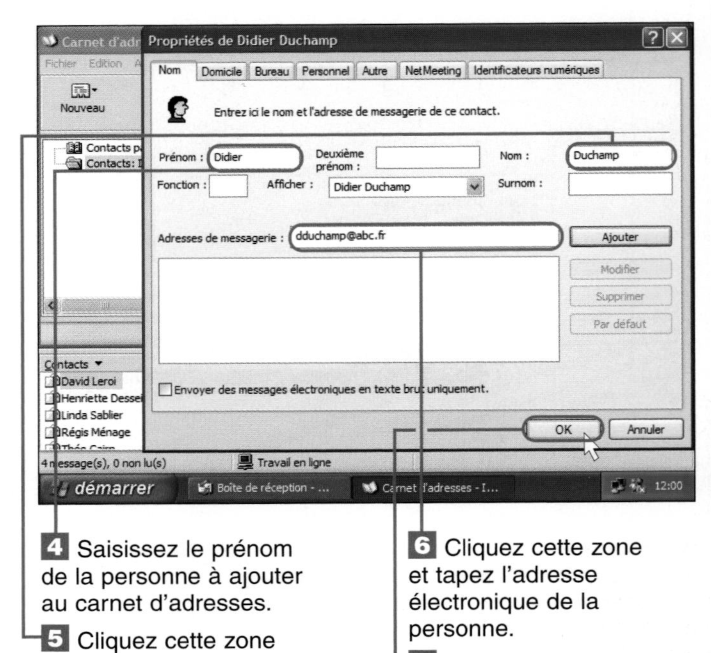

4 Saisissez le prénom de la personne à ajouter au carnet d'adresses.

5 Cliquez cette zone et saisissez le nom de famille de la personne.

6 Cliquez cette zone et tapez l'adresse électronique de la personne.

7 Cliquez **OK** pour ajouter le nom de la personne au carnet d'adresses.

Comment effacer un nom du carnet d'adresses ?

Pour effacer un correspondant du carnet d'adresses, cliquez le nom à supprimer dans la fenêtre Carnet d'adresses. Appuyez ensuite sur la touche Suppr. Lorsque la boîte de dialogue de confirmation apparaît, cliquez **Oui** pour confirmer la suppression. Outlook Express efface définitivement le nom de la personne du carnet d'adresses.

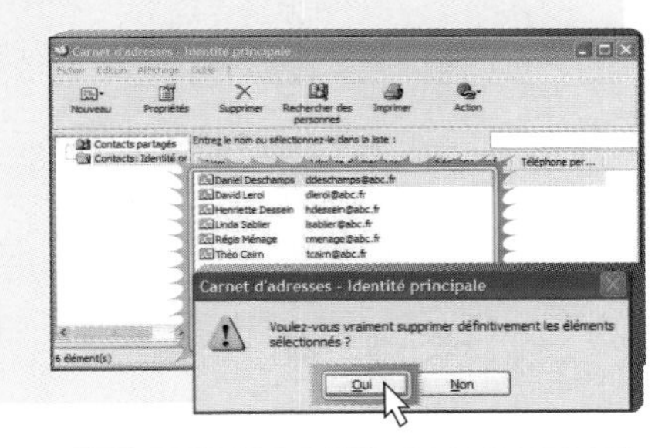

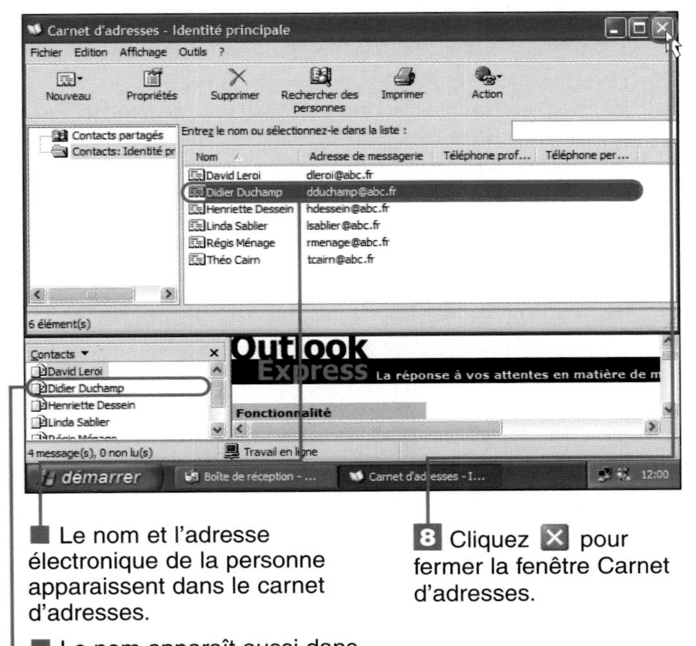

■ Le nom et l'adresse électronique de la personne apparaissent dans le carnet d'adresses.

■ Le nom apparaît aussi dans la liste Contacts. Pour adresser rapidement un message à l'aide de la liste Contacts, consultez la page 191.

8 Cliquez ☒ pour fermer la fenêtre Carnet d'adresses.

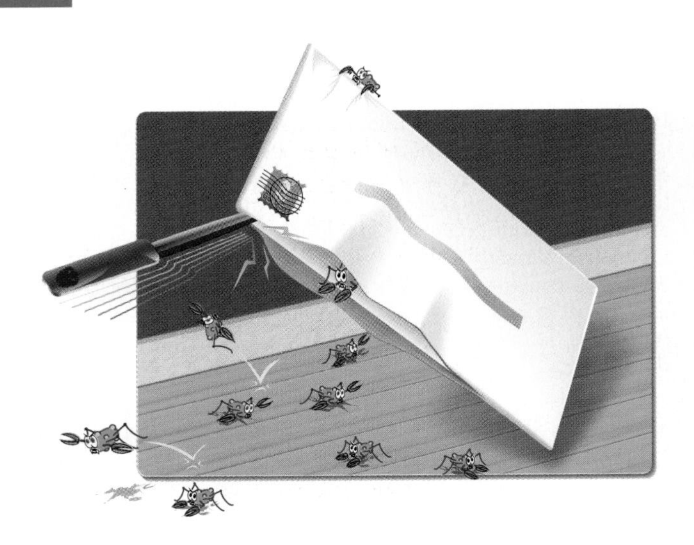

VIRUS

Un virus est un programme nuisant au bon fonctionnement d'un ordinateur. Certains virus sont anodins, d'autres très destructeurs. Un virus peut provoquer l'affichage de messages intempestifs ou la destruction d'informations sur le disque dur. Certains virus ont un effet immédiat, d'autres sont des bombes à retardement.

Les virus sont véhiculés par des fichiers joints à des messages. Leur nombre augmente avec l'essor du courrier électronique.

Un message ne contenant que du texte ne peut véhiculer de virus.

PROPAGATION

L'ouverture d'une pièce jointe contenant un virus facilite la prolifération de ce dernier. Le transfert d'un tel message risque de contaminer les ordinateurs de vos destinataires. Nombreux sont les virus capables de s'immiscer dans le carnet d'adresses du destinataire et d'envoyer automatiquement des messages infectés aux personnes répertoriées.

RUMEUR DE VIRUS

Il s'agit d'informations infondées concernant la propagation de virus. Selon une rumeur célèbre, la lecture d'un message ayant « good times » pour objet suffisait à déclencher le virus de même nom aux effets dévastateurs.

MESURES DE PRÉVENTION

Évitez d'ouvrir les pièces jointes de messages envoyés par des inconnus. Si vous détectez un virus dans une pièce jointe, informez-en son expéditeur, ce qui contribue à ralentir la propagation du virus.

DÉTECTEUR DE VIRUS

Il s'agit d'un programme capable de détecter la présence de virus dans des pièces jointes. Les éditeurs de ces programmes effectuent des mises à jour régulières tenant compte des derniers virus connus. Vérifiez que votre logiciel antivirus est à jour.

Les deux logiciels antivirus les plus connus sont disponibles sur les sites suivants :

www.mcafee.com

www.symantec.fr

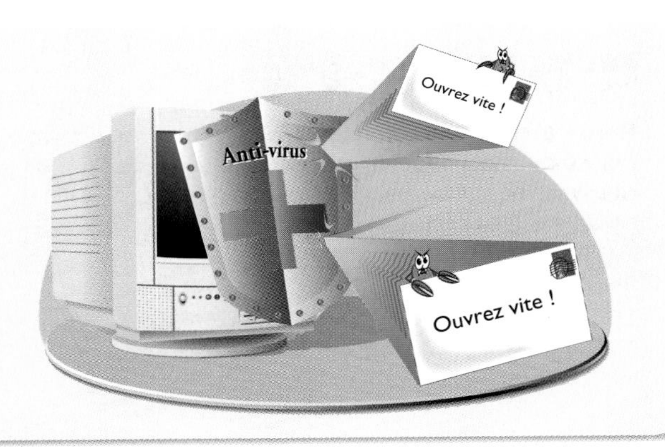

Détection des virus

Si le programme antivirus dispose d'une fonction de détection des virus, vous pouvez lancer l'analyseur qui vérifie si les fichiers situés sur un disque dur ou une disquette contiennent des virus. Cette opération sera effectuée à titre préventif ou si des symptômes semblent indiquer la présence d'un virus.

Élimination des virus

Certains programmes antivirus disposent d'une fonction de désinfection qui élimine tout virus détecté. Certains virus peuvent être éliminés sans endommager le fichier infecté. Parfois, le fichier peut devenir inutilisable.

Détection des intrusions

Les connexions à l'Internet, plus particulièrement les connexions à haut débit, augmentent les possibilités d'accès à votre ordinateur par des utilisateurs non autorisés. Ces derniers peuvent infecter votre système avec des virus. Une fonction de détection des intrusions protège votre ordinateur des accès non autorisés.

Vérification permanente

Certains programmes antivirus vérifient en permanence les fichiers installés sur le disque dur, ainsi que ceux que vous téléchargez et les programmes que vous installez. Les virus sont ainsi détectés avant de causer des dégâts.

Mises à jour de programmes antivirus

Chaque année apparaissent des centaines de nouveaux virus. Les fabricants de programmes antivirus éditent régulièrement des mises à jour, qui permettent à leurs applications de détecter le dernier virus connu. Assurez-vous que vous utilisez bien la dernière version de ces utilitaires en vous rendant sur le site Web de leur fabricant. Certains virus disposent d'une fonction de mise à jour automatique.

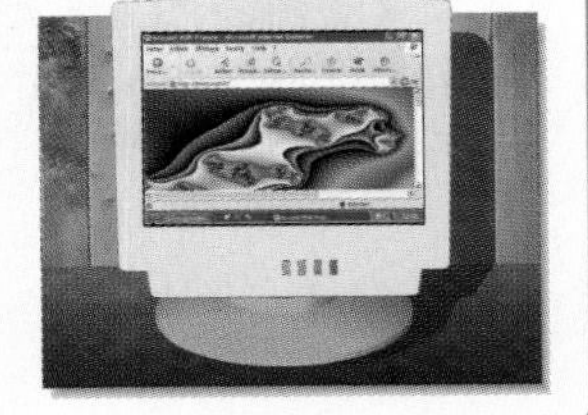

SPAMS

Les *spams* sont l'équivalent électronique des prospectus publicitaires qui encombrent votre boîte aux lettres à votre insu. Soyez vigilant, en évitant de diffuser trop largement votre adresse de messagerie soit à des inconnus (dans des groupes de discussion, par exemple), soit à des sociétés commerciales.

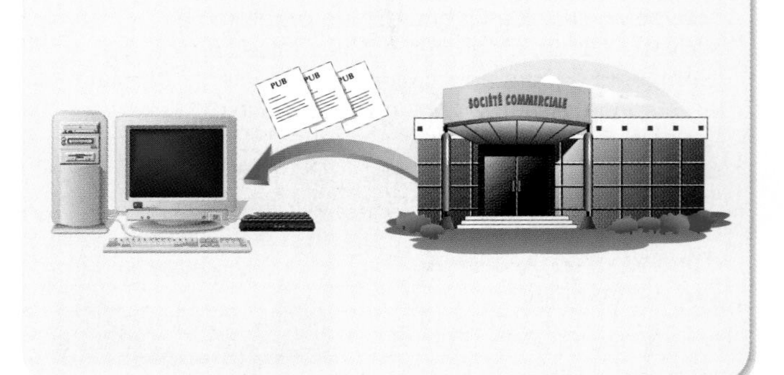

Les virus ne sont pas les seuls risques que vous encourrez en échangeant du courrier électronique. Il en existe d'autres, certes moins dangereux pour la sécurité de votre machine, mais qui sont néanmoins très pertubateurs.

CANULARS

L'Internet et le courrier électronique sont les médias idéaux de propagation de rumeurs et de canulars (ou *hoax*). Parfois inoffensives, ces rumeurs peuvent néanmoins s'avérer néfastes par leurs conséquences sur l'opinion publique. N'hésitez pas à consulter un site comme www.hoaxbuster.com dès que vous doutez de la véracité d'un message et pour traquer ces fausses informations.

INTRODUCTION AUX LISTES DE DIFFUSION

FONCTIONNEMENT

Lorsqu'elle reçoit un message, la liste de diffusion en transmet un exemplaire à chaque abonné.

La plupart des listes de diffusion permettent d'envoyer et de recevoir des messages ; certaines ne permettent pas l'envoi de messages.

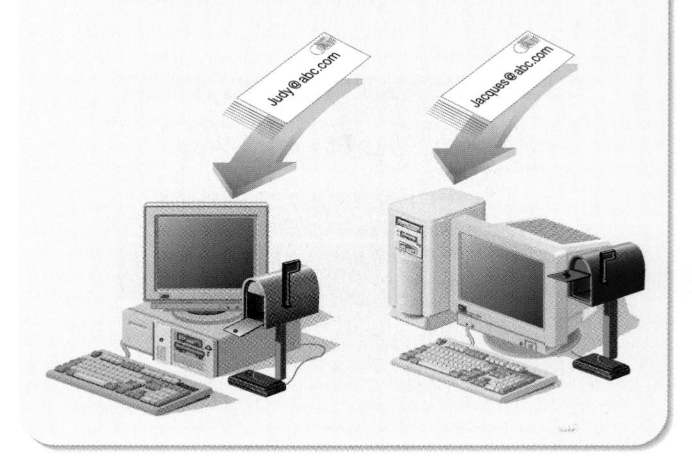

Une liste de diffusion est un groupe de discussion communiquant par courrier électronique.

Il existe des milliers de listes de diffusion traitant de sujets variés, de l'aromathérapie à ZZ Top. De nouvelles listes apparaissent chaque semaine.

COÛT

L'abonnement à une liste de diffusion est gratuit. Les listes de diffusion sont généralement utilisées pour la distribution de bulletins d'informations électroniques, comme les cotations boursières.

TYPES DE LISTES DE DIFFUSION

LISTES MANUELLES

Une liste de diffusion manuelle est gérée par une personne plus communément appelée administrateur de liste.

Avant de vous inscrire à une telle liste, vérifiez que toutes les informations requises par l'administrateur figurent dans la demande d'abonnement.

Une fois inscrit, vous recevez vos premiers messages au bout de quelques jours.

LISTES AUTOMATIQUES

Une liste de diffusion automatique est gérée par un logiciel. Les trois plus connus s'appellent listproc, listserv et majordomo.

Le nom du logiciel de gestion de la liste apparaît généralement dans l'adresse d'abonnement (majordomo@apk.net, par exemple).

Avant de vous inscrire à une telle liste, vérifiez que toutes les informations demandées par le logiciel figurent dans la demande d'abonnement. Les demandes incomplètes ou erronées sont systématiquement rejetées.

LISTES DE DIFFUSION RESTREINTES

Certaines listes de diffusion acceptent un nombre limité d'internautes. Pour être accepté dans une telle liste, vous devez attendre qu'un membre résilie son abonnement.

D'autres acceptent les abonnements sur des critères précis. Par exemple, une liste de diffusion consacrée à la chirurgie sera réservée aux médecins.

LISTES MODÉRÉES

Certaines listes sont modérées. Lorsque vous envoyez un message sur une telle liste, un volontaire, appelé modérateur, vérifie si le message répond aux règles de la liste et au sujet traité. Une fois approuvé, le message est transmis aux abonnés.

Si une liste est non modérée, tous les messages sont transférés automatiquement aux membres. Il est alors nécessaire de faire le tri entre messages publicitaires et messages dignes d'intérêt.

S'ABONNER À UNE LISTE DE DIFFUSION

ADRESSE DE LISTE DE DIFFUSION

Chaque liste de diffusion a deux adresses. Vérifiez que vous envoyez vos messages à la bonne adresse.

L'adresse de la liste de diffusion reçoit des messages qu'elle envoie à tous ses membres. C'est à elle que vous adressez les messages à publier et non pas les demandes d'abonnement ou de résiliation.

ADRESSE ADMINISTRATIVE

Cette adresse reçoit les messages concernant les questions administratives. C'est à elle que vous vous adressez pour vous abonner à une liste de diffusion ou résilier votre abonnement.

Vous pouvez vous abonner à une liste de diffusion qui vous intéresse comme vous le feriez pour un magazine ou un quotidien. L'abonnement ajoute votre adresse électronique à la liste de diffusion.

Pour ne plus recevoir des messages d'une liste de diffusion, vous pouvez résilier votre abonnement à tout moment. Cette opération a pour effet de supprimer votre adresse électronique de la liste.

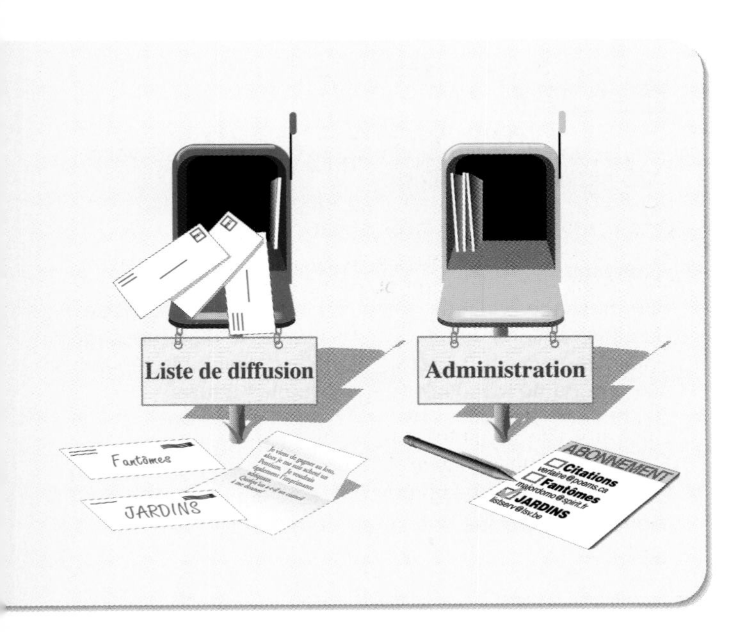

INTRODUCTION AUX GROUPES DE DISCUSSION

MESSAGES

Un groupe de discussion compte des centaines, voire des milliers de messages.

Message

Un message contient les informations qu'un individu envoie, ou poste, au groupe de discussion. Il peut compter de quelques lignes à plusieurs dizaines de pages. Les messages sont aussi appelés des articles.

Fil de discussion

Un fil de discussion se compose d'un message et de toutes les réponses que les autres participants ont apportées. Il facilite le suivi d'une conversation entre membres du groupe.

Un groupe de discussion (newsgroup) est un groupe de personnes qui échangent des idées sur un sujet commun.

Il existe des milliers de groupes de discussion traitant d'une multitude de sujets. Chacun porte sur un sujet particulier : offres d'emploi, puzzles, médecine...

Usenet, abréviation de *User's Network* (réseau d'utilisateurs), désigne le réseau constitué de tous les ordinateurs qui transmettent les informations des groupes de discussion.

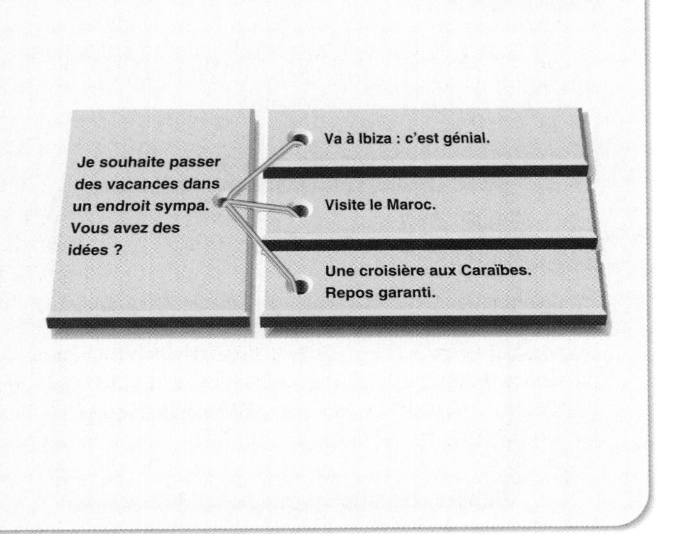

IDENTIFIER LES GROUPES DE DISCUSSION

NOM DES GROUPES DE DISCUSSION

Les groupes de discussion portent généralement le nom du sujet abordé. Le nom se compose d'au moins deux mots, tous séparés par des points (.).

Le premier mot désigne la catégorie principale dont relève le sujet du groupe de discussion, par exemple, *rec* pour *recreation* (loisirs, en français) ; les autres mots précisent le sujet.

CATÉGORIES

Les groupes de discussion sont divisés en sections ou catégories. Ceux appartenant à la même catégorie discutent du même sujet général.

Catégories principales

Catégorie	Sujet
alt	Sujet général
biz	Affaires
comp	Informatique
rec	Loisirs et divertissements
sci	Science
soc	Société (culture et politique)
misc	Divers
talk	Débats

Il existe des groupes de discussion sur des sujets spécifiques, comme des entreprises ou des régions du monde. Par exemple, le groupe de discussion microsoft.public.fr.windows98 ne traite que des produits Microsoft, et alt.politics.usa, de la politique américaine.

LECTEURS DE NEWS LES PLUS CONNUS

Parmi les lecteurs de news les plus connus, on peut citer :

Free Agent (Windows)

www.forteinc.com/agent

NewsWatcher (Macintosh)

www.macorchard.com/
usenet.html

■ Cette zone affiche la liste des groupes de discussion.

■ Vous avez ici la liste de tous les messages.

■ Dans cette zone s'affiche le contenu du message sélectionné.

Un lecteur de news est un logiciel qui permet de lire et d'envoyer des messages sur des groupes de discussion.

Certains navigateurs Web comportent un lecteur de news intégré, dont les fonctionnalités sont généralement moins étendues que celles d'un lecteur de news dédié.

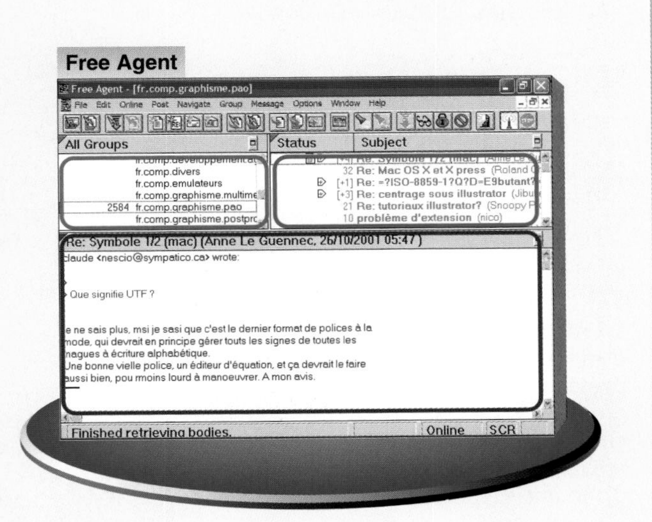

Un serveur de news est un ordinateur stockant les messages des groupes de discussion.

Les serveurs de news sont gérés par des fournisseurs d'accès Internet. Les groupes de discussion que vous pouvez consulter dépendent de votre fournisseur d'accès. Par souci d'économie de l'espace disque, certains fournisseurs limitent en effet leur nombre.

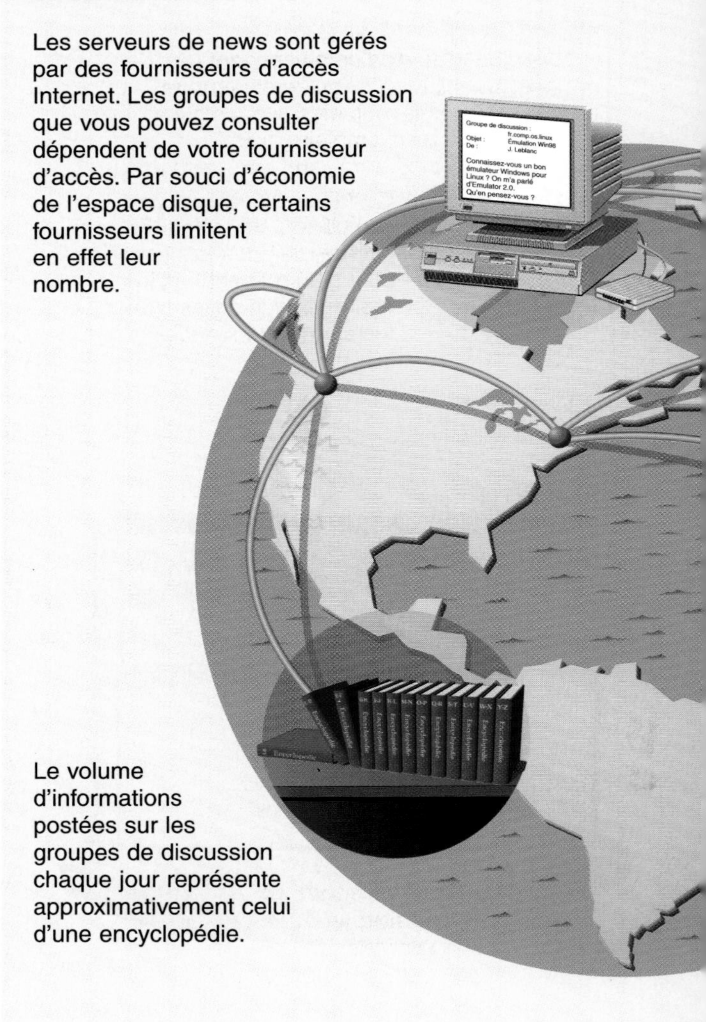

Le volume d'informations postées sur les groupes de discussion chaque jour représente approximativement celui d'une encyclopédie.

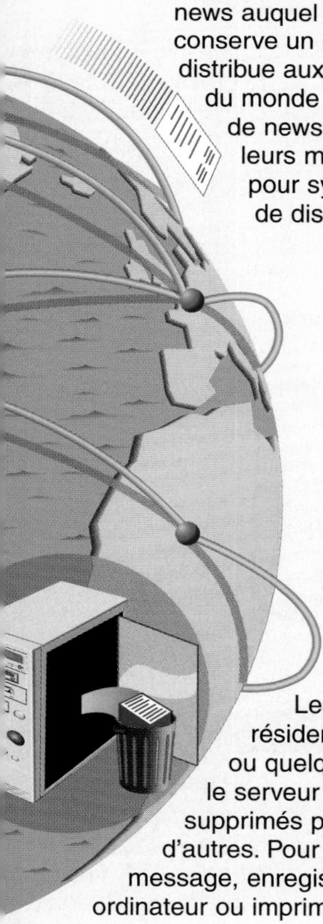

Lors de l'envoi d'un message à un groupe de discussion, le serveur de news auquel vous êtes connecté en conserve un exemplaire, puis le distribue aux autres serveurs de news du monde entier. Les serveurs de news échangent fréquemment leurs messages respectifs pour synchroniser les groupes de discussion.

Les messages résident quelques jours ou quelques semaines sur le serveur de news, puis sont supprimés pour faire place à d'autres. Pour conserver un message, enregistrez-le sur votre ordinateur ou imprimez-le.

S'ABONNER À UN GROUPE DE DISCUSSION

Abonnez-vous à un groupe de discussion que vous voulez consulter régulièrement. Pour ne plus lire les messages d'un groupe de discussion, vous pouvez à tout moment annuler votre abonnement à ce groupe.

NOUVEAUX GROUPES DE DISCUSSION

De nouveaux groupes de discussion apparaissent tous les jours. Un lecteur de news permet de dresser la liste des groupes créés depuis la dernière consultation. Vous pouvez bien entendu vous abonner à l'un d'eux.

GROUPES DE DISCUSSION MODÉRÉS

Certains groupes de discussion sont modérés. Lorsque vous envoyez un message à l'un de ces groupes, un volontaire, appelé modérateur, vérifie si le message répond aux règles du groupe et au sujet traité. Une fois approuvé, le message paraît sur le groupe de discussion.

Certains groupes modérés ont le mot « moderated » pour dernière partie de leur nom (par exemple, fr.comp.os.linux.moderated).

GROUPES DE DISCUSSION VOISINS

Un sujet peut être traité par plusieurs groupes de discussion. Par exemple, les questions abordées dans le groupe **alt.comp.virus** sont proches de celles de **comp.virus**. Vous avez la possibilité de vous abonner à tous les groupes de discussion traitant du même sujet.

RÉPONDRE À DES MESSAGES

Répliquer permet de répondre à une question, d'exprimer une opinion ou de fournir des informations complémentaires. N'intervenez que lorsque vous avez quelque chose d'important à dire. Évitez les réponses du genre « Moi aussi » ou « Tout à fait d'accord ».

Insérer le message d'origine dans la réponse

Cette opération permet aux lecteurs d'identifier le message auquel vous répondez. Pour leur épargner une lecture inutile, veillez à supprimer les paragraphes qui ne sont pas directement concernés par votre réponse.

Envoyer une réponse privée

Vous pouvez répondre au groupe de discussion, à l'auteur, voire aux deux. Si votre réponse n'a pas de chance d'intéresser les abonnés du groupe ou si vous voulez envoyer une réponse privée, répondez à l'auteur du message uniquement.

POSTER UN MESSAGE

Cette action permet de poser une question ou d'exprimer une opinion sur un groupe de discussion. Votre message peut être consulté par des milliers de personnes à travers le monde.

Pour vous exercer à poster des messages, choisissez le groupe **alt.test**. Une réponse automatique vous est adressée, indiquant que l'opération s'est bien déroulée. Évitez d'envoyer des messages de test à d'autres groupes.

Comment rendre des pommes de terres cuites dans la braise plus appétissantes ?
Agrémente-les de crème et de paprika, et saupoudre-les de chili. Bon appétit !
Comment rendre des pommes de terres cuites dans la braise plus appétissantes ?
MESSAGES
RÉPONSES
COLLE
groupe de discussion
Auteur

rec.cuisine
rec.arts.danse
rec.sport

L'ÉTIQUETTE DES GROUPES DE DISCUSSION

FOIRE AUX QUESTIONS

La FAQ *(Foire aux questions)* est un document contenant la liste des réponses aux questions les plus posées sur un groupe de discussion. Elle a pour rôle d'éviter que les nouveaux lecteurs posent des questions déjà traitées. Avant de poster des messages sur un groupe, lisez sa FAQ.

POSTER SUR LE GROUPE DE DISCUSSION APPROPRIÉ

Assurez-vous que le message traite bien du sujet abordé sur le groupe choisi. C'est le meilleur moyen d'intéresser les autres et d'obtenir des réponses.

Évitez de poster un message sur plusieurs groupes de discussion au risque d'être hors sujet. Cette technique, qui s'appelle le *spamming*, est employée à des fins commerciales pour vendre un produit ou un service.

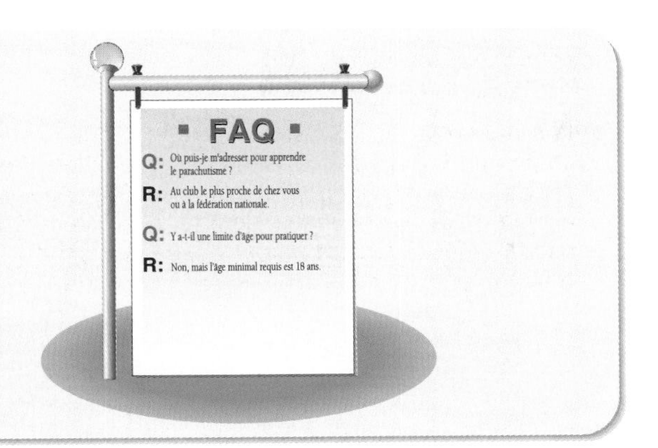

ÉVITER LES FLAMMES

Un *flame* (flamme, en français) est un message agressif ou injurieux adressé à une personne. Il a pour effet de déclencher une véritable bataille entre membres du groupe de discussion. Évitez d'envoyer des *flames* ou de participer à des disputes.

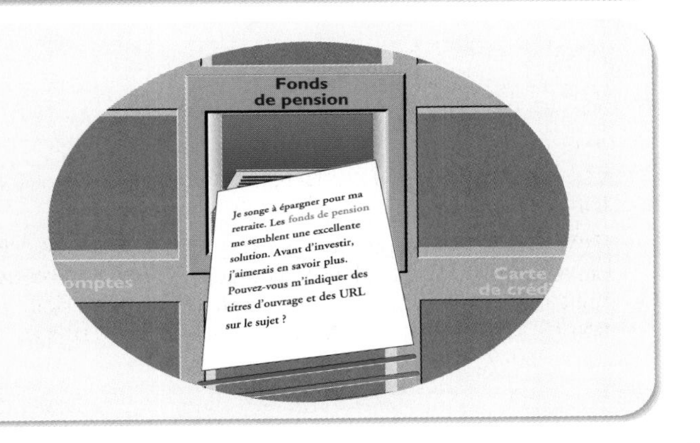

PRÉSENTATION DES FORUMS

NOM D'UTILISATEUR ET MOT DE PASSE

Pour accéder à certains forums, il est nécessaire d'entrer un nom d'utilisateur et un mot de passe. Les créateurs du forum ont ainsi un meilleur contrôle sur les discussions. Un internaute postant souvent des articles hors sujet peut se voir interdire l'accès à un tel forum.

Les forums ou groupes de discussion accessibles à tous sur le Web sont nombreux. Ils n'appartiennent pas au réseau Usenet.

Vous pouvez participer à des groupes de discussion sur le Web à partir de votre navigateur. Il est alors inutile de posséder un lecteur de news.

IMAGES ET ANIMATION

À la différence des lecteurs de news, les navigateurs Web prennent en charge le multimédia, ce qui explique que les forums Web acceptent images et animations dans les messages de leurs membres.

SITES WEB DE DISCUSSION

Les groupes de discussion sont nombreux sur le Web. Ils sont classés par catégories, telles que la santé, les divertissements ou les voyages. Vous pouvez ainsi rechercher un forum en fonction de vos centres d'intérêt.

Les sites suivants fournissent les adresses de nombreux forums Web :

groups.google.fr

fr.messages.yahoo.com

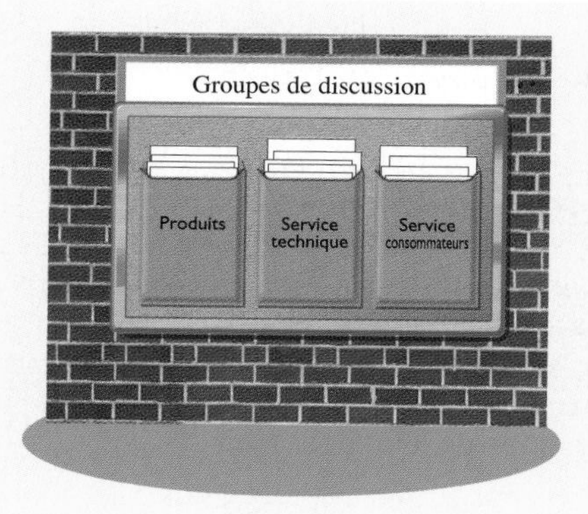

SITES WEB GÉNÉRAUX

Nombreux sont les sites Web proposant un groupe de discussion pour approfondir le sujet traité. Par exemple, le site d'un club de remise en forme proposera un forum sur lequel les internautes pourront poser leurs questions sur les dernières tendances du fitness.

Certains sites de magazines et de quotidiens proposent à leurs lecteurs des forums spécialisés (sur le sport, la politique, par exemple).

SITES WEB D'ENTREPRISES

Les entreprises mettent souvent en place sur leurs sites Web des groupes de discussion publics destinés à promouvoir leurs produits et à fournir une assistance technique et commerciale. Des groupes de discussion privés permettent à leurs employés de tenir des réunions alors qu'ils sont en déplacement.

TYPES DE CONVERSATIONS

MODE TEXTE

Le *chat* en mode texte est le plus ancien vecteur de conversation de l'Internet. Vous pouvez converser avec plusieurs personnes simultanément. Le texte apparaît sur l'écran de vos interlocuteurs au fil de la saisie. Les blocs de texte voyageant rapidement sur l'Internet, il n'est pas utile de posséder une ligne à haut débit pour ce type de conversation.

```
Tina - Il faut que tu m'aides ! J'ai
à faire un exposé sur un animal rare.
Tu n'aurais pas une idée ?

Jacques - Pourquoi pas l'oiseau " dodo " ?

Mathieu - Ma prof m'a donné ce sujet,
mais je n'arrive pas à trouver la moindre
documentation sur le dodo.

Jacques - Quel animal vas-tu choisir, alors ?

Mathieu - Je crois que je vais prendre
l'éléphant de mer, parce que j'ai beaucoup
d'infos sur cet animal.
```

Vous pouvez communiquer instantanément avec des personnes situées aux quatre coins de la planète en tapant simplement sur votre clavier à votre tour. Ce mode de communication s'appelle conversation ou *chat*.

Le *chat* est l'un des aspects les plus populaires de l'Internet.

MULTIMÉDIA

Les fonctions multimédias de l'ordinateur permettent d'établir des conversations audio et vidéo sur l'Internet. Le son et l'image circulant lentement, vous devez posséder une ligne à haut débit pour ce type de conversation.

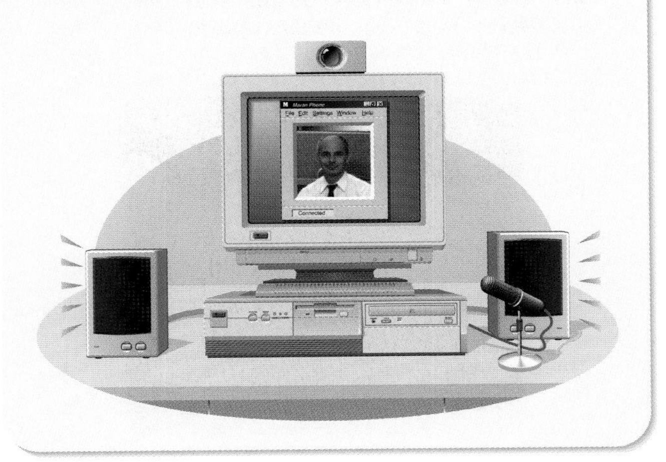

ÉDUCATION

Les étudiants aiment discuter de leurs devoirs et demander de l'aide à leurs professeurs et à leurs amis. Cette solution est particulièrement bien adaptée pour l'enseignement à distance.

RESTER EN CONTACT

La conversation en ligne est un moyen peu onéreux de rester en contact avec des amis ou des relations disposant d'un accès Internet. Les membres d'une même famille, des amis et des collègues éloignés les uns des autres peuvent ainsi converser sur la base d'une communication locale.

DIVERTISSEMENT

Le *chat* fait partie des loisirs de nombreux internautes. Ce mode de communication permet de se faire des amis dans le monde entier.

ASSISTANCE TECHNIQUE

Certains constructeurs et éditeurs informatiques assurent l'assistance technique de leurs produits en mode conversation. Les clients obtiennent instantanément les réponses à leurs questions.

NOM ET ADRESSE ÉLECTRONIQUE

Avant de vous connecter à IRC, vous devez entrer votre nom et votre adresse de messagerie. La plupart des serveurs IRC requièrent une adresse électronique valide. Vous pouvez utiliser un pseudonyme dans les conversations, mais vos interlocuteurs sont en droit de connaître votre identité véritable.

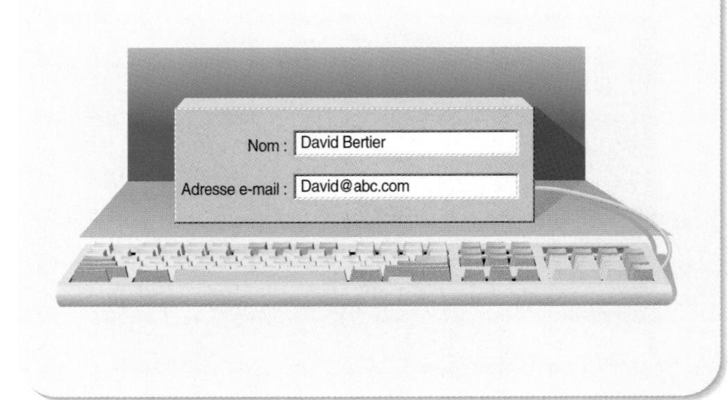

Internet Relay Chat (IRC) est un réseau de conversation en direct via l'Internet.

Pour utiliser IRC, vous devez vous connecter à un ordinateur appelé serveur IRC. Chaque serveur IRC est relié au réseau mondial IRC.

PSEUDONYME

Vous avez la possibilité d'opter pour un pseudonyme sous IRC. Si le pseudonyme est déjà pris, vous devez en choisir un autre. Certains serveurs IRC limitent le nombre de caractères du pseudonyme. Vous pouvez protéger votre pseudonyme en l'enregistrant.

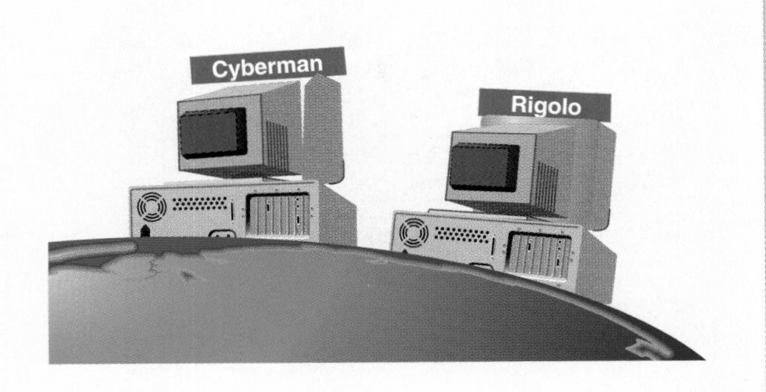

CANAUX IRC

Les canaux ou groupes de *chat* sont nombreux sur IRC. Chaque canal traite d'un sujet particulier. Les canaux portent généralement le nom du sujet traité.

Le symbole # placé devant un nom indique que le canal est disponible depuis tous les pays.

En plus des nombreux canaux disponibles sur IRC, vous pouvez créer votre propre canal et inviter d'autres personnes à y converser avec vous.

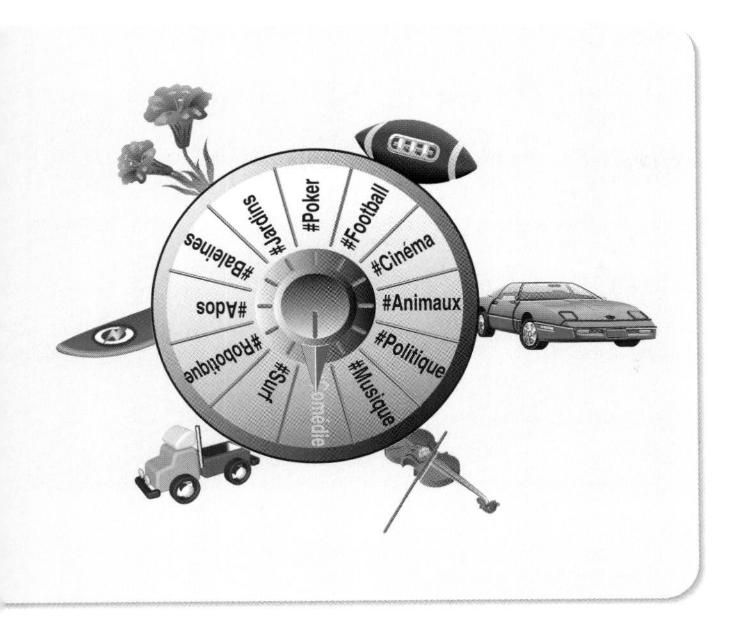

LOGICIELS IRC

Pour vous connecter à un serveur IRC, vous devez posséder un logiciel dédié. Les logiciels IRC sont faciles à utiliser et comprennent des options de personnalisation. Vous pouvez, par exemple, définir la police et la couleur du texte pour faciliter la lecture à l'écran.

Les sites Web ci-après proposent des versions gratuites de logiciels IRC :

mIRC (Windows)

www.mirc.com

Ircle (Macintosh)

www.ircle.com

NAVIGATEUR WEB

La plupart des réseaux de conversation sur le Web ne nécessitent qu'un navigateur standard. Certains d'entre eux affichent texte et salle de conversation à l'aide de Java. Pour éviter les problèmes, vous devez acquérir la dernière version de votre navigateur Web.

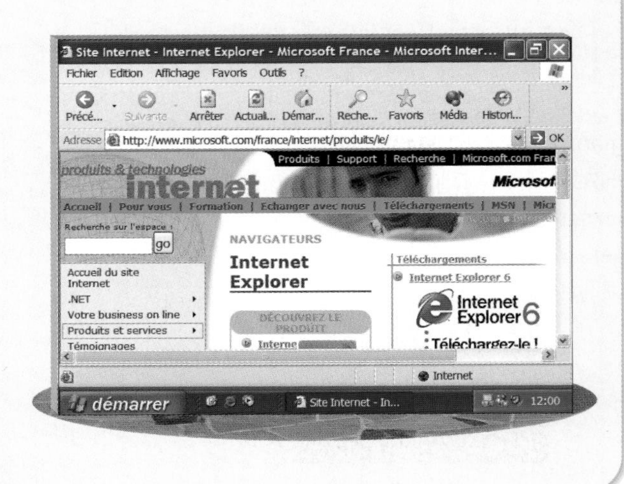

Converser sur le Web est aisé et agréable. Il s'agit d'une activité très prisée des internautes.

ENREGISTREMENT

La plupart des services de *chat* sur le Web sont gratuits. Pour avoir accès aux salles de conversation *(chat rooms)*, il est souvent nécessaire de s'enregistrer, c'est-à-dire de fournir des informations d'identification comme le nom et l'adresse électronique. Dans certains cas, le réseau de conversation est accessible à l'aide d'un nom et d'un mot de passe utilisateur.

LOGICIELS

Pour échanger des messages instantanés, vous devez posséder un logiciel dédié, qui sera le même que celui de vos interlocuteurs. Les logiciels de messages instantanés les plus connus sont disponibles sur les sites suivants :

MSN Messenger
messenger.msn.fr

ICQ
www.icq.com

AOL Instant Messenger
www.aol.fr/messenger

Yahoo! Messenger
messenger.yahoo.com

Vous pouvez donner un caractère privé à une conversation en échangeant des messages instantanés avec ses participants.

Chaque message s'affiche instantanément à l'écran du destinataire.

Liste de contacts

Les personnes auxquelles vous adressez régulièrement des messages peuvent être répertoriées dans la liste de contacts. Le logiciel peut ainsi aisément les identifier lorsqu'ils tentent de vous joindre sur le Net.

DÉMARRER WINDOWS MESSENGER

DÉMARRER WINDOWS MESSENGER

1 Cliquez **démarrer** pour ouvrir le menu Démarrer.

2 Pointez **Tous les programmes**.

3 Cliquez **Windows Messenger**.

■ Vous pouvez aussi double-cliquer cette icône ( ) pour démarrer Windows Messenger.

Note. Si n'est pas visible, cliquez dans la barre des tâches pour afficher l'icône.

Grâce à Windows Messenger (intégré à Windows XP), vous savez à quel moment vos amis sont en ligne. Vous pouvez alors leur envoyer en temps réel des messages et des fichiers.

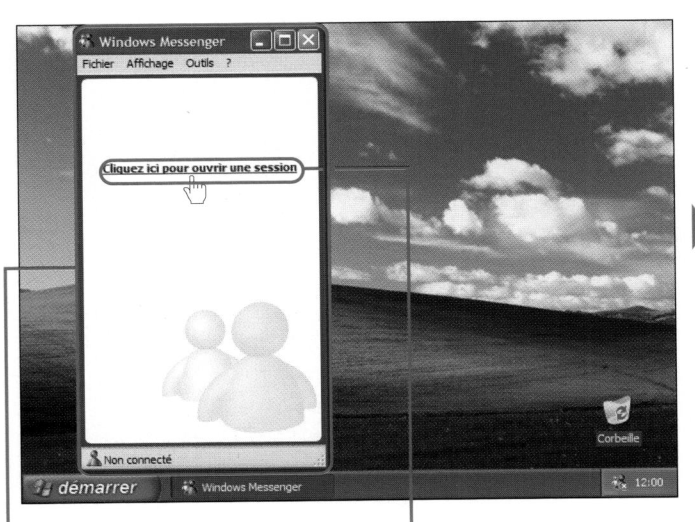

■ La fenêtre Windows Messenger s'ouvre.

■ Si vous avez déjà ouvert une session Windows Messenger, vous pouvez omettre les étapes **4** à **6**.

4 Cliquez ce lien pour ouvrir une session Windows Messenger.

■ La boîte de dialogue .NET Messenger Service s'ouvre.

Pourquoi un assistant apparaît-il au démarrage de Windows Messenger ?

La première fois que vous démarrez Windows Messenger, un assistant apparaît pour vous aider à ajouter un passeport à votre compte d'utilisateur. Ceci est nécessaire pour utiliser Windows Messenger. Suivez les instructions de l'assistant pour ajouter un passeport à votre compte d'utilisateur.

DÉMARRER WINDOWS MESSENGER (SUITE)

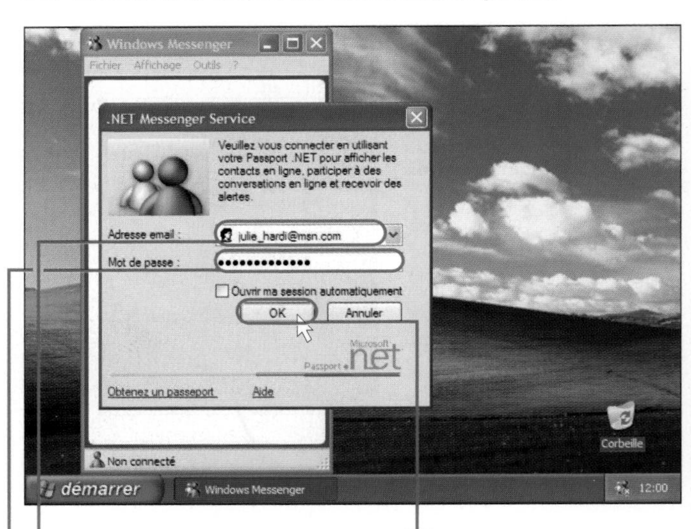

■ Votre adresse électronique s'affiche ici.

5 Saisissez votre mot de passe, en respectant scrupuleusement les majuscules et les minuscules.

6 Cliquez **OK** pour ouvrir une session.

Note. Si vous n'avez pas encore établi la connexion Internet, une boîte de dialogue permettant de le faire peut s'ouvrir.

Comment clore la session Windows Messenger ?

Lorsque vous avez fini d'utiliser Windows Messenger, vous pouvez fermer votre session.

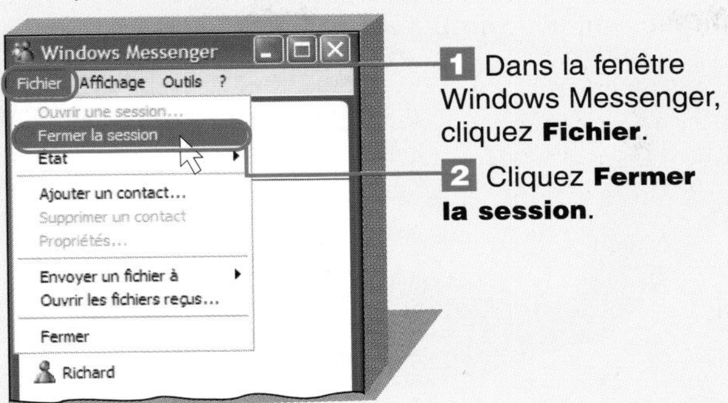

1 Dans la fenêtre Windows Messenger, cliquez **Fichier**.

2 Cliquez **Fermer la session**.

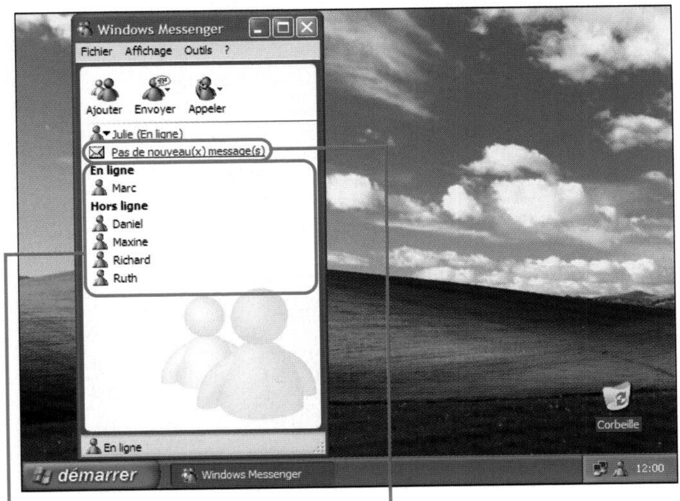

■ Si vous avez ajouté des contacts à votre liste, leurs noms apparaissent ici. La fenêtre indique aussi s'ils sont en ligne ou non.

■ Vous pouvez cliquer ce lien pour lire vos messages de courrier électronique. Si votre compte de courrier électronique est fourni par Hotmail, le nombre de messages reçu s'affiche aussi.

AJOUTER UN CONTACT

AJOUTER UN CONTACT

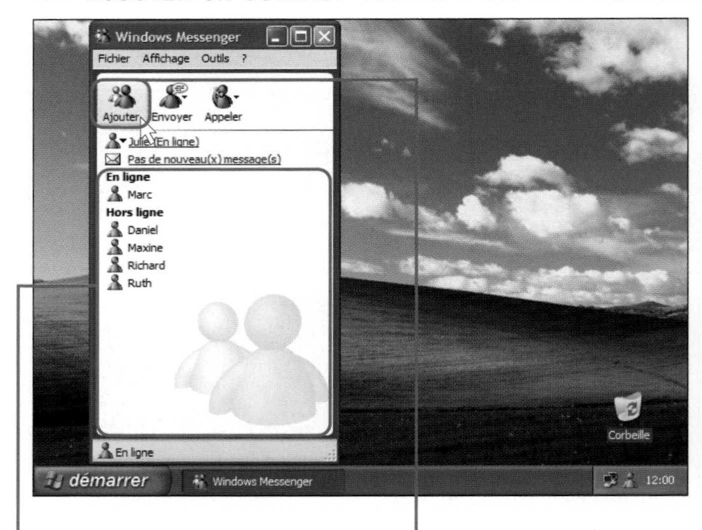

■ Les noms des personnes dans votre liste des contacts apparaissent dans cette zone. Vous voyez aussi lesquelles sont connectées ou non.

1 Cliquez **Ajouter** pour ajouter une personne à la liste des contacts.

En ajoutant une personne à votre liste de contacts, vous pouvez savoir si elle est en ligne et peut échanger des messages instantanés.

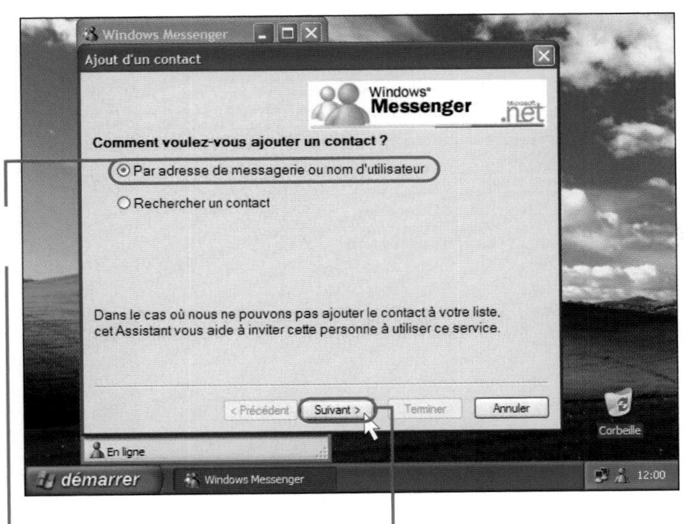

■ L'assistant Ajout d'un contact apparaît.

2 Cliquez cette option pour ajouter un contact en spécifiant l'adresse de courrier électronique de la personne (○ devient ◉).

3 Cliquez **Suivant** pour continuer.

AJOUTER UN CONTACT

Chaque personne que vous ajoutez à votre liste des contacts doit détenir un passeport Passport .NET. Ce passeport est obtenu lorsque Windows Messenger est installé et configuré sur un ordinateur. Les utilisateurs de programmes compatibles avec Windows Messenger peuvent obtenir un passeport sur le site Web www.passport.com.

AJOUTER UN CONTACT (SUITE)

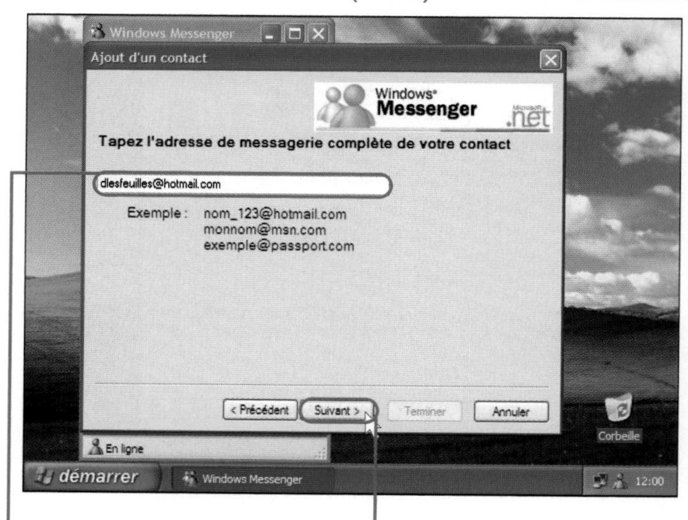

4 Saisissez l'adresse de courrier électronique de la personne.

5 Cliquez **Suivant** pour poursuivre.

SUPPRIMER UN CONTACT

Dans la fenêtre Windows Messenger, cliquez le nom de la personne à retirer de la liste. Appuyez sur la touche Suppr. La personne disparaît de la liste des contacts.

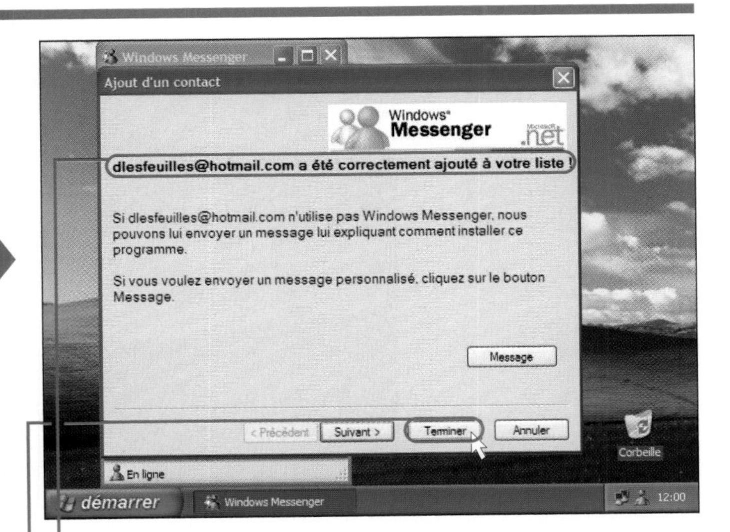

■ Si l'assistant a ajouté la personne à votre liste des contacts, ce message apparaît.

6 Cliquez **Terminer** pour fermer l'assistant.

■ Le nouveau contact apparaît dans la liste.

Note. Windows Messenger avertit la personne que vous l'avez ajoutée à votre liste des contacts.

ÉCHANGER DES MESSAGES AVEC WINDOWS MESSENGER

ENVOYER UN MESSAGE INSTANTANÉ

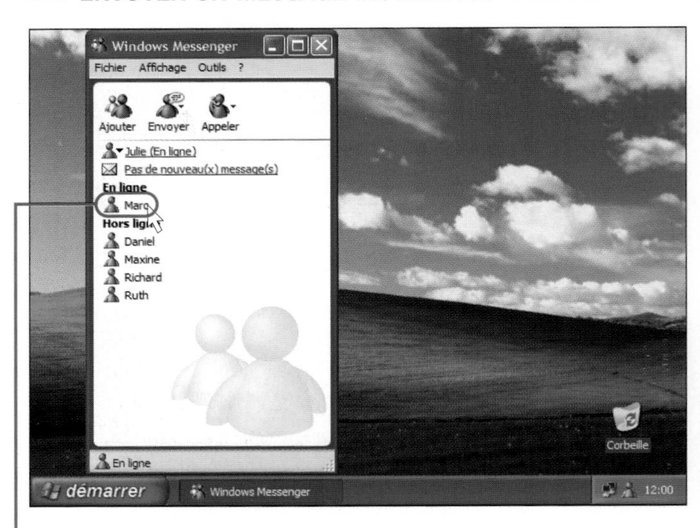

1 Double-cliquez le nom du destinataire du message instantané.

■ La fenêtre Conversation s'ouvre.

Vous pouvez envoyer un message instantané à une personne mentionnée dans votre liste des contacts. La personne doit avoir ouvert une session Windows Messenger.

Lorsque vous envoyez des messages instantanés, ne communiquez jamais votre mot de passe ou des informations concernant votre carte bleue.

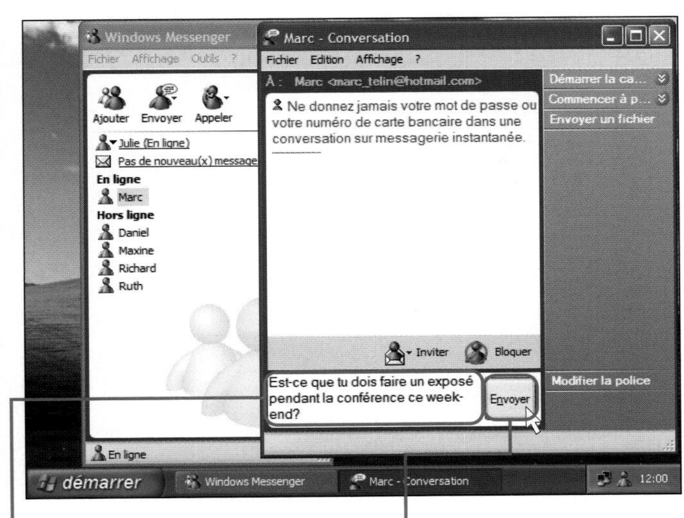

2 Cliquez cette zone et tapez votre message.

Note. La longueur d'un message peut atteindre 400 caractères.

3 Cliquez **Envoyer** pour expédier le message.

Note. Vous pouvez aussi envoyer le message en appuyant sur la touche **Entrée** .

Tapez	Windows Messenger envoie
:p	
(y)	
(g)	
(f)	

Tapez	Windows Messenger envoie
(d)	
(i)	
(S)	
(*)	

ENVOYER UN MESSAGE INSTANTANÉ (SUITE)

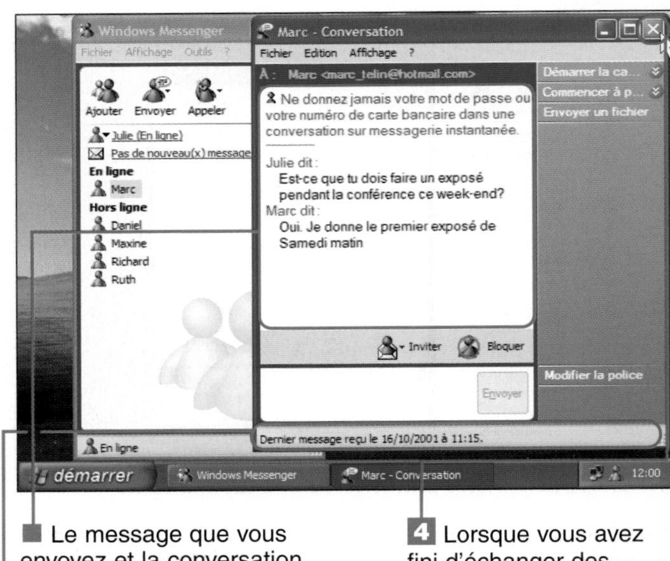

■ Le message que vous envoyez et la conversation en cours s'affichent ici.

■ Cette zone montre la date et l'heure auxquelles la personne vous a envoyé un dernier message. Elle mentionne également si la personne est en train de saisir un message.

4 Lorsque vous avez fini d'échanger des messages, cliquez ☒ pour fermer la fenêtre Conversation.

Si vous tapez l'une des suites de caractères ci-contre, Windows Messenger la remplace automatiquement par une icône qui traduit une émotion (emoticon, en anglais).

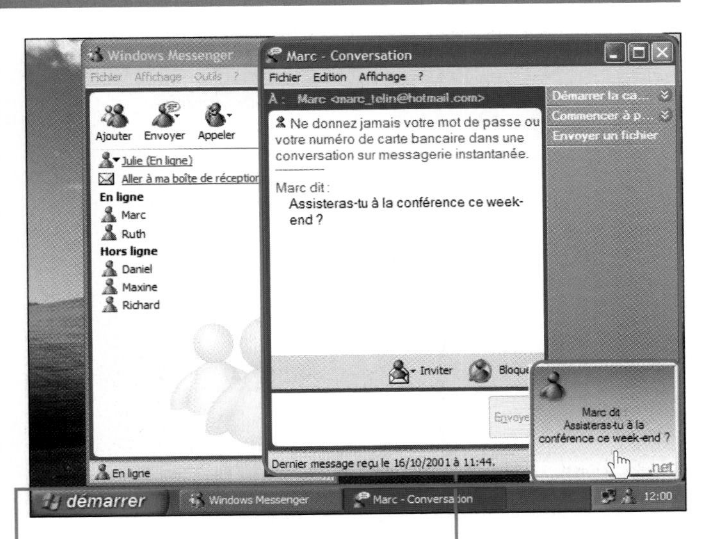

RECEVOIR UN MESSAGE INSTANTANÉ

■ Lorsque vous recevez un message qui n'entre pas dans une conversation en cours, votre ordinateur émet un son et affiche brièvement une petite fenêtre présentant la première partie du message.

1 Pour afficher le message en entier, cliquez dans la fenêtre.

*Note. Vous pouvez aussi cliquer le bouton **Conversation** dans la barre des tâches pour afficher entièrement le message.*

■ La fenêtre Conversation apparaît, affichant le message.

ENVOYER UN FICHIER AVEC WINDOWS MESSENGER

ENVOYER UN FICHIER

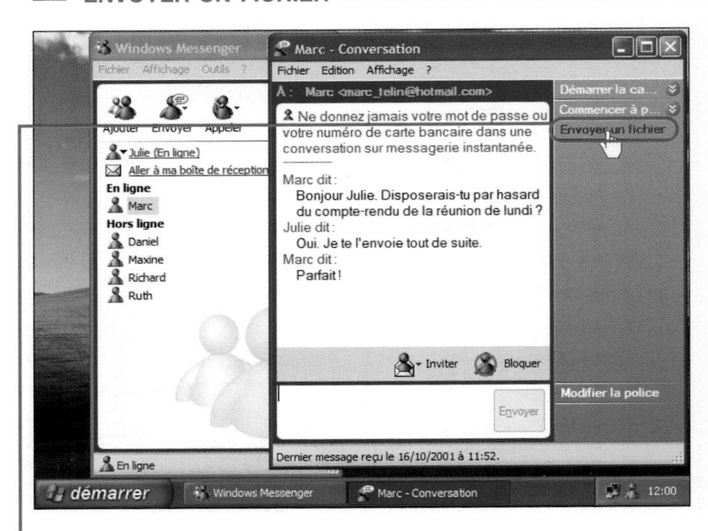

1 Au cours d'une conversation avec un correspondant, cliquez **Envoyer un fichier**.

Note. Pour plus d'informations sur l'envoi de messages instantanés, consultez les pages 270 à 273.

Lors d'un échange de messages instantanés, vous pouvez envoyer un fichier à votre correspondant.

Si votre connexion à l'Internet passe par un pare-feu, il est possible que vous ne puissiez pas envoyer de fichier.

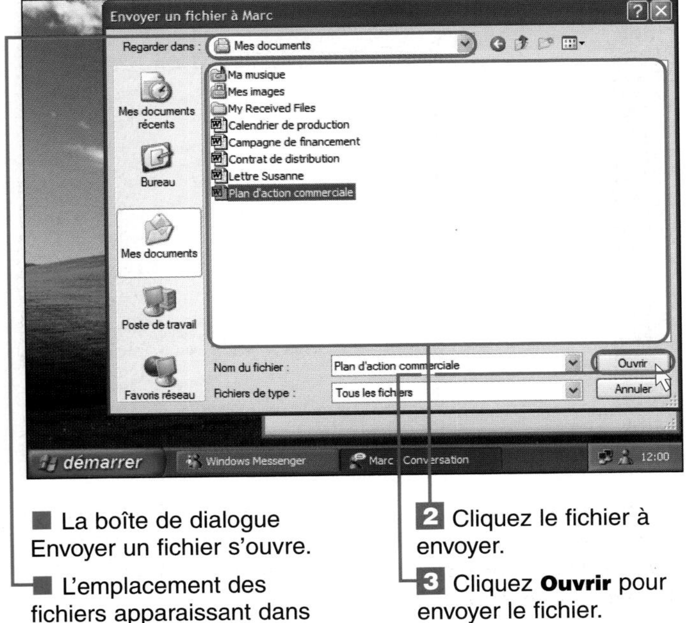

■ La boîte de dialogue Envoyer un fichier s'ouvre.

■ L'emplacement des fichiers apparaissant dans la boîte de dialogue s'affiche ici. Cliquez cette zone pour choisir un autre endroit.

2 Cliquez le fichier à envoyer.

3 Cliquez **Ouvrir** pour envoyer le fichier.

ENVOYER UN FICHIER AVEC WINDOWS MESSENGER

ENVOYER UN FICHIER (SUITE)

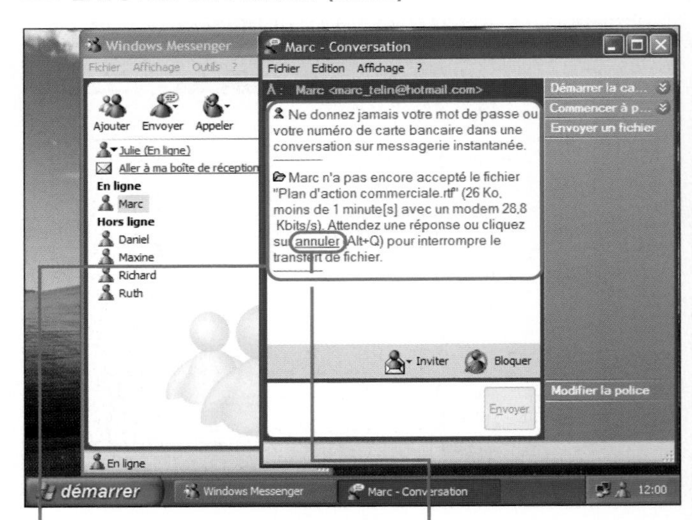

■ L'état de la transmission du fichier s'affiche dans cette zone. Le destinataire doit accepter le fichier pour que la transmission soit effective.

■ Si vous ne souhaitez plus envoyer le fichier, cliquez **annuler** pour interrompre sa transmission.

Note. Lorsque le destinataire accepte le fichier, l'option ***annuler*** *n'est plus accessible.*

Vous pouvez également joindre un fichier à un message de courrier électronique. Cela peut aider si le destinataire n'a pas ouvert une session Windows Messenger, par exemple. Pour joindre un fichier à un courrier électronique, consultez les pages 217 à 220.

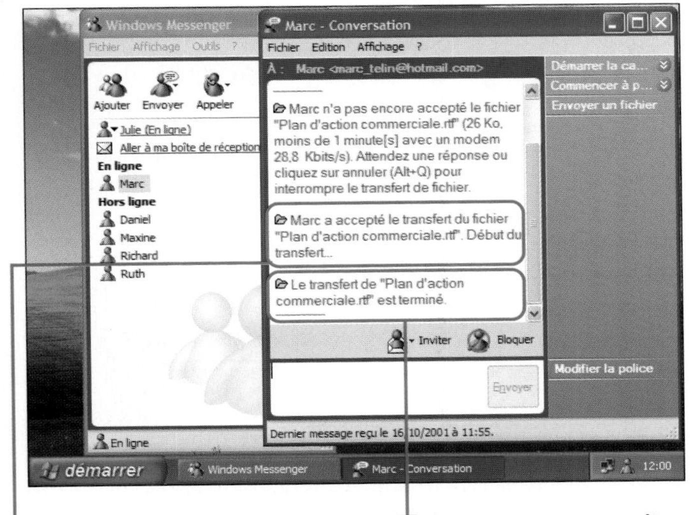

■ Ce message apparaît lorsque le destinataire accepte le fichier.

■ Ce message apparaît lorsque la transmission du fichier est terminée.

RECEVOIR UN FICHIER AVEC WINDOWS MESSENGER

RECEVOIR UN FICHIER

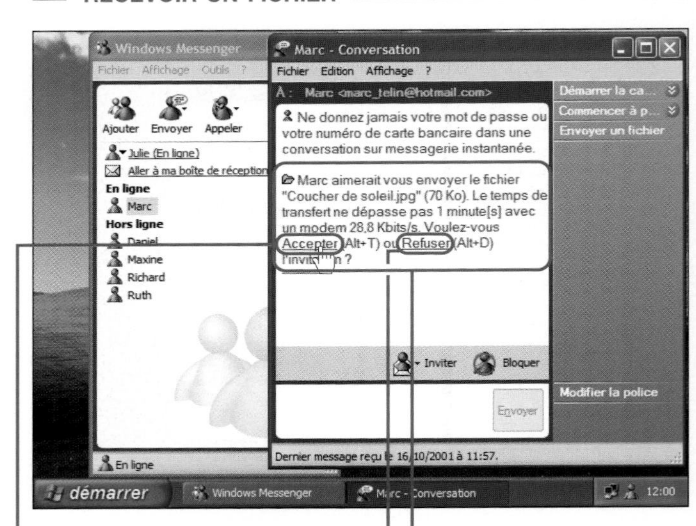

■ Au cours d'une conversation, un message s'affiche lorsque votre correspondant vous envoie un fichier.

Note. Pour plus d'informations sur l'envoi de messages instantanés, consultez les pages 274 à 277.

■ Le message donne des informations concernant le fichier, y compris son nom, sa taille et la durée estimée de transmission.

1 Cliquez **Accepter** ou **Refuser** pour accepter ou refuser le fichier.

Lors d'un échange de messages instantanés, votre correspondant peut vous envoyer un fichier.

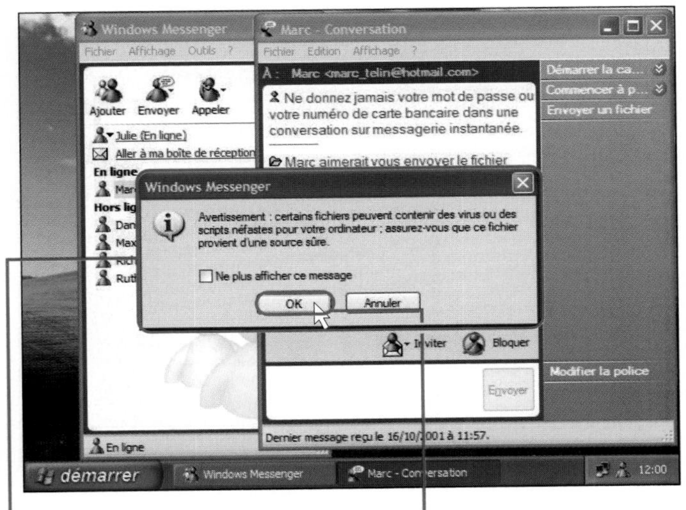

■ Si vous décidez d'accepter le fichier, une boîte vous avertit que certains fichiers peuvent contenir des virus dangereux. Ces derniers risquent de détruire les informations contenues dans votre ordinateur.

2 Cliquez **OK** pour recevoir le fichier.

RECEVOIR UN FICHIER AVEC WINDOWS MESSENGER

Quels sont les points à considérer avant d'ouvrir un fichier joint à un message instantané ?

Avant d'ouvrir un fichier que vous recevez, analysez-le à l'aide d'un programme antivirus, tel McAfee VirusScan, pour être sûr qu'il ne contient aucun virus. Certains fichiers peuvent renfermer des virus qui risquent d'endommager les informations contenues dans votre ordinateur. Soyez très prudent lorsque vous recevez des messages provenant d'inconnus.

RECEVOIR UN FICHIER (SUITE)

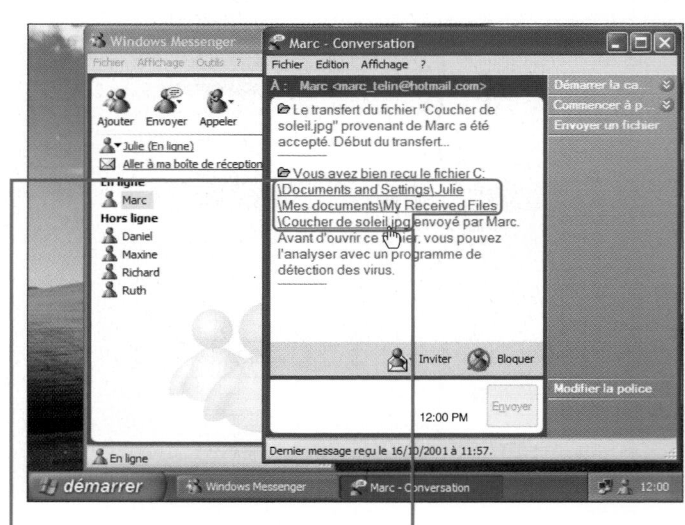

■ Lorsque la transmission du fichier vers votre ordinateur est achevée, l'emplacement et le nom du fichier apparaissent sous forme de lien.

3 Cliquez le lien pour ouvrir le fichier.

Comment ouvrir les fichiers bien après leur réception ?

Windows enregistre automatiquement les fichiers reçus dans le dossier My Received Files, qui se trouve dans le dossier Mes documents. Vous pouvez ouvrir les fichiers contenus dans ce dossier à tout instant.

■ Le fichier s'ouvre.

4 La consultation du fichier terminée, cliquez ☒ pour le fermer.

SITE FTP

Un site FTP est un emplacement, sur Internet, où sont stockés des fichiers. Les sites FTP sont généralement gérés par des universités, des ministères et organismes publics, des sociétés ou des particuliers. Il existe des milliers de sites FTP dispersés sur Internet.

Le protocole de transfert de fichiers (FTP) vous permet de consulter des fichiers stockés sur des ordinateurs situés dans le monde entier et de copier sur votre propre ordinateur les fichiers qui vous intéressent.

Vous pouvez également créer votre propre compte FTP pour, par exemple, mettre en ligne votre site Web.

SITES FTP ANONYMES

De nombreux sites FTP sont anonymes. Vous accédez aux fichiers sans saisir de mot de passe. Ces sites stockent de grandes quantités de fichiers que tout le monde peut télécharger gratuitement.

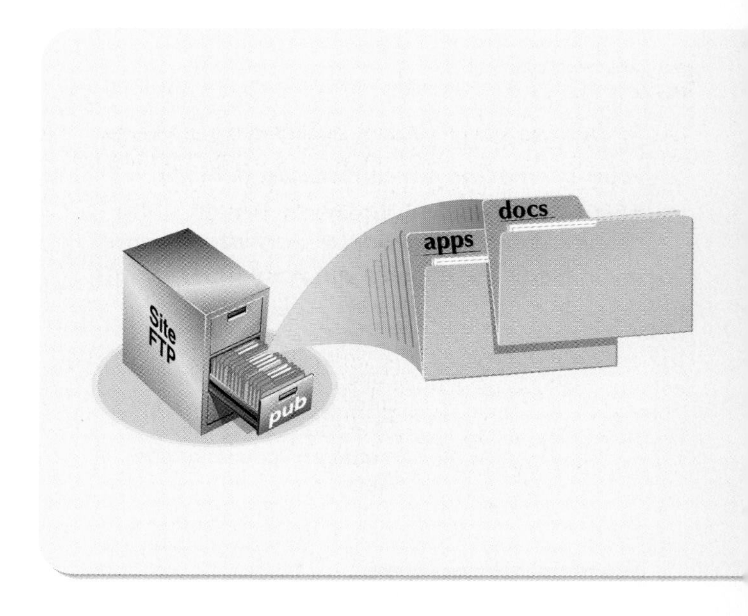

NOMS DE FICHIERS

Tout fichier d'un site FTP se compose d'un **nom**, d'un point (.) et d'une **extension**. Le nom décrit le contenu du fichier, l'extension, le type du fichier.

RÉPERTOIRES

Les fichiers des sites FTP sont stockés dans différents répertoires. Les répertoires permettent d'organiser les informations de la même manière que les dossiers permettent de classer des documents dans un classeur à tiroirs.

La plupart des sites FTP possède un répertoire principal appelé « pub », abréviation de public. Le répertoire pub contient les sous-répertoires et les fichiers. La plupart des noms de sous-répertoires indiquent le type de fichiers qu'ils contiennent. Les noms de sous-répertoires courants sont « apps », pour les programmes d'applications et « docs » pour les fichiers texte et les documents.

FICHIER README

Un site FTP bien structuré possède des fichiers de description du contenu proposé, généralement appelés « index », « readme » ou « lisezmoi ».

TÉLÉCHARGER DES FICHIERS

De nombreux internautes utilisent leur navigateur Web pour télécharger des fichiers sur les sites FTP. Vous pouvez également utiliser un programme FTP pour cela. Un tel programme est utile lorsque vous souhaitez télécharger plusieurs fichiers à la fois. Les sites Web suivants proposent deux des logiciels FTP les plus connus :

WS_FTP Pro (Windows)
www.ipswitch.com/products

Fetch (Macintosh)
www.macorchard.com/ftp.html

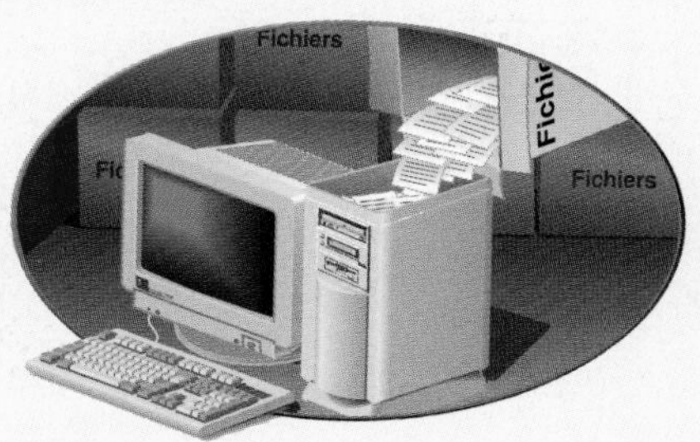

Pour pouvoir accéder à un compte FTP (le vôtre ou celui d'une autre personne ou entreprise), et télécharger les fichiers qui s'y trouvent ou en ajouter d'autres, vous devez utiliser un logiciel FTP.

PUBLIER DES PAGES WEB

Si vous avez créé des pages Web et que vous veuillez les publier, il faut les transférer vers un serveur Web à l'aide d'un logiciel FTP. Lisez les pages 410 à 421 pour savoir comment procéder.

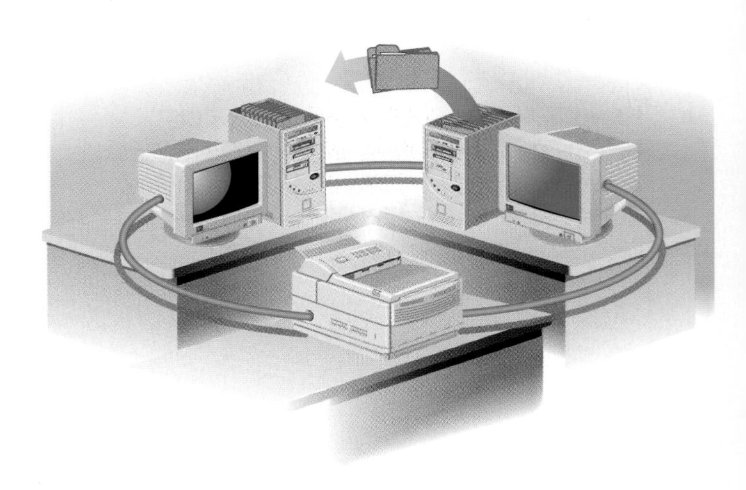

Les LAN

Un LAN (*Local Area Network*), ou réseau local, est un réseau qui relie des ordinateurs et des périphériques situés à proximité les uns des autres (dans un même bâtiment, par exemple). C'est le type de réseau le plus répandu dans les entreprises. Les LAN ne comportent généralement pas plus de cent ordinateurs.

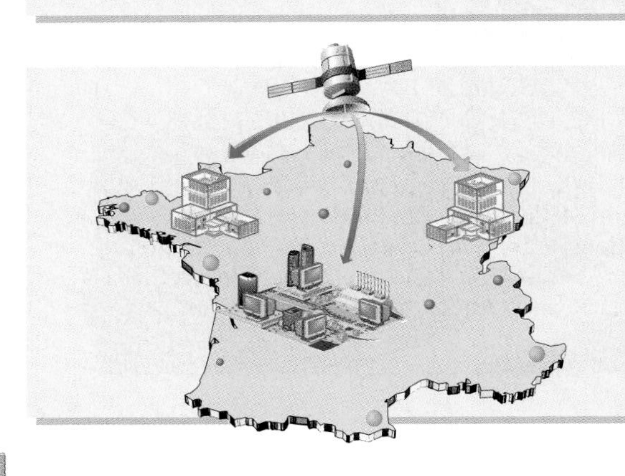

Un réseau est un groupe d'ordinateurs reliés les uns aux autres qui permet aux utilisateurs d'échanger des informations et de partager du matériel tel qu'une imprimante.

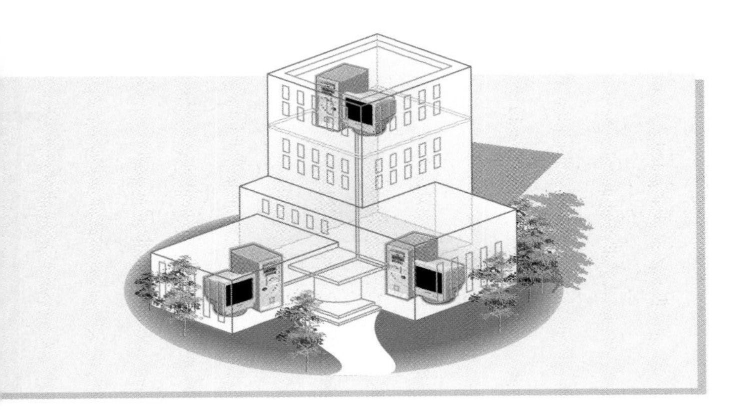

Les WAN

Un WAN (*Wide Area Network*), ou réseau étendu, sert à relier des LAN. Les réseaux qui composent un WAN peuvent être situés dans un même pays ou être dispersés dans le monde. Lorsqu'un WAN appartient à une même société, on parle souvent de réseau d'entreprise. L'Internet est le plus grand des réseaux étendus.

Taille

Les réseaux poste à poste sont plus adaptés aux petites structures. Chaque ordinateur nécessite une administration et une maintenance individuelles. Lorsque les ordinateurs sont dispersés, il devient donc rapidement difficile d'entretenir le réseau.

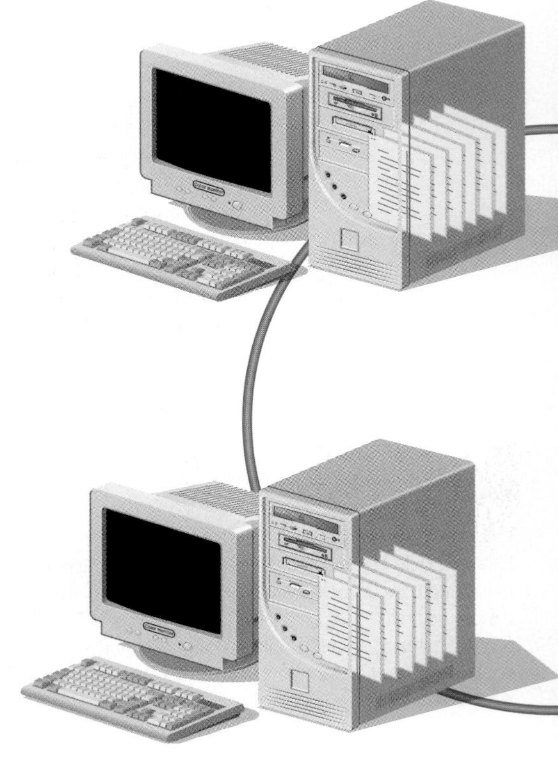

Un réseau poste à poste permet aux ordinateurs qu'il relie de partager leurs données et leurs ressources. Chaque ordinateur contrôle ses propres informations et ses propres ressources. Il n'y a pas d'ordinateur central pour contrôler le réseau.

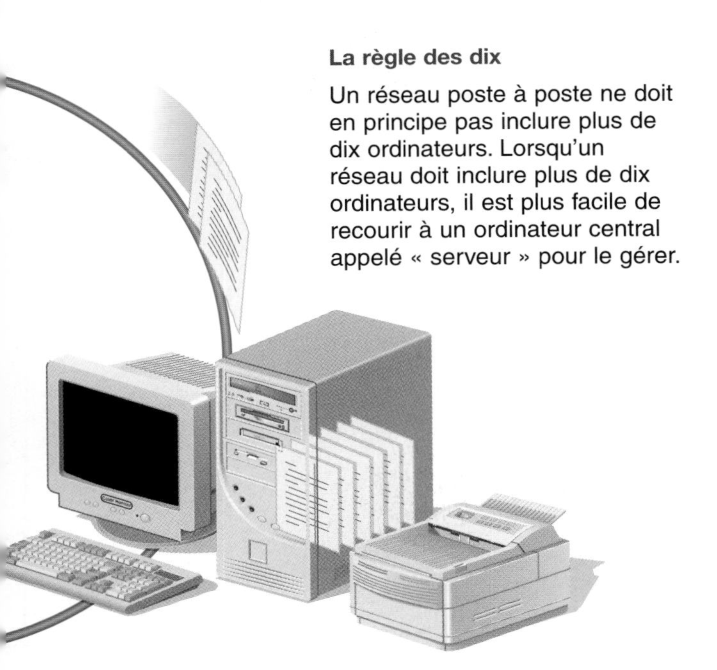

La règle des dix

Un réseau poste à poste ne doit en principe pas inclure plus de dix ordinateurs. Lorsqu'un réseau doit inclure plus de dix ordinateurs, il est plus facile de recourir à un ordinateur central appelé « serveur » pour le gérer.

RÉSEAU CLIENT-SERVEUR

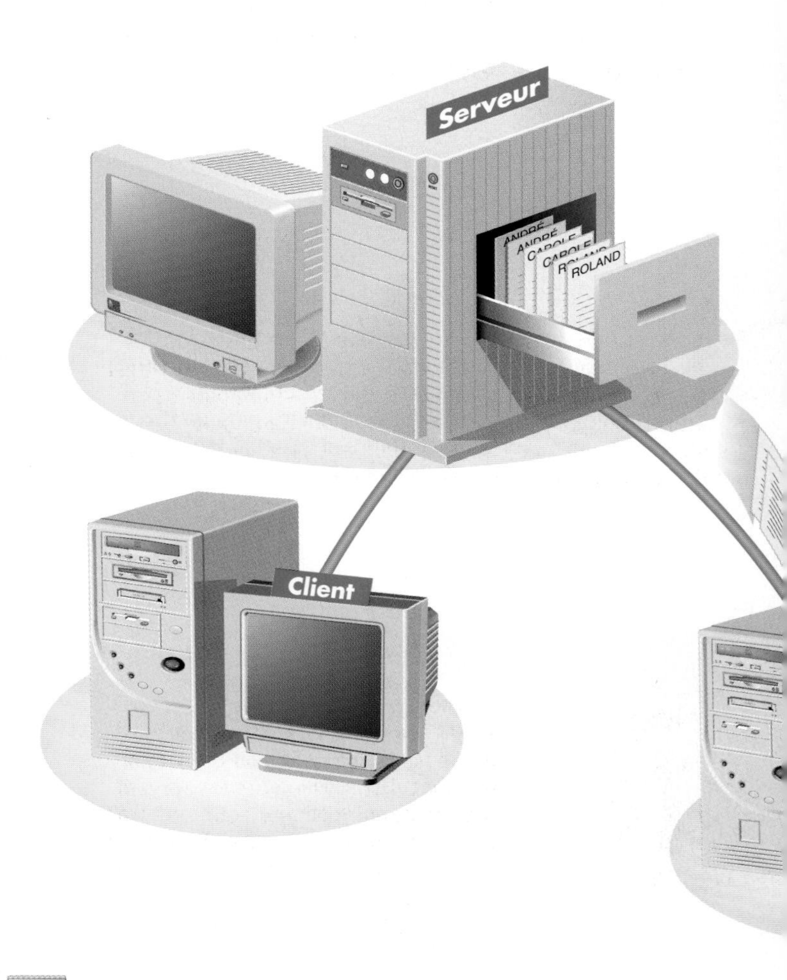

Un réseau client-serveur est un réseau qui utilise un serveur central pour délivrer des informations et des ressources à d'autres ordinateurs, appelés « clients ». Le système de réseau client-serveur est souvent la solution la mieux adaptée lorsqu'il faut relier plus de dix ordinateurs.

Serveur

Un serveur est un ordinateur qui met ses informations et ses ressources à la disposition d'autres ordinateurs au sein d'un réseau. Il est généralement plus puissant que les autres ordinateurs. Les réseaux client-serveur sont très souvent équipés d'un serveur central utilisé par les autres ordinateurs pour stocker leurs fichiers.

Client

Un client est un ordinateur qui peut utiliser les services d'un serveur et accéder aux informations qui y sont stockées. Les utilisateurs se servent des ordinateurs clients pour faire traiter des informations par un serveur et pour visualiser le résultat de ce traitement. Chaque personne reliée au réseau possède généralement son propre ordinateur client.

INTRODUCTION AU RÉSEAU DOMESTIQUE

Partager des données

Un réseau permet d'utiliser les données stockées sur d'autres ordinateurs qui le composent. Il devient intéressant de partager des informations quand plusieurs utilisateurs du réseau collaborent sur un projet et ont besoin d'accéder aux mêmes fichiers.

Partager une connexion Internet

Il est possible de configurer un ordinateur de telle sorte qu'il partage sa connexion Internet avec d'autres postes du réseau. Tous les utilisateurs du réseau peuvent alors se servir de cette connexion partagée pour accéder au Web en même temps. L'ordinateur qui partage sa connexion doit néanmoins être allumé quand les autres postes du réseau veulent accéder à l'Internet.

Protéger le réseau

Quand vous configurez un réseau, Windows installe un logiciel pare-feu sur l'ordinateur qui partage sa connexion Internet. Ce programme est conçu pour protéger votre réseau contre tout accès non autorisé pendant que certains de ses ordinateurs sont connectés au Web.

Si vous possédez plusieurs ordinateurs à la maison, vous pouvez configurer un réseau, de façon à permettre l'échange de données et le partage de matériel entre les différents postes.

Partager du matériel

Un réseau permet à plusieurs ordinateurs d'utiliser un même matériel, comme une imprimante. Cette situation est économique, car plusieurs utilisateurs du réseau peuvent se servir des mêmes équipements.

Certains fournisseurs d'accès Internet (FAI) (sociétés qui permettent d'accéder à l'Internet) font payer un supplément, tandis que d'autres interdisent le partage d'une connexion Internet unique par plusieurs ordinateurs. Pour plus d'informations, contactez votre FAI.

Jouer à plusieurs

De nombreux jeux permettent à plusieurs utilisateurs d'un réseau de se mesurer les uns aux autres. Vous pouvez obtenir de tels divertissements dans des magasins d'informatique ou sur l'Internet.

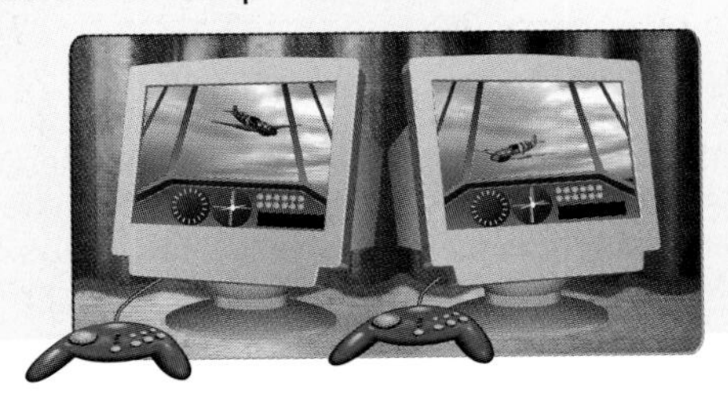

MATÉRIEL POUR UN RÉSEAU DOMESTIQUE

Carte d'interface réseau

Dans la plupart des cas, les ordinateurs sont connectés au réseau par l'intermédiaire d'une carte d'interface réseau. Grâce à cette dernière, le réseau contrôle également le flux d'informations qui circule entre les ordinateurs sur le réseau. Une carte d'interface réseau s'installe généralement à l'intérieur d'un ordinateur.

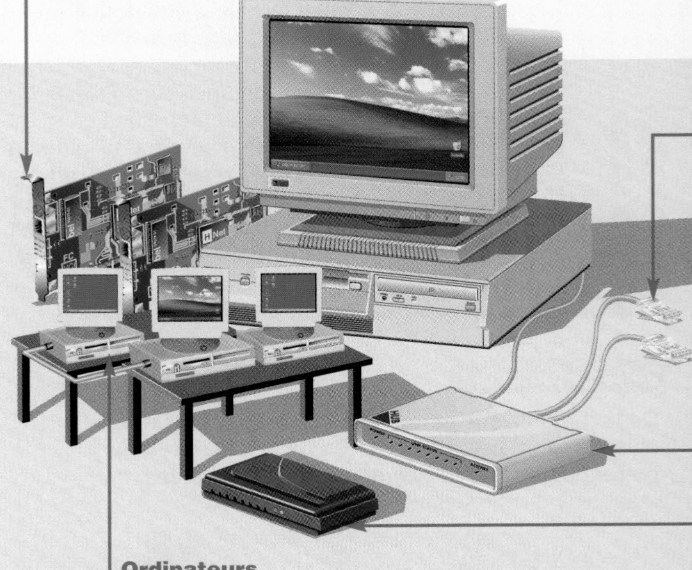

Ordinateurs

Il faut au moins deux ordinateurs pour constituer un réseau, dont un équipé de Windows XP. Tous les autres postes doivent fonctionner sous Windows 98, Windows Me ou Windows XP

Avant que vos ordinateurs puissent communiquer, vous devez installer et configurer le matériel entrant dans la constitution d'un réseau.

Câbles

Les câbles connectent physiquement les ordinateurs au réseau.

Concentrateur

Certains réseaux requièrent un concentrateur, qui assure la rencontre entre tous les câbles du réseau.

Dispositif de connexion à l'Internet

Si vous voulez que tous les ordinateurs du réseau partagent la même connexion Internet, l'un d'entre eux doit être équipé d'un dispositif tel qu'un modem, qui permette cette connexion. Cet ordinateur doit en outre fonctionner sous Windows XP.

INSTALLER UN RÉSEAU DOMESTIQUE

INSTALLER UN RÉSEAU DOMESTIQUE

1 Cliquez **démarrer**.

2 Pointez **Tous les programmes**, de manière à afficher une liste des programmes présents sur l'ordinateur.

3 Pointez **Accessoires**.

4 Pointez **Communications**.

5 Cliquez **Assistant Configuration réseau**.

Windows intègre l'assistant Configuration réseau qui vous guide pas à pas dans l'installation d'un réseau domestique.

Vous devez exécuter l'assistant Configuration réseau sur chaque ordinateur à intégrer au réseau. Si vous envisagez de partager une connexion Internet, vous devez commencer par exécuter l'assistant sur le poste équipé de cette connexion.

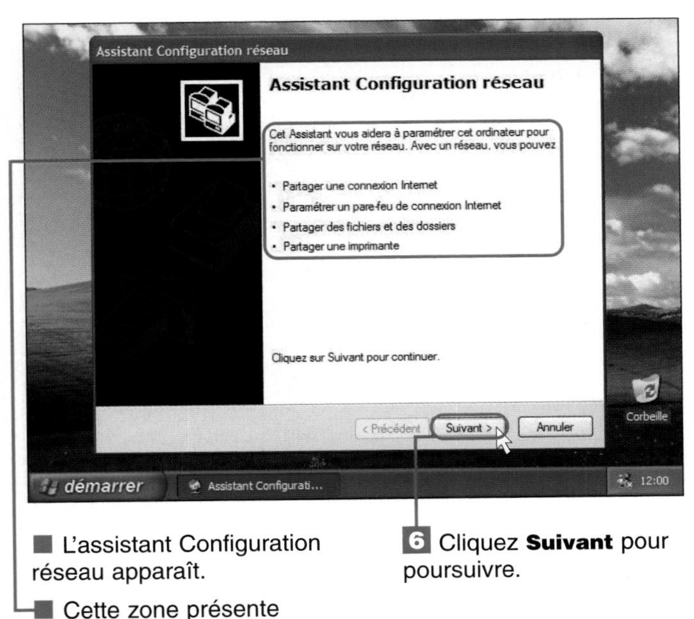

■ L'assistant Configuration réseau apparaît.

■ Cette zone présente l'assistant et les avantages d'un réseau.

6 Cliquez **Suivant** pour poursuivre.

Quels sont les types de connexions Internet les plus fréquents depuis un réseau domestique ?

À l'étape **8** ci-dessous, vous devez choisir la manière de connecter l'ordinateur à l'Internet. Les deux modes de connexion pour un réseau domestique sont présentés ci-contre.

INSTALLER UN RÉSEAU DOMESTIQUE (SUITE)

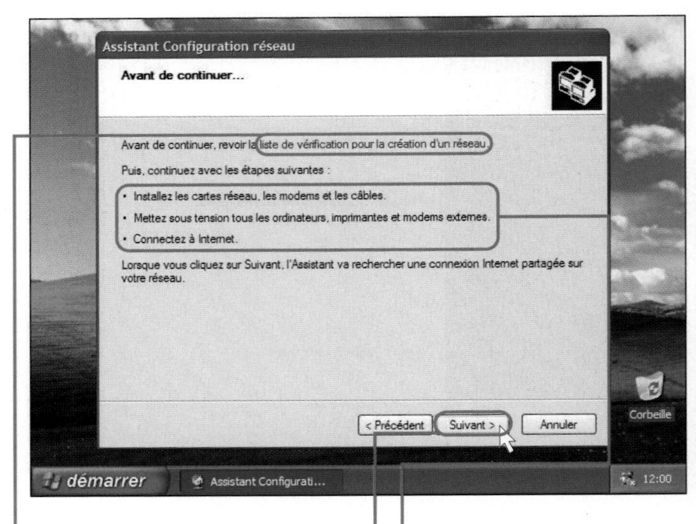

■ Vous pouvez cliquer ce lien, afin de consulter une liste de vérification avant d'installer le réseau.

Note. Cliquer ce lien ouvre la fenêtre Centre d'aide et de support et affiche la liste de vérification. Après avoir revu cette dernière, cliquez ☒ pour fermer la fenêtre.

■ Avant de poursuivre, vérifiez que vous avez effectué toutes les étapes de cette liste.

7 Cliquez **Suivant** pour poursuivre.

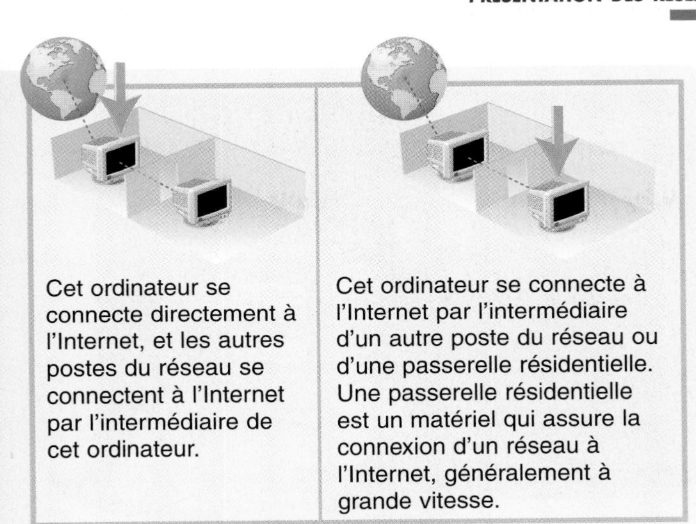

Cet ordinateur se connecte directement à l'Internet, et les autres postes du réseau se connectent à l'Internet par l'intermédiaire de cet ordinateur.

Cet ordinateur se connecte à l'Internet par l'intermédiaire d'un autre poste du réseau ou d'une passerelle résidentielle. Une passerelle résidentielle est un matériel qui assure la connexion d'un réseau à l'Internet, généralement à grande vitesse.

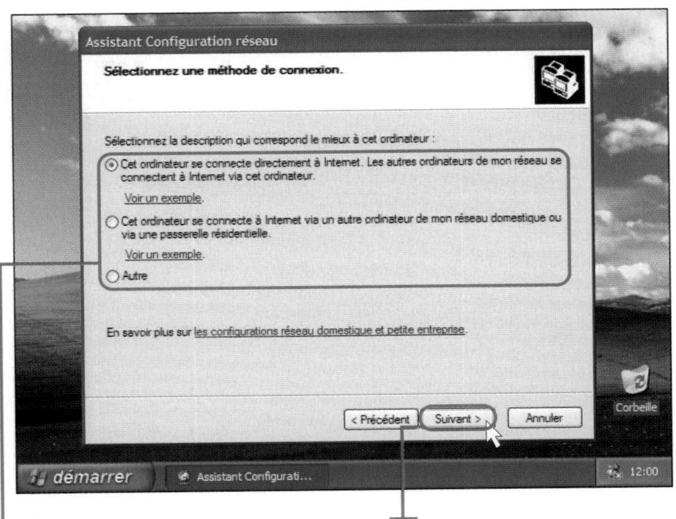

8 Cliquez l'option correspondant le mieux à la manière dont l'ordinateur se connectera à l'Internet (○ devient ◉).

*Note. Cliquer **Autre** permet de visualiser d'autres propositions si celles affichées ne vous conviennent pas.*

9 Cliquez **Suivant** pour poursuivre.

*Note. Si vous avez sélectionné **Autre** à l'étape **8**, répétez les étapes **8** et **9**.*

INSTALLER UN RÉSEAU DOMESTIQUE (SUITE)

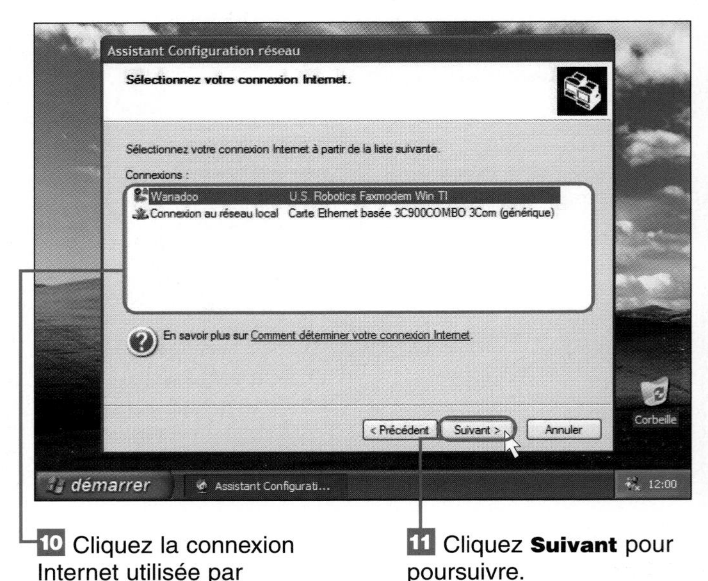

10 Cliquez la connexion Internet utilisée par l'ordinateur.

Note. Selon votre choix à l'étape ***8****, cet écran peut ne pas apparaître. Passez alors directement à l'étape* ***12****.*

11 Cliquez **Suivant** pour poursuivre.

Au moment de configurer un ordinateur pour le réseau, vous devez fournir une description et un nom pour le poste, ainsi qu'un nom de groupe de travail.

Un nom d'ordinateur identifie le poste sur le réseau. Un nom de groupe de travail identifie le groupe d'ordinateurs sur le réseau auquel appartient le poste.

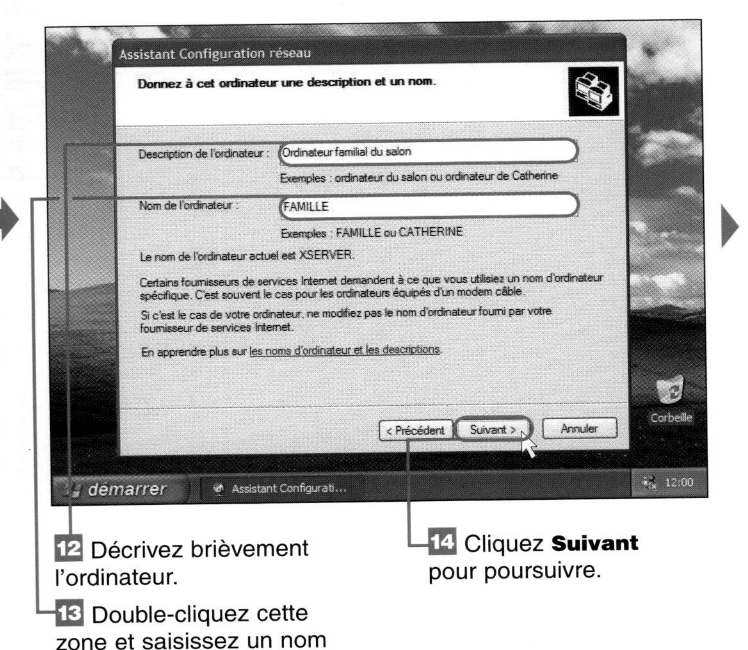

12 Décrivez brièvement l'ordinateur.

13 Double-cliquez cette zone et saisissez un nom pour l'ordinateur.

14 Cliquez **Suivant** pour poursuivre.

INSTALLER UN RÉSEAU DOMESTIQUE (SUITE)

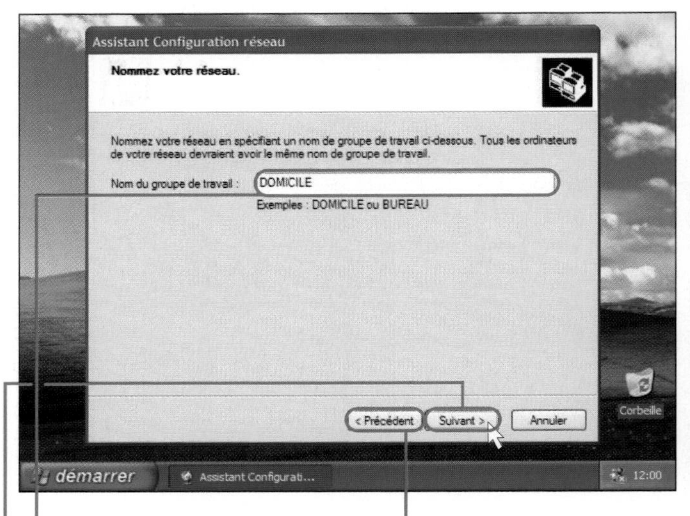

15 Saisissez le nom du groupe de travail à utiliser. Cette appellation doit être la même pour tous les ordinateurs du réseau.

16 Cliquez **Suivant** pour poursuivre.

■ Vous pouvez cliquer **Précédent** à tout moment pour revenir à une étape antérieure et modifier vos choix.

Que dois-je prendre en considération au moment de choisir un nom d'ordinateur ?

- Chaque ordinateur du réseau doit porter un nom distinct.
- Un nom d'ordinateur ne peut pas contenir plus de 15 caractères.
- Un nom d'ordinateur ne peut pas renfermer d'espaces ni de caractères spéciaux, comme ; : , " < > * + = \ | ou ?.
- Votre fournisseur d'accès Internet (FAI), c'est-à-dire la société qui vous permet d'accéder à l'Internet, peut vous obliger à utiliser un nom particulier pour l'ordinateur qui partage sa connexion Internet. Dans ce cas, veillez à bien respecter cette appellation.

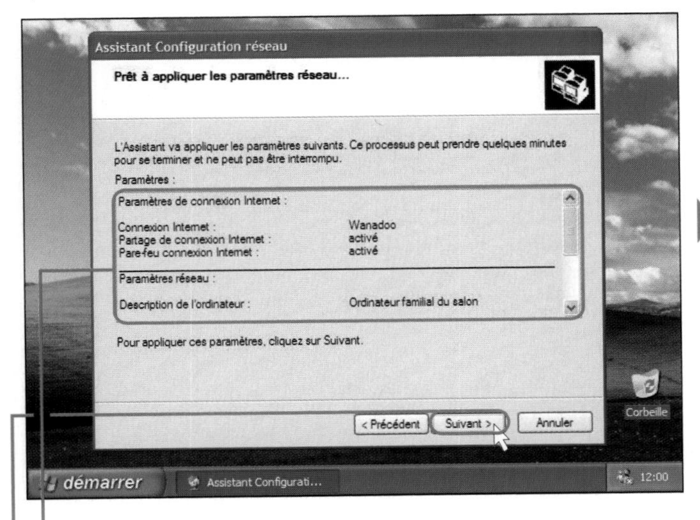

■ Cette zone affiche les paramètres réseau que l'assistant appliquera à l'ordinateur.

17 Cliquez **Suivant** pour valider ces paramètres.

■ L'assistant peut prendre quelques minutes pour appliquer les paramètres réseau. Il est impossible d'interrompre ce processus.

INSTALLER UN RÉSEAU DOMESTIQUE (SUITE)

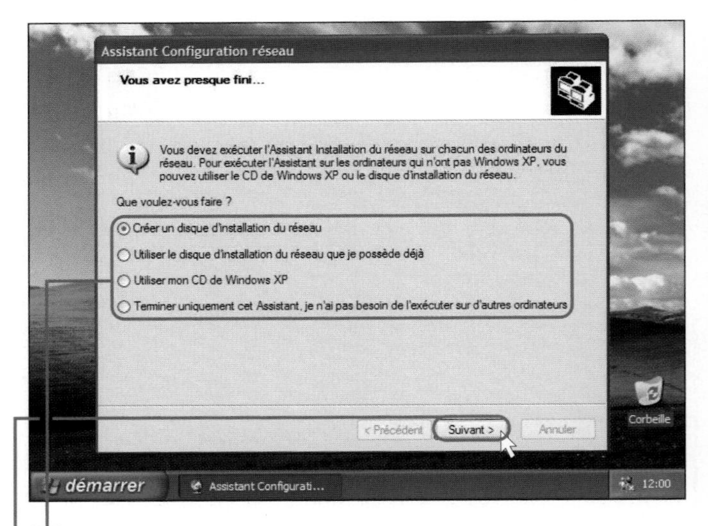

18 Cliquez la manière dont vous désirez configurer les autres ordinateurs du réseau (○ devient ◉).

19 Cliquez **Suivant** pour poursuivre.

*Note. Si vous avez choisi d'utiliser le disque d'installation de réseau en votre possession ou le CD de Windows XP, passez directement à l'étape **22**. Si vous voulez quitter l'assistant dès maintenant, effectuez simplement l'étape **24**.*

Vous devez spécifier comment configurer les autres ordinateurs équipés de Windows 98 ou Windows Me sur votre réseau domestique.

Pour installer ces autres postes, vous pouvez créer un disque d'installation de réseau ou utiliser le CD d'installation de Windows XP.

Pour configurer d'autres ordinateurs fonctionnant sous Windows XP, répétez les étapes qui commencent à la page 298 sur chaque poste.

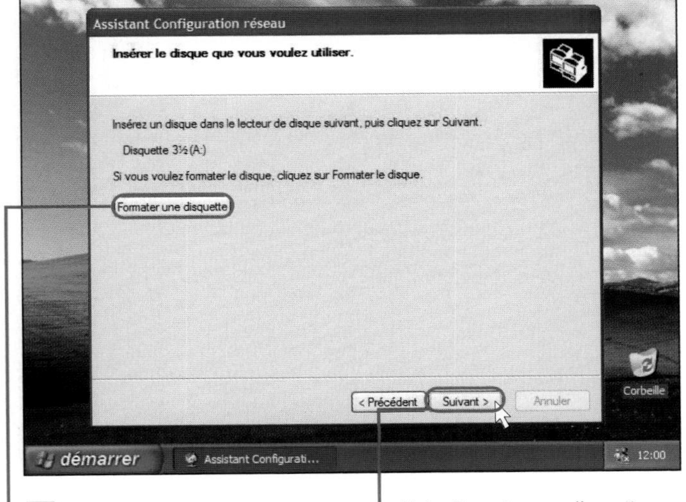

20 Insérez une disquette vierge formatée dans le lecteur correspondant.

■ Si vous utilisez une disquette non formatée ou qui contient des fichiers, vous pouvez la formater en cliquant **Formater une disquette**.

Note. Formater une disquette supprime définitivement toutes les données qui y sont stockées.

21 Cliquez **Suivant** pour poursuivre.

Quelles ressources puis-je partager sur mon réseau ?

Une fois votre réseau installé, vous pouvez partager des dossiers et votre imprimante avec d'autres ordinateurs du réseau. L'assistant Configuration réseau partage automatiquement l'imprimante et le dossier Documents partagés.

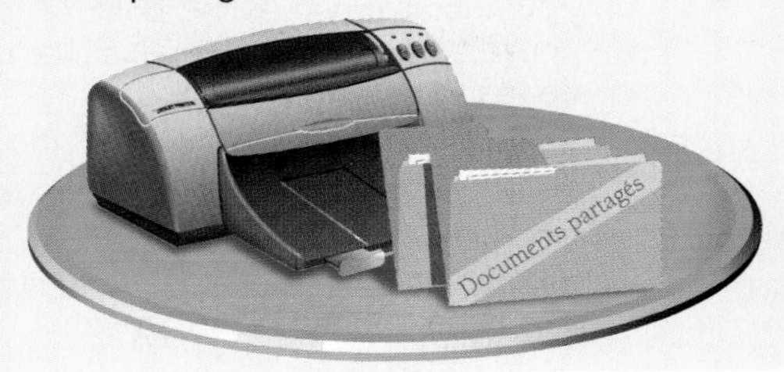

INSTALLER UN RÉSEAU DOMESTIQUE (SUITE)

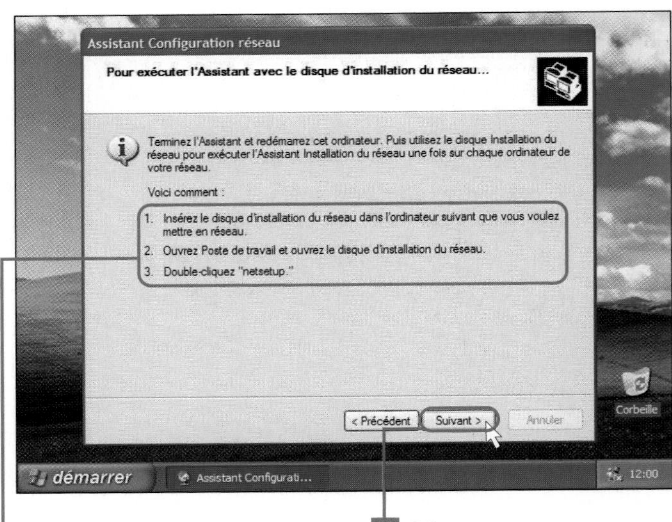

■ L'assistant indique la procédure à suivre pour configurer d'autres ordinateurs sur le réseau. Les étapes affichées dépendent de votre choix à l'étape **18**.

22 Cliquez **Suivant** pour poursuivre.

Comment visualiser tous les dossiers partagés sur mon réseau ?

Les **Favoris réseau** permettent d'accéder à l'ensemble des dossiers partagés par votre ordinateur et les autres postes du réseau.

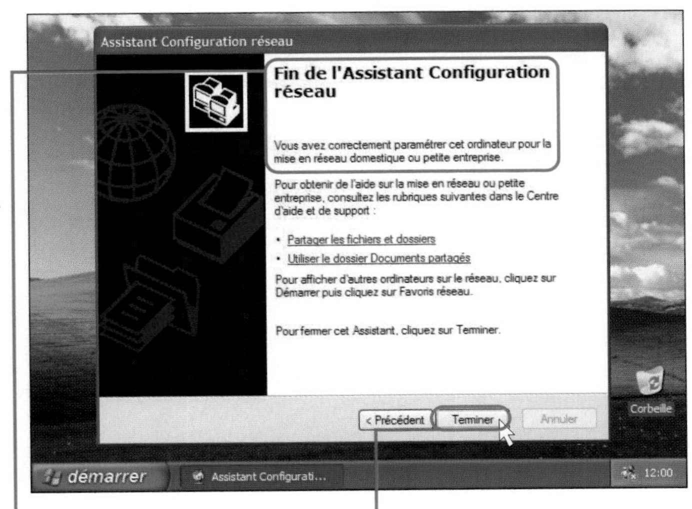

■ Une fois l'ordinateur intégré au réseau, ce message apparaît.

23 Si vous avez créé un disque d'installation de réseau, retirez la disquette du lecteur.

24 Cliquez **Terminer** pour quitter l'assistant.

■ Un message apparaît parfois, indiquant que vous devez redémarrer l'ordinateur pour que les nouveaux paramètres prennent effet. Cliquez **Oui**, afin de relancer le système.

TECHNOLOGIE INTERNET

Les intranets transfèrent les informations sur le réseau en utilisant la même technologie que celle utilisée pour le transfert d'informations sur l'Internet. Cela permet aux intranets d'échanger facilement et rapidement des informations sur différents types de réseaux sans tenir compte du système d'exploitation utilisé sur chacun des réseaux.

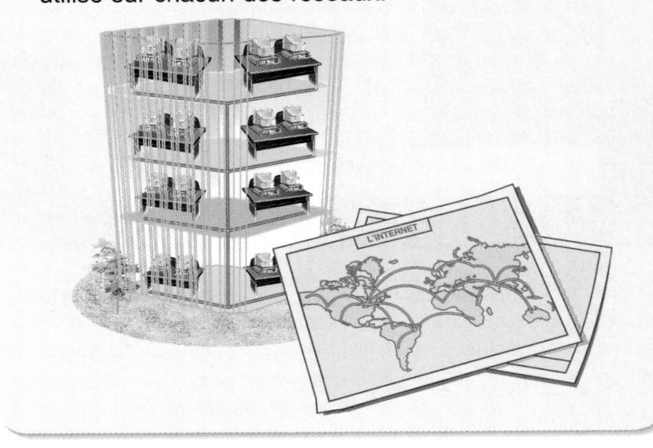

Un intranet est un réseau, semblable à l'Internet, à l'intérieur d'une société ou d'une organisation.

SERVEURS

Les intranets utilisent des ordinateurs spéciaux, appelés des serveurs, pour contrôler la distribution des informations. Sur la plupart des intranets, on trouve un serveur par fonction intranet souhaitée. De nombreux serveurs intranets sont semblables aux serveurs utilisés sur l'Internet.

LOGICIEL

Le logiciel utilisé pour l'échange des informations sur un intranet, par exemple un navigateur Web ou un programme de messagerie, est le même que celui utilisé pour échanger des informations sur l'Internet. La plupart des logiciels nécessaires se trouvent dans les boutiques d'informatique ou sur l'Internet.

EFFICACITÉ

Les intranets permettent aux employés d'une entreprise ou d'une organisation d'accéder rapidement et efficacement aux informations. Lorsque l'on accède facilement aux informations, cela augmente souvent la productivité des employés. Par exemple, les salariés peuvent obtenir le répertoire téléphonique sur l'intranet et n'ont pas à contacter de standardiste.

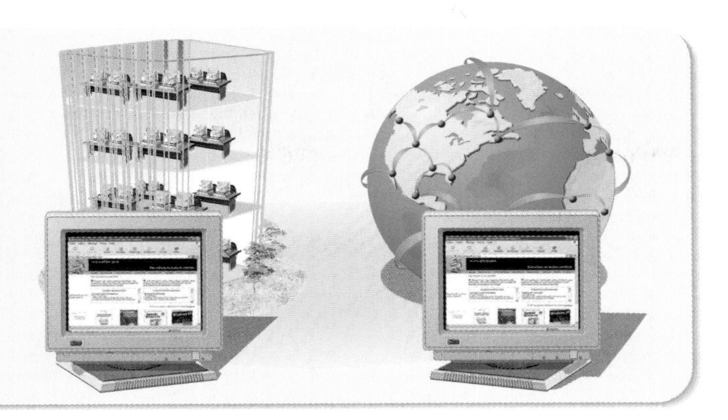

INFORMATIONS

La plupart des programmes permettent aux utilisateurs d'un intranet de fournir des informations sur leur propre ordinateur à d'autres utilisateurs. Par exemple, avant de partir en congés, un salarié peut créer une page Web personnelle pour les autres. Les informations de cette page peuvent indiquer ses jours d'absences ainsi que des numéros d'urgences.

COMPATIBILITÉ

Un intranet est utile pour les sociétés qui possèdent différents types de réseaux, par exemple des compatibles IBM et des Macintosh. N'importe quel ordinateur utilisant un navigateur Web peut accéder aux informations disponibles sur un site Web intranet.

Les sites sur les systèmes Web intranet sont semblables aux sites que l'on trouve sur le World Wide Web.

Les serveurs Web connectés à un réseau stockent les sites Web et gèrent le système Web intranet.

SÉCURITÉ

De nombreuses sociétés possèdent un intranet également connecté à l'Internet. La plupart d'entre elles utilisent un ordinateur dédié pour sécuriser l'intranet afin que des utilisateurs de l'Internet n'accèdent pas aux informations de l'intranet. Si une personne de l'extérieur tente d'accéder à l'intranet, l'ordinateur de sécurité alerte l'administrateur réseau.

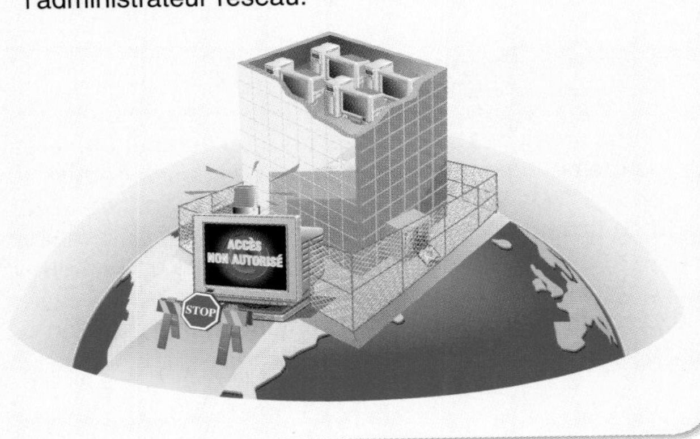

PAGES WEB DES EMPLOYÉS

Si les employés sont connectés à un intranet, ils peuvent facilement publier leurs propres pages Web. Ces pages Web peuvent contenir des informations tels que les numéros de téléphone du bureau, les projets en cours ou tout autre élément important pour d'autres salariés.

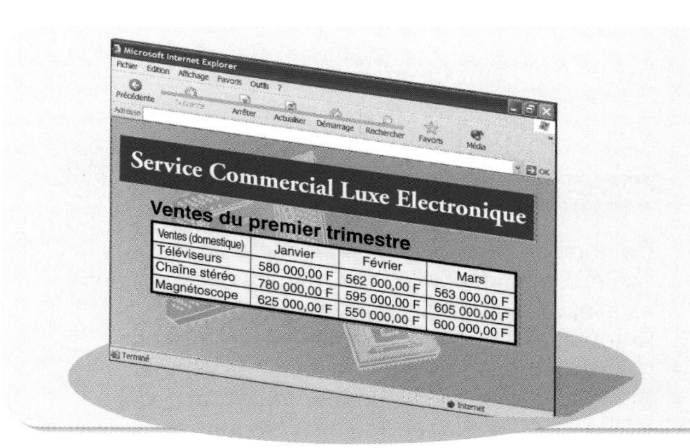

CRÉATION DE PAGES WEB

Vous créez des pages Web pour un intranet en utilisant le même logiciel que pour créer des pages pour le World Wide Web. La plupart des traitements de texte, des tableurs et des programmes de base de données permettent d'enregistrer des documents en tant que pages Web. Il existe également de nombreux programmes conçus spécialement pour la création de pages Web.

PAGES WEB DE SERVICES

Lorsqu'une entreprise possède un intranet, tous les services peuvent utiliser leurs propres pages Web pour afficher des informations. Par exemple, le service des ressources humaines peut afficher le règlement de la société et les emplois du temps. Le service commercial peut publier des pages Web indiquant les derniers chiffres des ventes.

LOGICIELS GRATUITS

Les logiciels disponibles sur l'Internet, par exemple les navigateurs Web, les lecteurs de news et les programmes de messagerie, peuvent s'utiliser sur l'intranet d'une société. La plupart de ces applications sont disponibles gratuitement sur l'Internet.

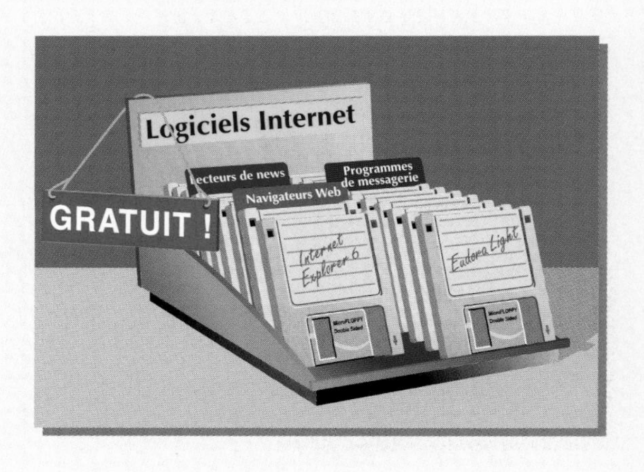

Pour installer un intranet, une société doit posséder un logiciel intranet. Il en existe de différents types.

SUITES INTRANET

La plupart des logiciels intranet sont disponibles sous la forme d'un paquet réunissant plusieurs applications et appelé suite. Les suites intranet sont généralement constituées d'applications de messagerie, de base de données et de sécurité. Lorsque vous installez une suite, vous décidez des applications que vous utilisez et vous n'installez que celles-ci.

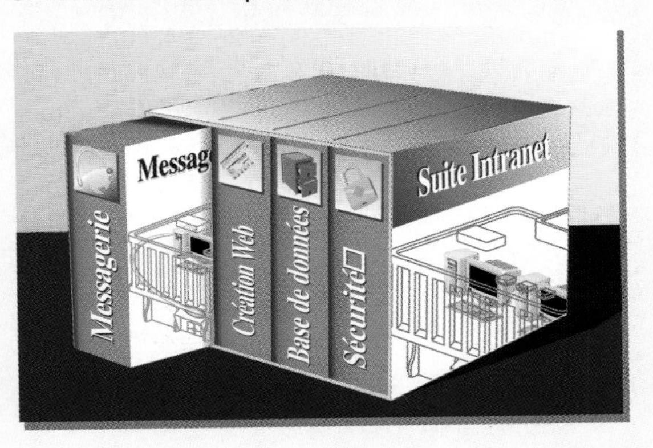

NETSCAPE SUITESPOT

La société qui a créé Navigator, le navigateur Web, propose également un logiciel intranet appelé SuiteSpot. Ce dernier fournit de nombreuses fonctionnalités intranet. Vous trouverez des informations sur SuiteSpot sur le site Web suivant :

www.netscape.com/suitespot

MICROSOFT BACKOFFICE

Microsoft propose un ensemble de logiciels intranet appelés BackOffice. BackOffice contient des applications qui permettent d'organiser et de gérer facilement des sites Web de grande taille. Vous trouverez des informations sur BackOffice sur le site Web suivant :

www.microsoft.fr

NOVELL NETWARE FOR SMALL BUSINES

NetWare for Small Business est une suite logicielle de Novell. Cette dernière contient des applications qui permettent de créer des bases de données et d'échanger du courrier électronique sur le réseau. Vous trouverez des informations sur NetWare for Small Business sur le site Web suivant :

www.novell.com/products/netware

LOTUS DOMINO

Lotus Domino est connu officiellement sous le nom de Lotus Notes. Domino fournit de nombreuses applications qui facilitent les communications et le partage d'informations sur un intranet. Vous trouverez des informations sur Domino sur le site Web suivant :

www.lotus.fr

PARE-FEU

Un pare-feu *(firewall)* est un logiciel ou un ordinateur qui restreint le transit d'informations entre un intranet privé et l'Internet. De nombreuses entreprises utilisent un pare-feu pour éviter l'accès à l'intranet à des utilisateurs non-autorisés.

De nombreuses entreprises possédant un intranet sont également connectées à l'Internet. Vous devez prendre garde aux problèmes de sécurité lorsque vous connectez un ordinateur ou un réseau à l'Internet.

RESTRICTIONS D'ACCÈS

Des entreprises interdisent l'accès à certaines parties de l'Internet aux utilisateurs de leur intranet, par exemple, l'accès aux salles de conversation. Si une entreprise empêche l'accès aux sites Web du World Wide Web, les employés peuvent toujours consulter les informations disponibles sur le site Web de l'intranet.

MOTS DE PASSE

Certains services intranet, par exemple, les groupes de discussion, nécessitent la saisie d'un nom d'utilisateur et d'un mot de passe pour l'accès aux informations. Les noms d'utilisateur et les mots de passe assurent que des employés non autorisés ne consultent pas les informations confidentielles de la société.

VIRUS

Un virus est un programme qui empêche le fonctionnement normal d'un ordinateur. Un virus peut causer toutes sortes de problèmes, par exemple, l'apparition d'un message perturbateur à l'écran ou la destruction d'informations sur le disque dur. La plupart des sociétés contrôlent régulièrement chacun des ordinateurs connectés à un intranet pour détecter la présence de virus.

MISES À JOUR DU SYSTÈME D'EXPLOITATION

Le système d'exploitation utilisé sur un intranet contient souvent des fonctions de sécurité pour protéger les informations. Les systèmes d'exploitation sont régulièrement mis à jour afin de prendre en compte les derniers problèmes de sécurité. L'administrateur réseau doit s'assurer que la dernière version d'un système d'exploitation est installée sur chacun des ordinateurs de l'intranet.

ÉTAPES DE CRÉATION D'UNE PAGE WEB

Concevoir ses pages Web

Déterminez l'objectif de vos pages Web. Adoptez pour elles un sujet ou un thème principal, puis définissez le type d'information à y faire figurer.

Réunir les informations

Regroupez les informations à intégrer dans vos pages Web : textes, images, schémas et numéros de contacts, notamment. Assurez-vous que ces données se rapportent bien directement au sujet ou thème principal retenu pour vos pages Web.

La création et la publication d'une page Web s'effectuent en plusieurs étapes.

3 Structurer les informations

Classez les informations réunies en groupes distincts, chacun allant constituer à terme une page Web séparée. Faites en sorte que chaque page Web traite un concept ou une idée spécifique et qu'elle renferme suffisamment de données pour occuper l'intégralité d'un écran.

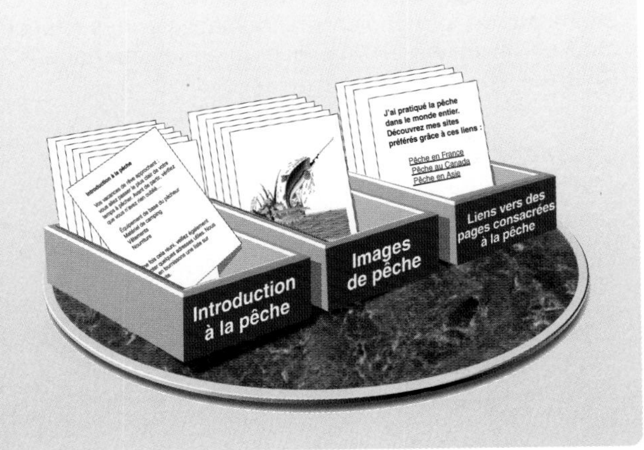

Saisir le texte

Saisissez le texte à faire figurer dans vos pages Web dans un éditeur ou un traitement de texte. Créez un document par page Web. Vous pouvez ensuite ajouter au texte des balises HTML *(HyperText Markup Language)*, afin de convertir ces documents en pages Web.

Ajouter des images

En ajoutant des images, vous améliorez la présentation de vos pages Web. Vous pouvez créer vos propres graphismes, numériser des illustrations sur votre ordinateur au moyen d'un scanner, acheter des images chez un revendeur informatique ou en rechercher sur l'Internet.

Ajouter des liens

Vous pouvez ajouter des liens à vos pages Web, c'est-à-dire du texte ou des images que les lecteurs peuvent sélectionner en vue d'afficher d'autres pages sur le Web. Les liens permettent aux visiteurs d'accéder rapidement aux informations qui les intéressent.

Publier vos pages Web

Une fois vos pages Web créées, vous pouvez les transférer vers un ordinateur qui les diffusera sur le Web. Testez alors vos pages, afin de vous assurer que les liens fonctionnent correctement et que vos données se présentent conformément à votre attente.

Linéaire

Dans une organisation linéaire, vos pages Web se succèdent de manière rectiligne. Cela convient parfaitement aux pages à lire dans un ordre précis, comme dans le cas d'une histoire ou d'instructions étape par étape.

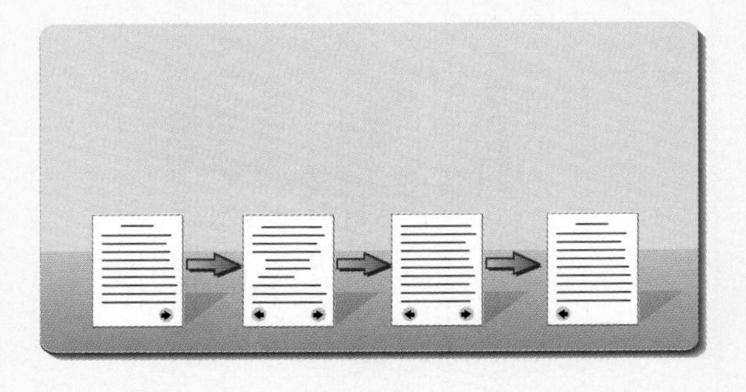

Hiérarchique

Dans une organisation hiérarchique, toutes les pages Web sont reliées à une page principale. Celle-ci donne des renseignements d'ordre général, alors que les autres pages fournissent des informations plus spécifiques.

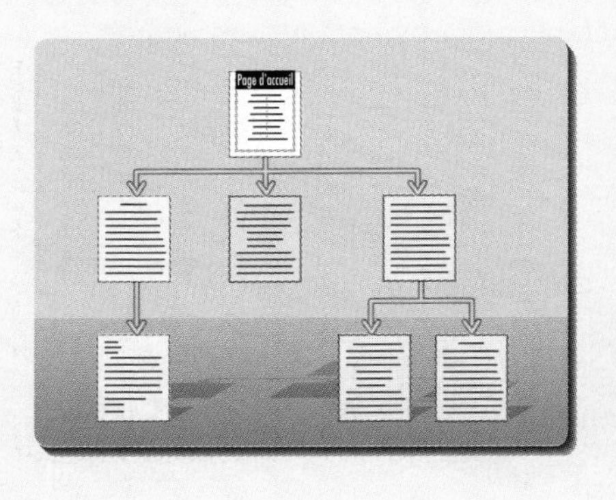

Web

Une organisation de type Web est dépourvue de structure globale. Elle convient parfaitement à des pages Web que les visiteurs peuvent lire dans un ordre quelconque. Elle permet aux internautes de passer facilement d'une page à l'autre.

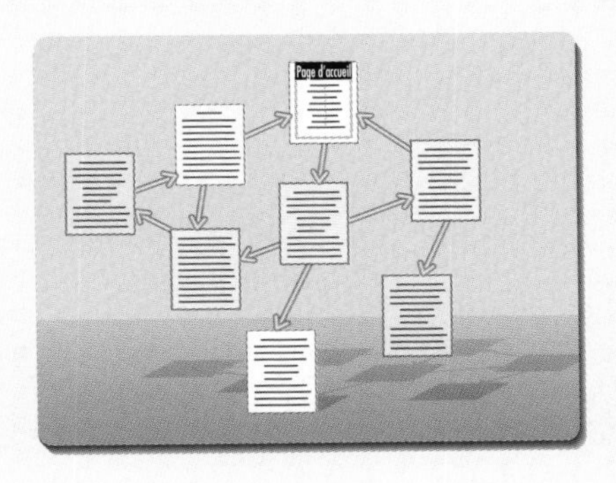

Mixte

Une organisation mixte offre une extrême souplesse de consultation aux lecteurs de vos pages Web. Vous pouvez combiner une organisation hiérarchique et une de type Web, par exemple.

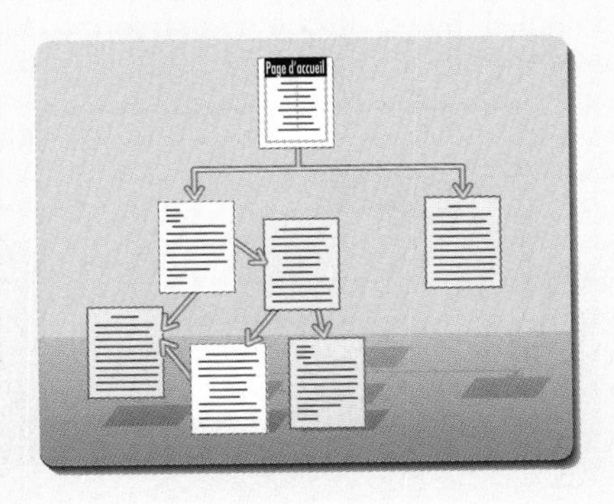

INTRODUCTION À HTML

HTML *(HyperText Markup Language)* est un langage informatique utilisé pour la *création* de pages Web.

Documents HTML

Les pages Web sont des documents HTML. Ces derniers se composent de texte et d'instructions spéciales, appelées balises. Les documents HTML portent l'extension .html ou .htm, comme index.html.

Un navigateur Web interprète les balises figurant dans un document HTML et affiche ce dernier sous la forme d'une page Web.

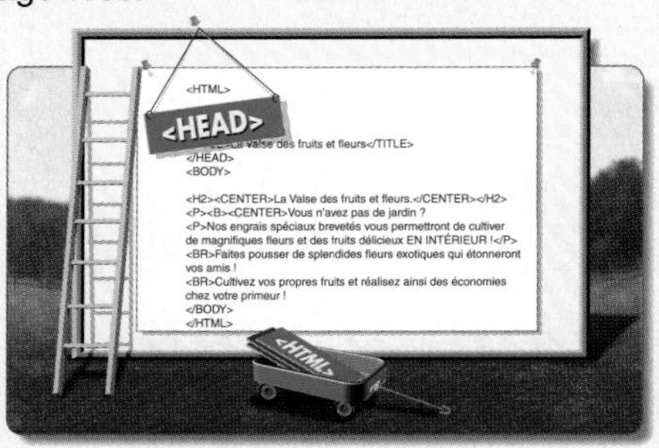

Avantages de HTML

Un document HTML peut être affiché sur n'importe quel type d'ordinateur, notamment un Macintosh ou un poste compatible IBM. Conséquence : vous n'avez pas à créer de documents HTML différents pour les divers types d'ordinateurs. Par ailleurs, les documents HTML renfermant exclusivement du texte, leur chargement sur le Web est rapide.

Versions du langage HTML

Il existe plusieurs versions du langage HTML, chacune proposant de nouvelles caractéristiques qui permettent aux gens de mieux contrôler la création de leurs pages Web. La plus récente est HTML 4.0.

Certaines sociétés auteurs de navigateurs Web, comme Netscape et Microsoft, ont développé leurs propres balises, parfois inintelligibles pour les navigateurs d'autres éditeurs. Dans une telle situation, le navigateur ignore généralement la balise inconnue.

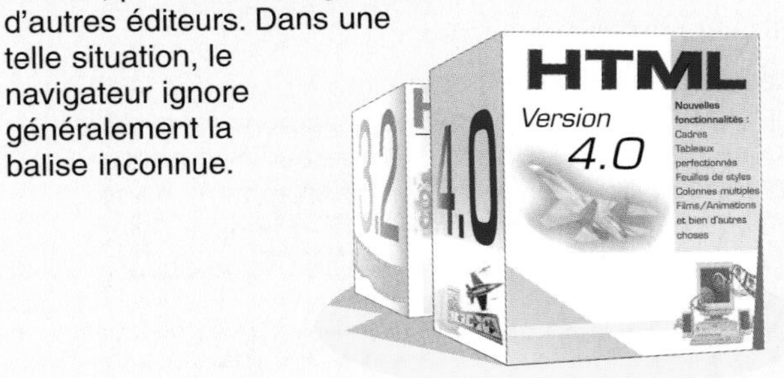

Balises

Chaque balise donne une instruction spéciale, encadrée par des chevrons < >. La plupart d'entre elles se présentent sous la forme d'une balise d'ouverture et d'une de fermeture, qui affectent le texte situé entre elles. La balise de fermeture inclut une barre oblique (/). Pour certaines balises, il n'en existe qu'une d'ouverture.

Vous pouvez saisir les balises en majuscules ou en minuscules. La plupart des gens les tapent en lettres capitales, afin de les distinguer du texte principal.

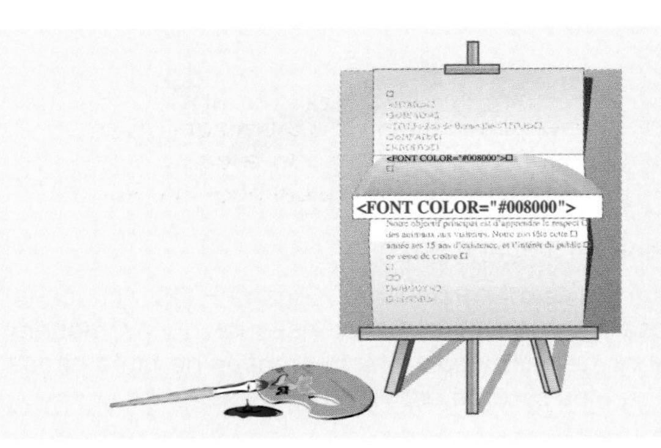

Structure d'une page Web

Les balises indiquent la structure d'une page Web au navigateur, mais n'en spécifient pas précisément le mode d'affichage. Chaque navigateur Web peut interpréter des balises HTML différemment, de sorte qu'une page Web présentée dans des navigateurs distincts n'a pas forcément la même apparence.

Attributs

Certaines balises possèdent des attributs qui offrent diverses options. L'attribut COLOR de la balise <FONT>, par exemple, permet de changer la couleur du texte.

CONSULTER LE CODE HTML D'UNE PAGE WEB

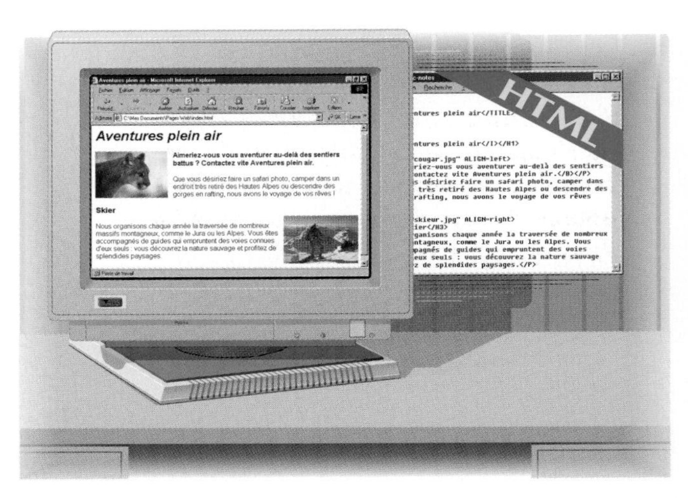

CONSULTER LE CODE HTML D'UNE PAGE WEB

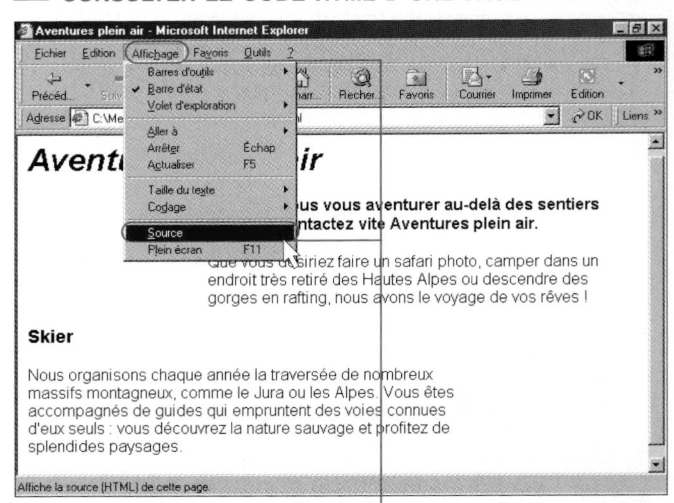

1 Démarrez le navigateur Web à utiliser. Ici, nous lançons Microsoft Internet Explorer.

2 Affichez la page dont vous désirez consulter le code.

3 Cliquez **Affichage**.

4 Cliquez **Source**.

*Note. Si vous utilisez Netscape Navigator, cliquez **Source de la page**.*

Vous pouvez visualiser le code HTML de n'importe quelle page Web. Cette technique constitue une formidable source d'inspiration pour la création de vos propres pages.

Ne copiez pas d'informations trouvées sur une page Web sans que leur auteur vous y ait auparavant autorisé.

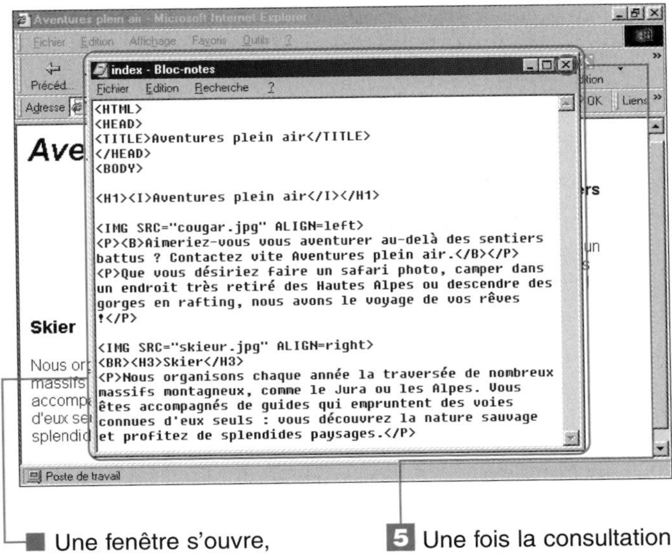

```
<HTML>
<HEAD>
<TITLE>Aventures plein air</TITLE>
</HEAD>
<BODY>

<H1><I>Aventures plein air</I></H1>

<IMG SRC="cougar.jpg" ALIGN=left>
<P><B>Aimeriez-vous vous aventurer au-delà des sentiers
battus ? Contactez vite Aventures plein air.</B></P>
<P>Que vous désiriez faire un safari photo, camper dans
un endroit très retiré des Hautes Alpes ou descendre des
gorges en rafting, nous avons le voyage de vos rêves
!</P>

<IMG SRC="skieur.jpg" ALIGN=right>
<BR><H3>Skier</H3>
<P>Nous organisons chaque année la traversée de nombreux
massifs montagneux, comme le Jura ou les Alpes. Vous
êtes accompagnés de guides qui empruntent des voies
connues d'eux seuls : vous découvrez la nature sauvage
et profitez de splendides paysages.</P>
```

■ Une fenêtre s'ouvre, présentant le code HTML utilisé pour créer la page Web.

5 Une fois la consultation du code HTML terminée, cliquez ☒ pour fermer la fenêtre.

PROGRAMMES DE CRÉATION DE PAGES WEB

ÉDITEUR OU TRAITEMENT DE TEXTE

Éditeur de texte

Un éditeur de texte est un programme élémentaire qui permet de créer et de modifier des documents renfermant uniquement du texte. Ces applications n'incluent toutefois pas de fonctionnalités d'édition et de mise en forme avancées. Parmi les éditeurs de texte connus, citons le Bloc-notes pour Windows et SimpleText pour Macintosh.

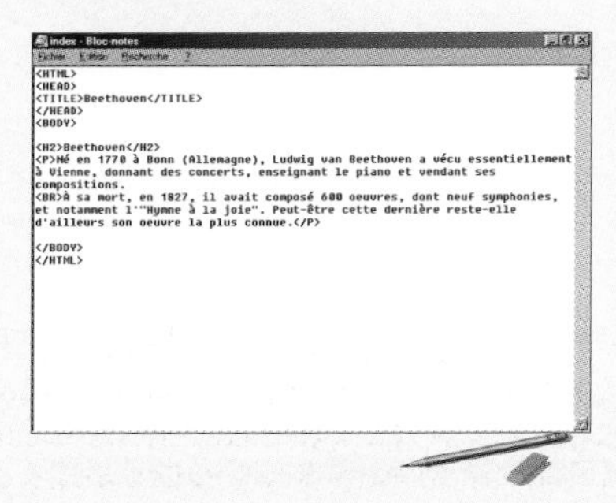

Traitement de texte

Un traitement de texte est un programme qui propose des outils d'édition et de mise en forme avancés, à même de vous faciliter la création de documents. Aucun formatage appliqué au texte n'apparaît lorsque vous consultez ces documents sur le Web. Microsoft Word et Corel WordPerfect sont des traitements de texte répandus.

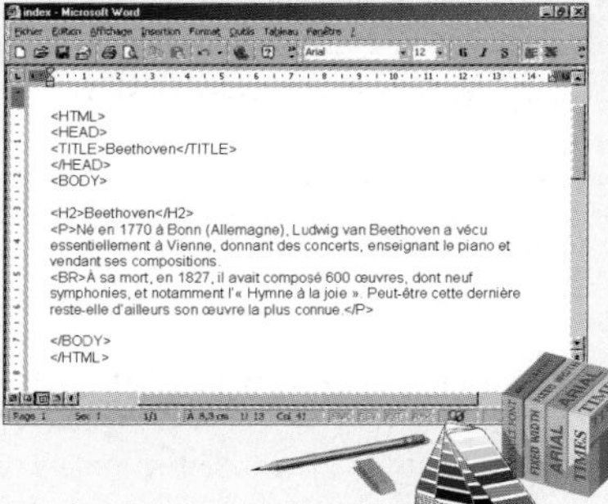

Divers types de programmes permettent de créer des pages Web.

Pour créer une page Web au moyen d'un éditeur ou d'un traitement de texte, vous devez en saisir le texte, puis ajouter des balises HTML spécifiant la mise en forme de ce texte dans la page Web. Il est indispensable de posséder un navigateur Web pour voir comment se présentera votre page sur le Web.

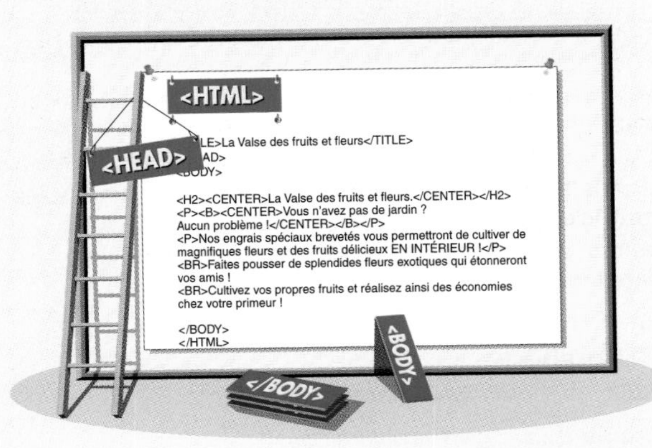

De nombreux traitements de texte permettent de convertir des documents créés en pages Web et de produire ainsi des pages Web sans connaître HTML.

PROGRAMMES DE CRÉATION DE PAGES WEB

ÉDITEUR HTML

Un éditeur HTML est un programme qui permet de créer des pages Web. Ces applications comportent des menus et barres d'outils grâce auxquels vous pouvez ajouter des balises HTML à vos pages. De nombreux éditeurs HTML incluent un outil de vérification à même de rechercher d'éventuelles erreurs HTML dans vos pages Web. Créer une page Web dans un tel programme oblige à connaître HTML.

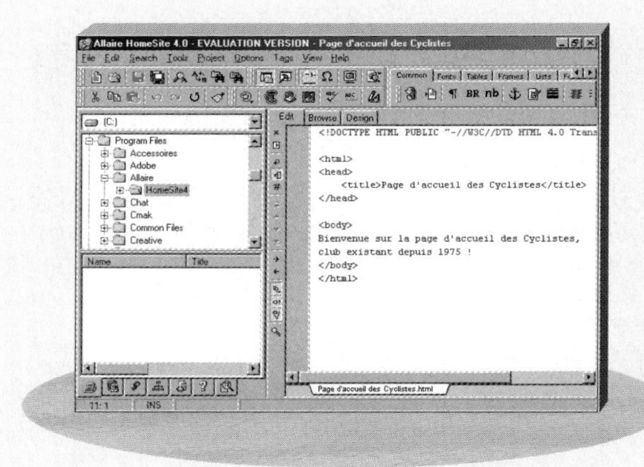

Certains éditeurs HTML permettent de voir comment les pages Web créées se présenteront sur le Web. Avec d'autres, vous devez visualiser vos pages dans un navigateur Web.

Vous pouvez vous procurer des éditeurs HTML sur les sites suivants :

BBEdit www.barebones.com

HomeSite www.allaire.com

ÉDITEUR VISUEL

Un éditeur visuel est un programme qui permet de produire des pages Web graphiquement. Ces applications insèrent les balises HTML à votre place au fil de la création de votre page. Elles évitent donc de devoir connaître HTML.

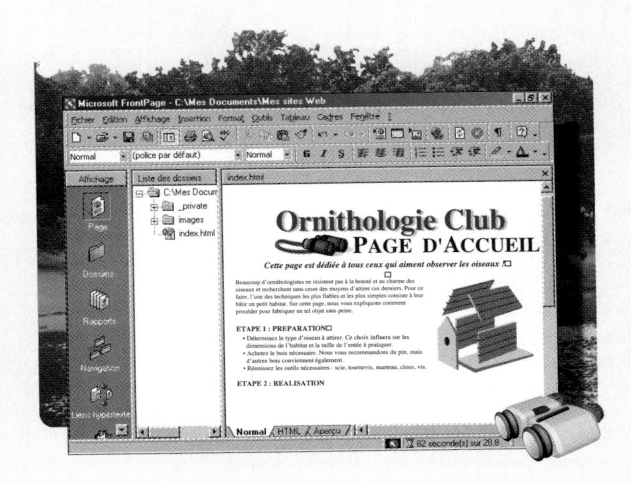

Les éditeurs visuels masquent les balises HTML, de sorte que vous pouvez visualiser la présentation de vos pages Web au fur et à mesure de leur élaboration.

Vous pouvez vous procurer des éditeurs visuels sur les sites suivants :

Dreamweaver	www.macromedia.fr
Microsoft FrontPage	www.microsoft.com/france

ENREGISTRER LA PAGE WEB

ENREGISTRER LA PAGE WEB

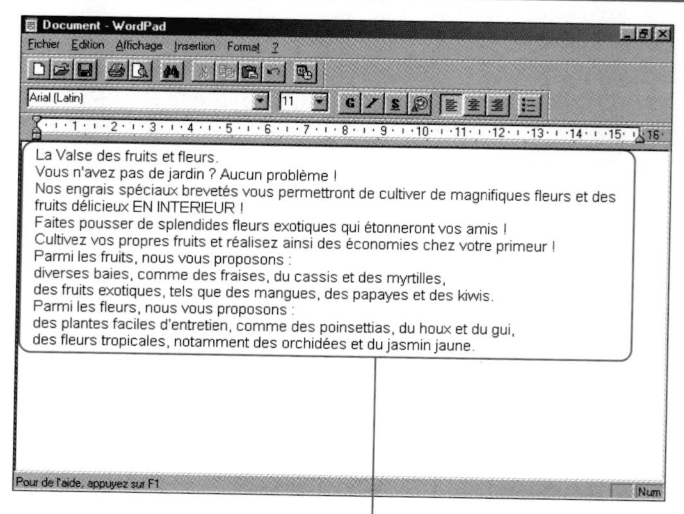

1 Démarrez le traitement ou l'éditeur de texte qui servira à créer la page Web. Dans cet exemple, nous utilisons Microsoft WordPad.

2 Saisissez le texte à faire figurer dans la page Web.

■ Ne mettez pas le texte en forme, car cette opération doit se faire au moyen de balises HTML.

Vous pouvez créer votre page Web dans un éditeur ou un traitement de texte.

Pour plus d'informations sur les éditeurs et les traitements de texte, consultez les pages 338 à 341.

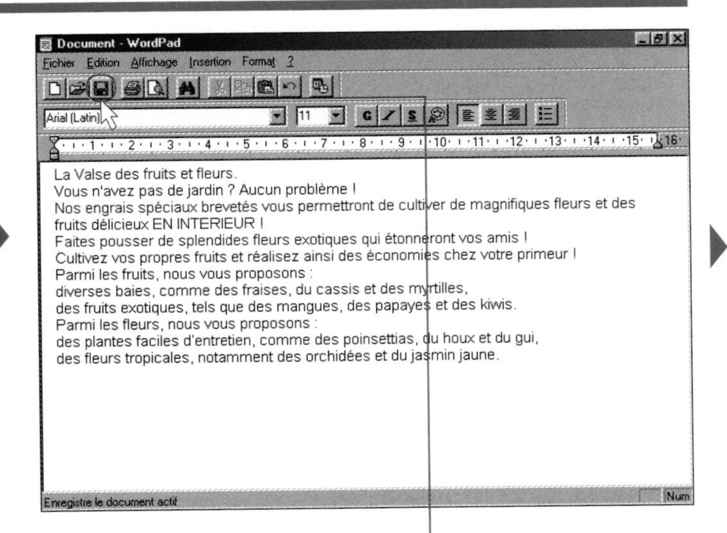

3 Vérifiez que la page Web ne renferme aucune faute d'orthographe ni de grammaire.

4 Cliquez , afin d'enregistrer la page Web.

■ La boîte de dialogue Enregistrer sous apparaît.

ENREGISTRER LA PAGE WEB

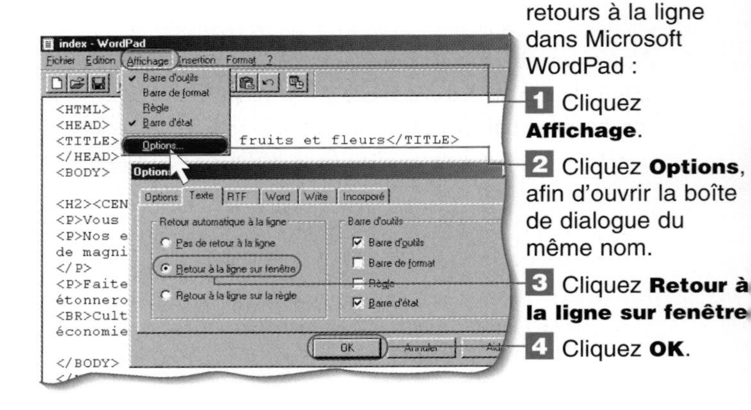

Pour définir les retours à la ligne dans Microsoft WordPad :

1 Cliquez **Affichage**.

2 Cliquez **Options**, afin d'ouvrir la boîte de dialogue du même nom.

3 Cliquez **Retour à la ligne sur fenêtre**

4 Cliquez **OK**.

ENREGISTRER LA PAGE WEB (SUITE)

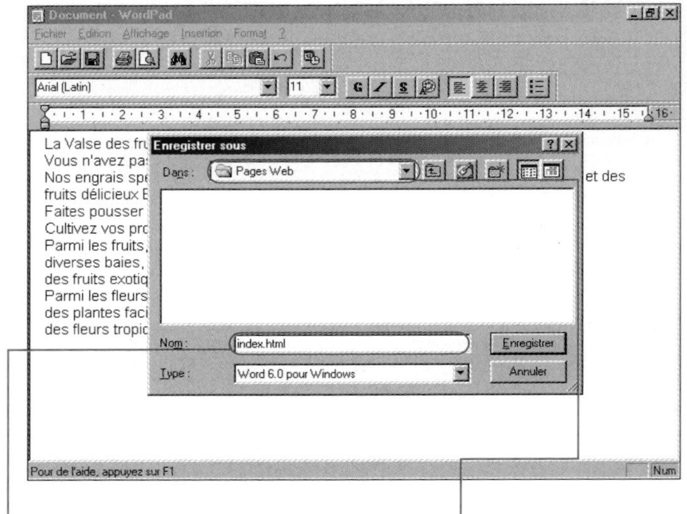

5 Entrez un nom pour la page Web et veillez à lui ajouter l'extension **.html** ou **.htm**.

Note. Un nom de page Web peut se composer de lettres et de chiffres, mais pas d'espaces. La page d'accueil Web s'appelle généralement ***index.html****.*

■ Cette zone indique l'endroit où le programme stockera la page Web. Cliquez-la si vous désirez changer d'emplacement.

Lorsque vous saisissez du texte dans un éditeur de texte ou un traitement de texte élémentaire, le texte s'inscrit parfois à l'extérieur de l'écran. Quand vous consultez le fichier dans un navigateur Web, néanmoins, le texte se présente correctement dans la fenêtre. Les éditeurs et traitements de texte permettent de spécifier le mode d'affichage du texte.

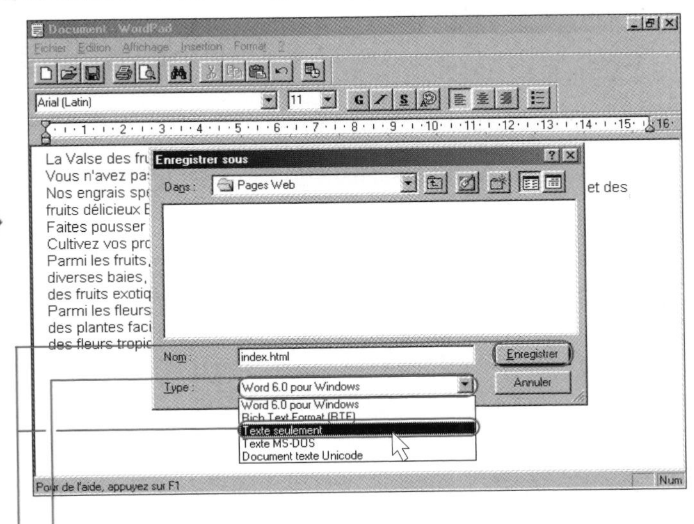

6 Cliquez cette zone, afin d'afficher les formats d'enregistrement possibles de la page Web.

7 Cliquez **Texte seulement**.

8 Cliquez **Enregistrer**.

■ Un message s'affiche, signalant que toute la mise en forme disparaîtra de la page Web. Cliquez **Oui**, afin d'enregistrer la page.

BALISES INDISPENSABLES

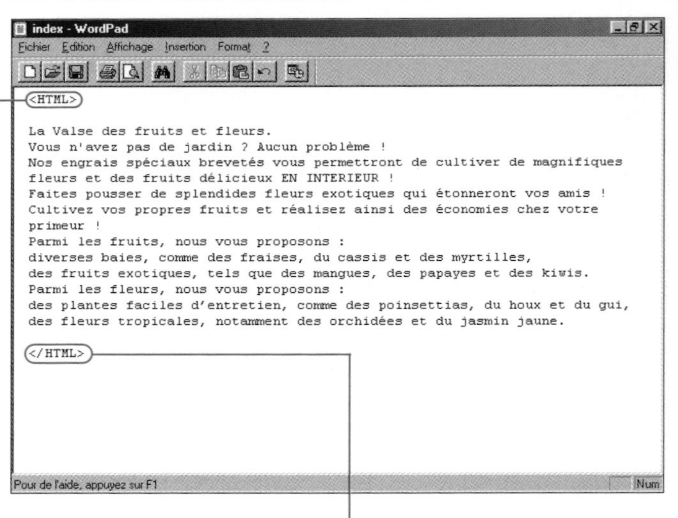

BALISES HTML

Vous devez identifier un document comme page Web.

1 Saisissez **<HTML>** avant tout le texte de la page Web.

2 Saisissez **</HTML>** après l'ensemble du texte de la page Web.

■ Bien que les navigateurs puissent afficher une page Web sans ces balises HTML, il est plus rigoureux d'inclure ces dernières.

Vous devez ajouter certaines balises HTML fondamentales à toutes les pages Web créées.

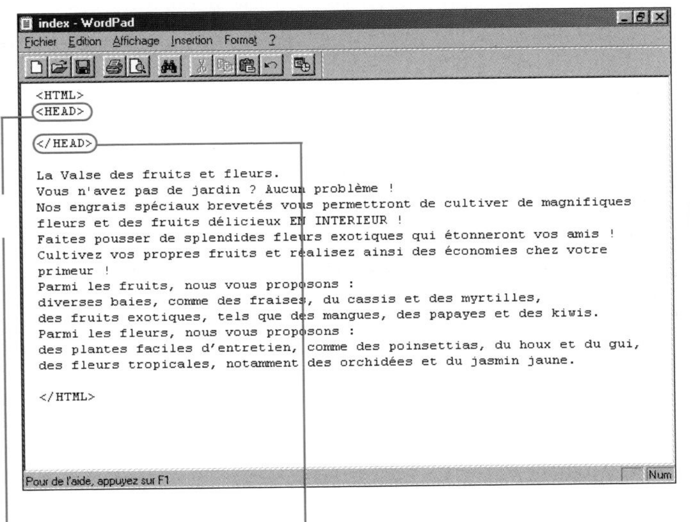

BALISES D'EN-TÊTE

L'en-tête renferme toutes les informations concernant la page Web, comme son titre.

1 Saisissez **<HEAD>** juste au-dessous de la balise <HTML>.

2 Appuyez deux fois sur la touche **Entrée**.

3 Saisissez **</HEAD>**.

■ Bien que les navigateurs puissent afficher une page Web sans ces balises HEAD, il est plus rigoureux d'inclure ces dernières.

BALISES INDISPENSABLES (SUITE)

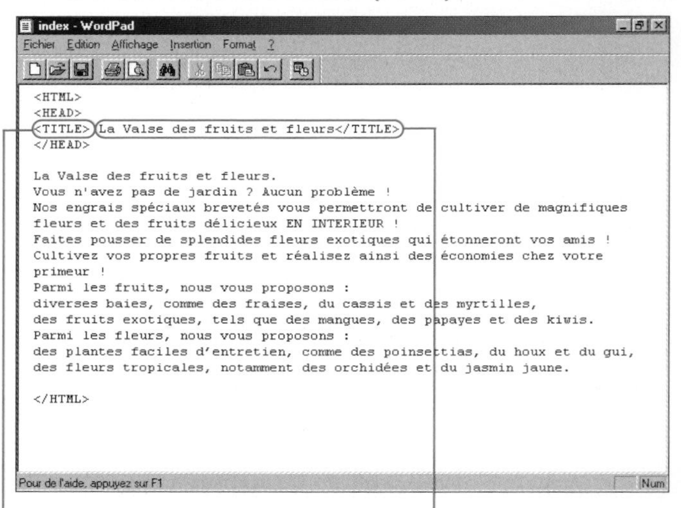

BALISES DE TITRE

Vous devez donner à votre page Web un titre qui évoque son contenu. Celui-ci apparaît généralement dans la barre de titre de la fenêtre du navigateur Web.

1 Saisissez **<TITLE>** juste au-dessous de la balise <HEAD>.

2 Saisissez le titre de la page Web, en utilisant uniquement des lettres (de A à Z) et des chiffres (de 0 à 9).

3 Saisissez **</TITLE>**.

Adoptez un titre concis et explicite qui incite les visiteurs à lire votre page Web. Préférez des formules du genre « Tournois de golf » à des intitulés plus vagues, comme « Chapitre deux » ou « Ma page d'accueil ».

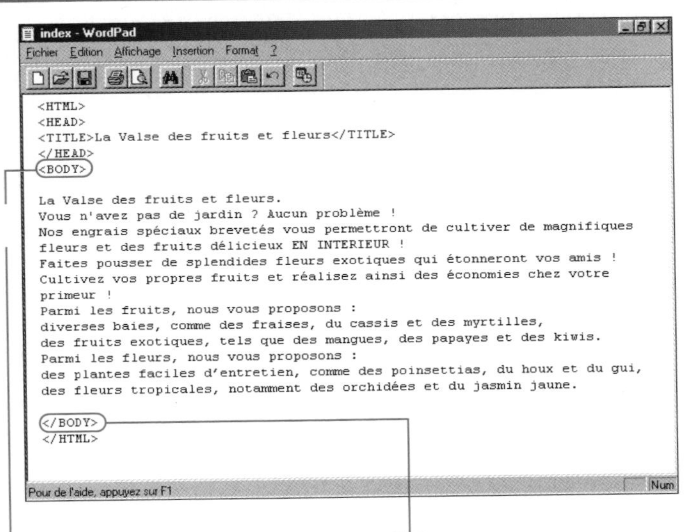

BALISES POUR LE CORPS DU DOCUMENT

Vous devez encadrer de balises BODY le contenu de votre page Web.

1 Saisissez **</BODY>** juste au-dessous de la balise </HEAD>.

2 Saisissez **</BODY>** juste au-dessus de la balise </HTML>.

AFFICHER UNE PAGE WEB DANS UN NAVIGATEUR

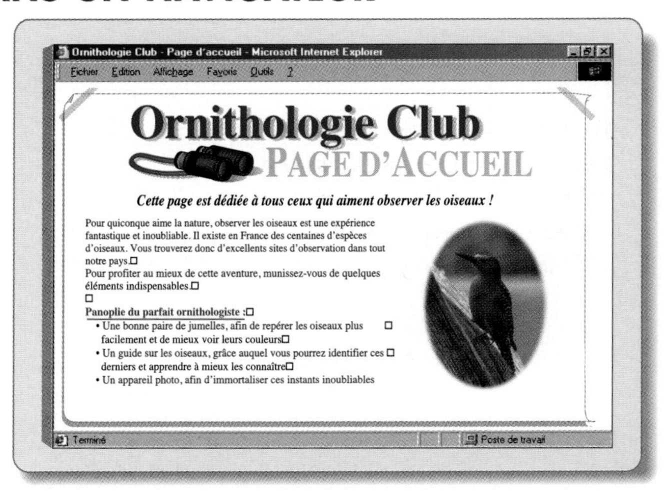

AFFICHER UNE PAGE WEB DANS UN NAVIGATEUR

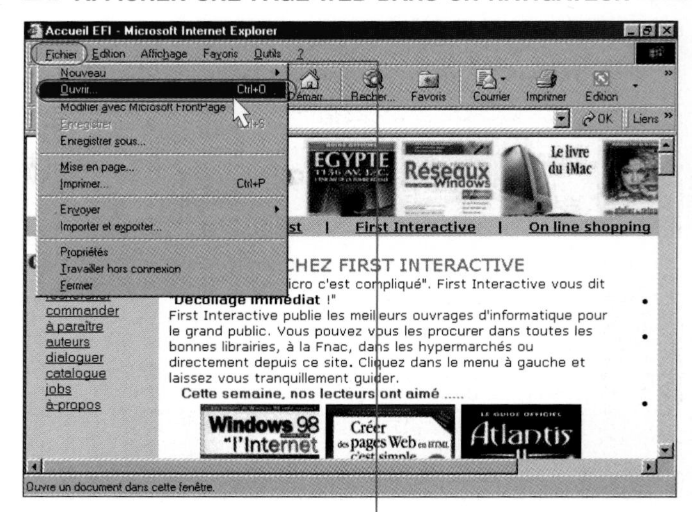

1 Démarrez le navigateur Web dans lequel vous désirez afficher votre page Web. Ici, nous lançons Microsoft Internet Explorer.

2 Pour ouvrir votre page Web dans le navigateur, cliquez **Fichier**.

3 Cliquez **Ouvrir**.

■ La boîte de dialogue Ouvrir apparaît.

Vous pouvez afficher votre page Web dans un navigateur, afin de voir comment elle se présentera sur le Web.

Pour afficher une page Web dans un navigateur, vous devez bien sûr posséder un tel programme, comme Microsoft Internet Explorer ou Netscape Navigator.

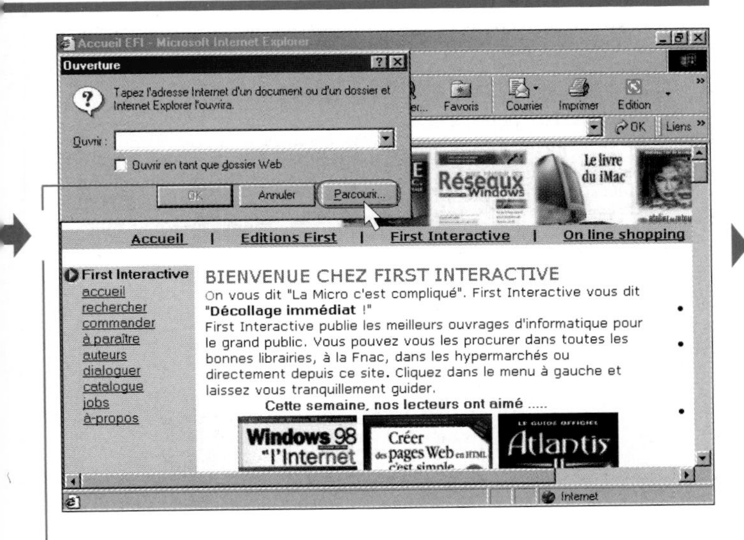

4 Cliquez **Parcourir**, afin de localiser la page Web sur votre ordinateur.

Note. Si vous travaillez dans Netscape Navigator, cliquez ***Consulter une page****.*

■ La boîte de dialogue Microsoft Internet Explorer s'affiche.

AFFICHER UNE PAGE WEB DANS UN NAVIGATEUR

Microsoft Internet Explorer

Netscape Navigator

AFFICHER UNE PAGE WEB DANS UN NAVIGATEUR (SUITE)

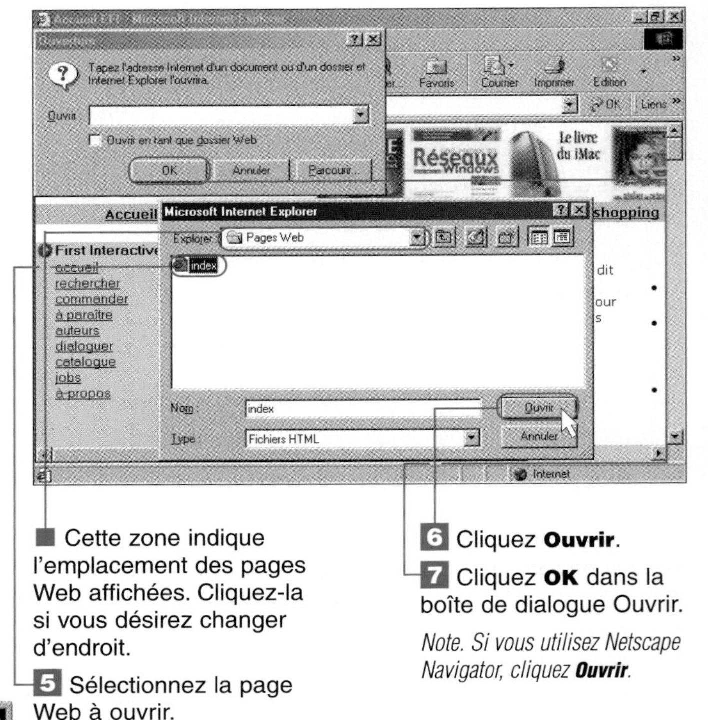

■ Cette zone indique l'emplacement des pages Web affichées. Cliquez-la si vous désirez changer d'endroit.

5 Sélectionnez la page Web à ouvrir.

6 Cliquez **Ouvrir**.

7 Cliquez **OK** dans la boîte de dialogue Ouvrir.

*Note. Si vous utilisez Netscape Navigator, cliquez **Ouvrir**.*

En procédant ainsi, vous voyez comment chaque navigateur affiche votre page Web, de manières légèrement différentes, en l'occurrence. Microsoft Internet Explorer et Netscape Navigator sont les navigateurs les plus connus.

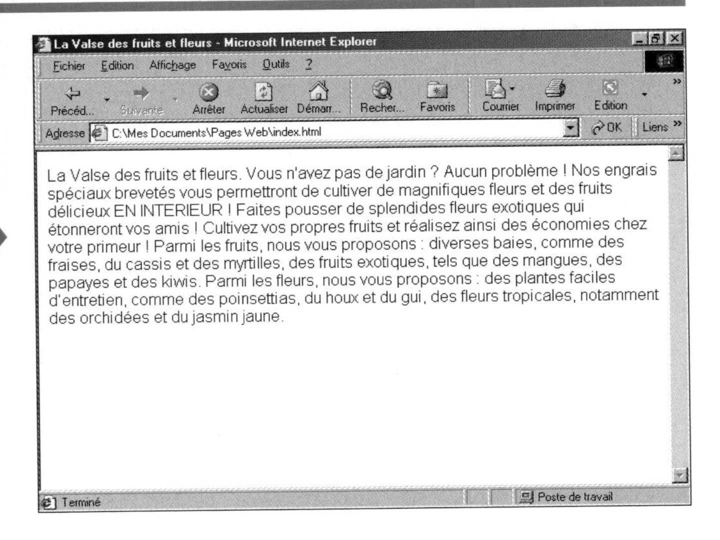

■ La page Web apparaît dans le navigateur.

■ Si vous modifiez cette page Web par la suite, vous pouvez en afficher la version actualisée dans le navigateur. Pour savoir comment procéder, consultez la page 80.

COMMENCER UN NOUVEAU PARAGRAPHE

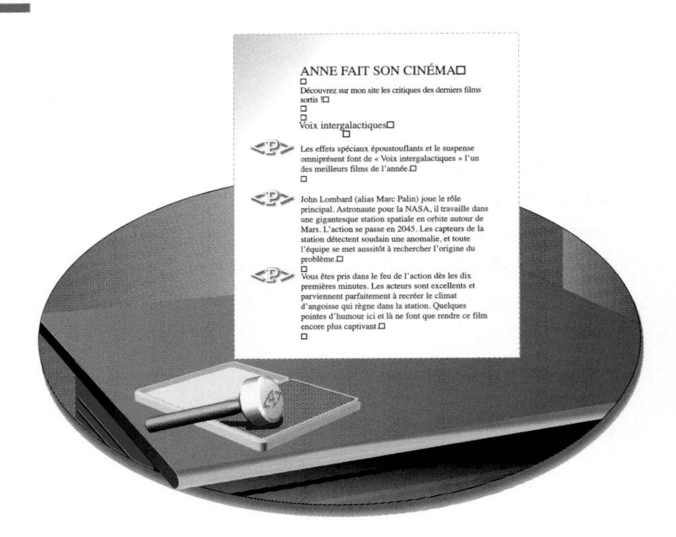

COMMENCER UN NOUVEAU PARAGRAPHE

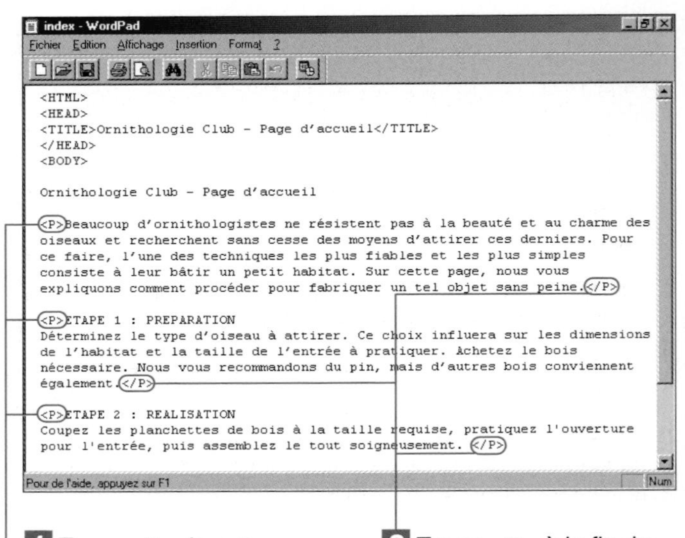

1 Tapez **<P>** devant chaque paragraphe de votre page Web.

2 Tapez **</P>** à la fin de chaque paragraphe de votre page Web.

Lorsque vous créez une page Web, vous devez spécifier le début de chaque paragraphe.

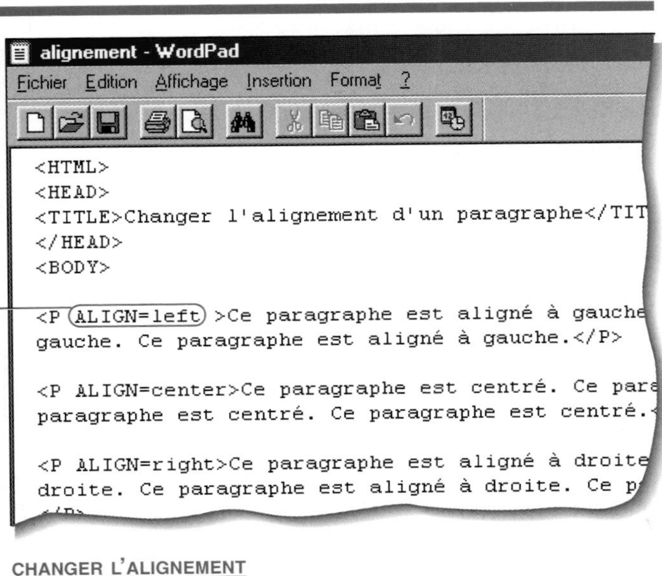

CHANGER L'ALIGNEMENT D'UN PARAGRAPHE

1 Dans la balise **<P>** du paragraphe à modifier, saisissez **ALIGN=?**, en remplaçant **?** par le mode d'alignement souhaité : **left** (gauche), **center** (centré) ou **right** (droit).

COMMENCER UNE NOUVELLE LIGNE

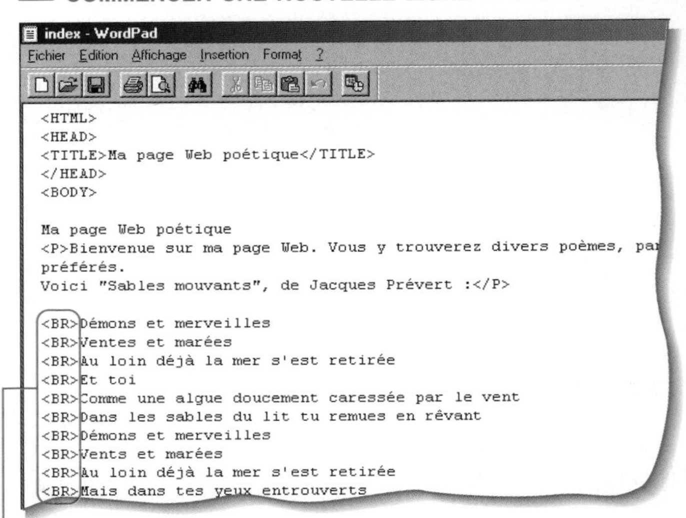

1 Tapez **
** devant chaque ligne de texte à faire figurer sur sa propre ligne.

Lorsque vous créez une page Web, vous devez spécifier le début de chaque ligne de texte.

Insérer un saut de ligne se révèle utile pour faire ressortir de brèves lignes de texte, comme celles d'une adresse postale ou d'un poème.

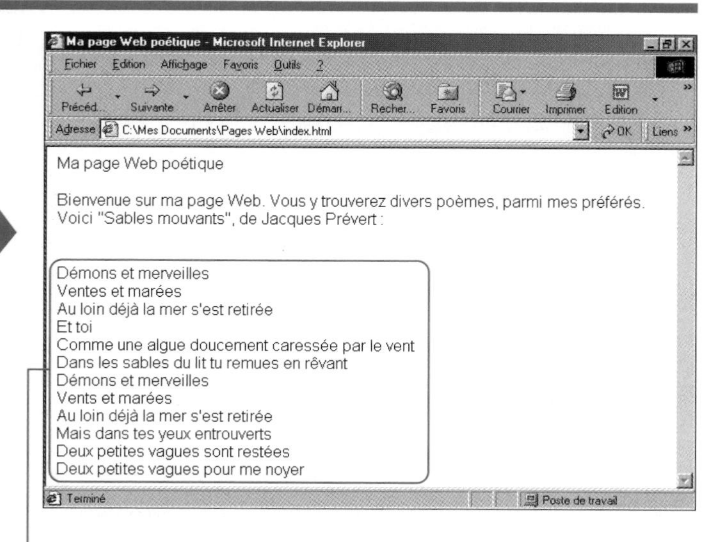

■ Le navigateur Web affiche chaque ligne de texte sur sa propre ligne.

■ Pour afficher votre page Web dans un navigateur, consultez les pages 350 à 353.

AJOUTER UN TITRE

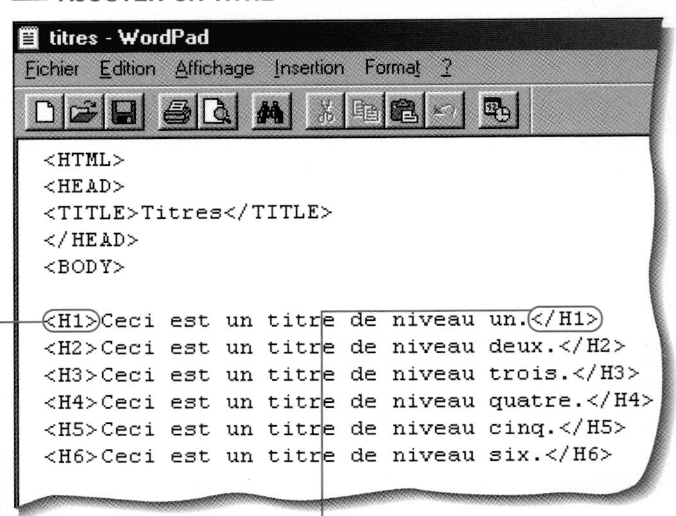

1 Tapez **<H?>** devant le texte à convertir en titre, en remplaçant **?** par le nombre correspondant au niveau de titre à appliquer, de 1 à 6.

Note. Pour plus d'informations sur les niveaux de titre, reportez-vous au début de la page 360.

2 Tapez **</H?>** après le texte à convertir en titre, en remplaçant **?** par le nombre employé à l'étape **1**.

Les titres permettent de structurer les informations de votre page Web.

Vous pouvez utiliser six niveaux de titre. Évitez néanmoins d'employer plus de trois niveaux différents sur une seule page Web.

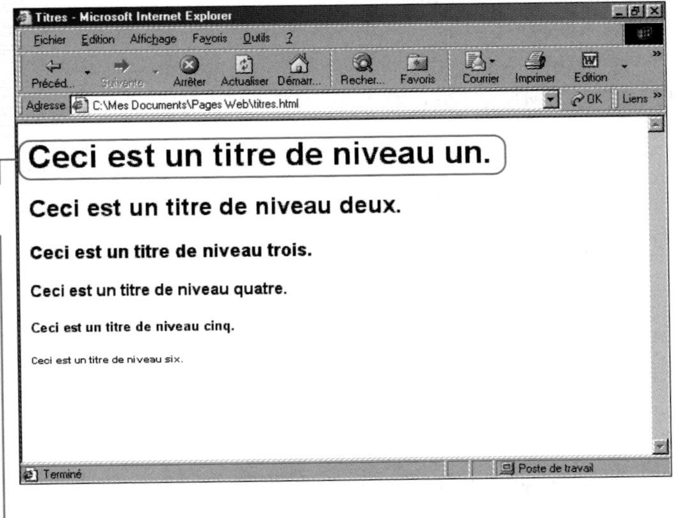

■ Le navigateur Web affiche le titre.

■ Pour afficher votre page Web dans un navigateur, consultez les pages 350 à 353.

AJOUTER UN TITRE

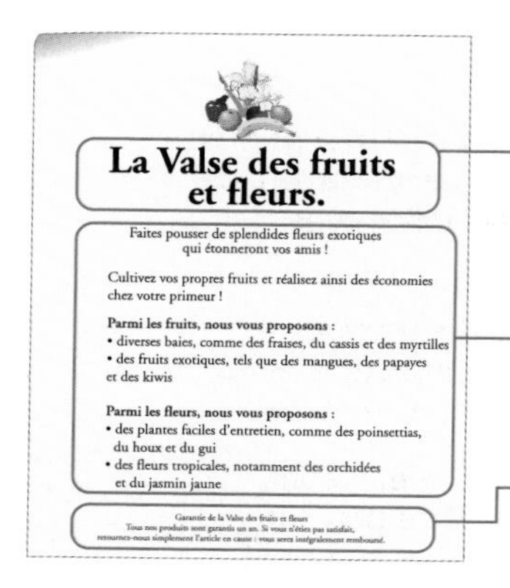

AJOUTER UN TITRE (SUITE)

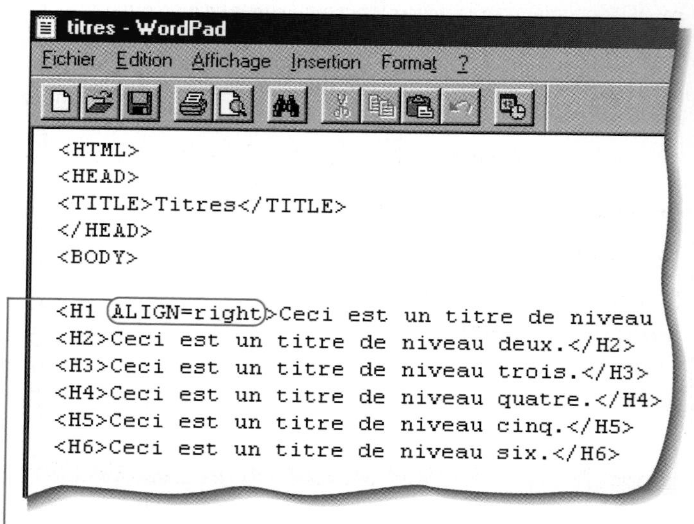

CHANGER L'ALIGNEMENT D'UN TITRE

1 Dans la balise **<H?>** du titre à modifier, saisissez **ALIGN=?**, en remplaçant **?** par le mode d'alignement souhaité : **left** (gauche), **center** (centré) ou **right** (droit).

Les niveaux 1, 2 et 3 servent souvent aux titres de la page Web et des différentes parties.

Le niveau 4 s'emploie généralement pour le texte principal d'une page Web.

Les niveaux 5 et 6 sont souvent utilisés pour les informations de copyright et de garantie.

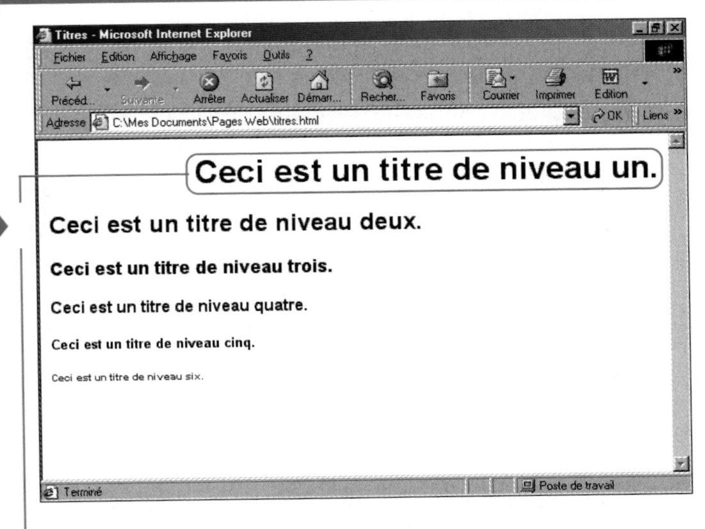

■ Le navigateur Web applique l'alignement retenu au titre affiché.

■ Pour afficher votre page Web dans un navigateur, consultez les pages 350 à 353.

Note. L'attribut ALIGN continue d'être pris en charge par les navigateurs Web, mais il disparaît peu à peu au profit des feuilles de styles.

METTRE UN TEXTE EN GRAS, EN ITALIQUE, LE BARRER OU LE SOULIGNER

METTRE UN TEXTE EN GRAS OU EN ITALIQUE

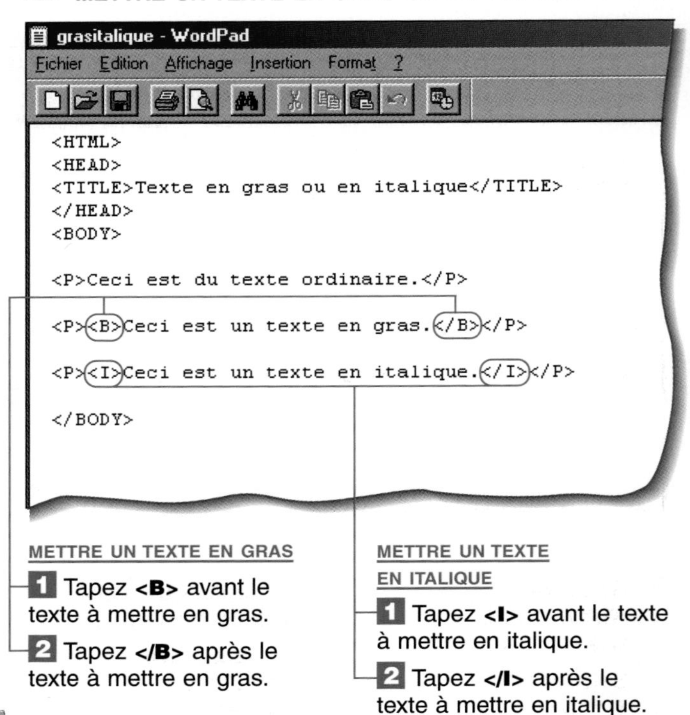

METTRE UN TEXTE EN GRAS

1 Tapez **<B>** avant le texte à mettre en gras.

2 Tapez **</B>** après le texte à mettre en gras.

METTRE UN TEXTE EN ITALIQUE

1 Tapez **<I>** avant le texte à mettre en italique.

2 Tapez **</I>** après le texte à mettre en italique.

Vous pouvez mettre du texte en gras ou en italique, le barrer ou le souligner, afin de faire ressortir certaines informations de votre page Web.

BARRER OU SOULIGNER UN TEXTE

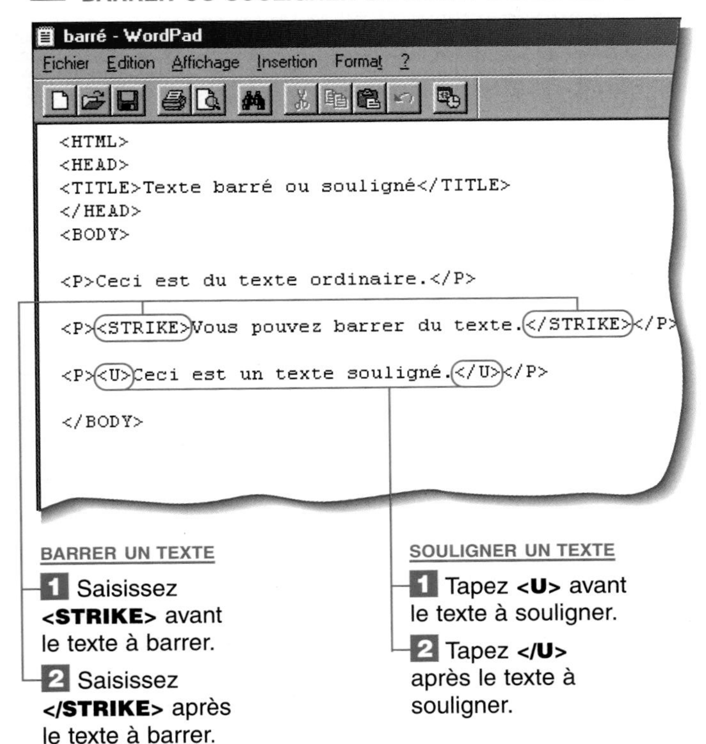

BARRER UN TEXTE

1 Saisissez **<STRIKE>** avant le texte à barrer.

2 Saisissez **</STRIKE>** après le texte à barrer.

SOULIGNER UN TEXTE

1 Tapez **<U>** avant le texte à souligner.

2 Tapez **</U>** après le texte à souligner.

CHANGER LA POLICE

CHANGER LA POLICE

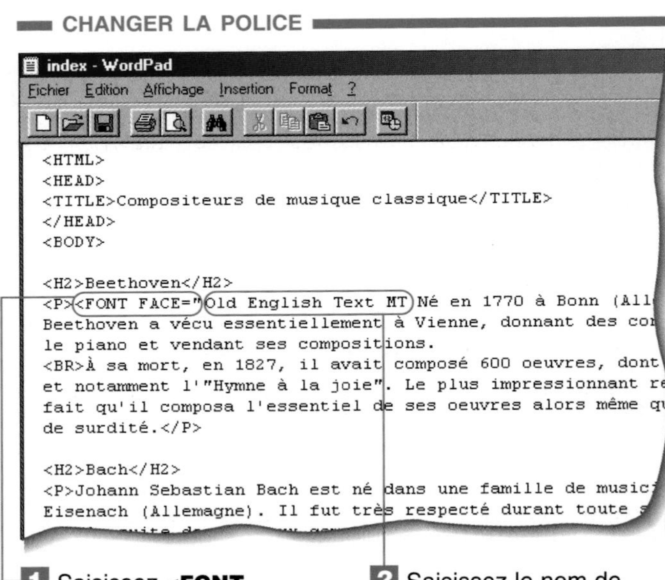

1 Saisissez **<FONT FACE="** avant le texte à modifier.

2 Saisissez le nom de la police à employer.

■ Au lieu de saisir le nom d'une police, vous pouvez en spécifier un type, comme **serif**, **sans-serif** ou **monospace**.

Vous pouvez changer la police d'un passage de texte, afin de personnaliser la présentation de votre page Web.

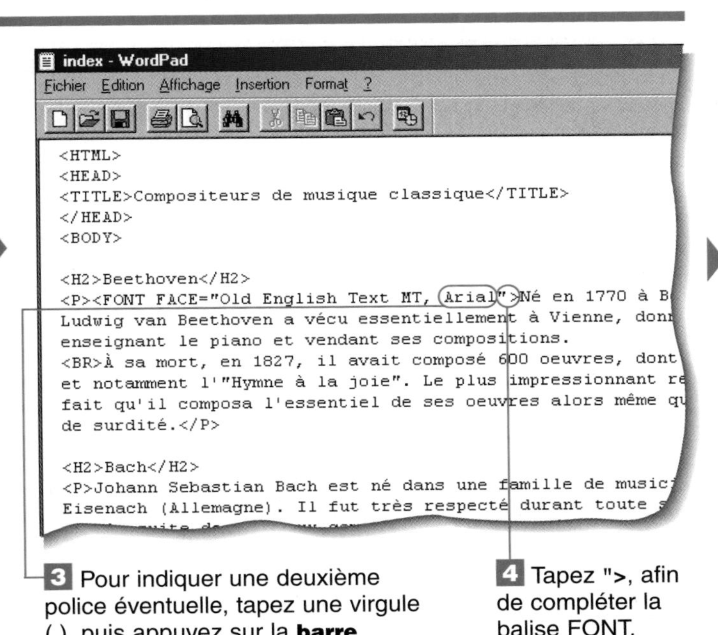

3 Pour indiquer une deuxième police éventuelle, tapez une virgule (,), puis appuyez sur la **barre d'espace**. Saisissez ensuite la deuxième police retenue.

Note. Pour connaître les raisons qui justifient la saisie de plusieurs noms de polices, reportez-vous au début de la page 367.

4 Tapez **">**, afin de compléter la balise FONT.

CHANGER LA POLICE (SUITE)

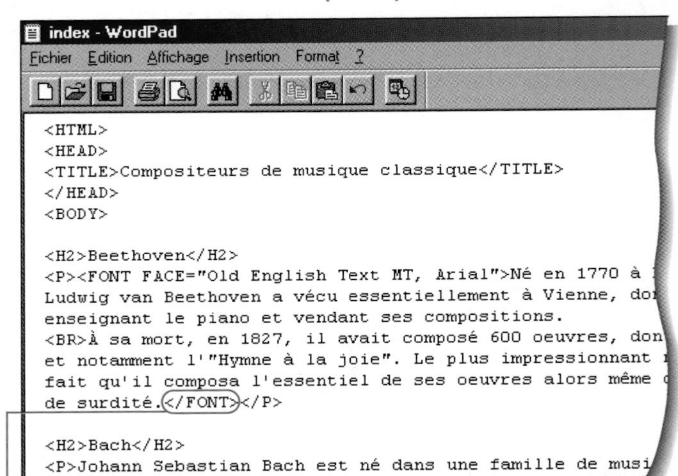

5 Saisissez **</FONT>** après le texte à modifier.

Il est recommandé de ne pas spécifier une police unique, au cas où celle-ci serait indisponible sur l'ordinateur du lecteur. En indiquant au moins une police courante, comme Arial, vous avez plus de chances que votre page Web ait l'aspect souhaité à l'affichage.

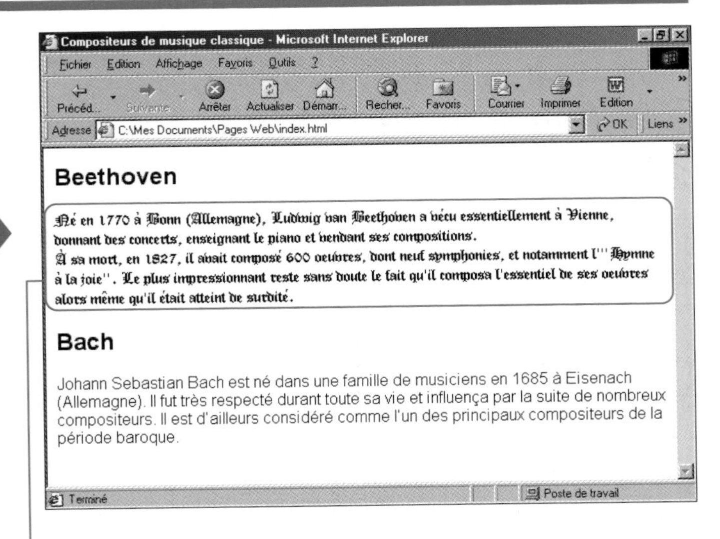

■ Le navigateur Web affiche le texte dans la police spécifiée.

■ Pour afficher votre page Web dans un navigateur, consultez les pages 350 à 353.

Note. La balise FONT continue d'être reconnue par les navigateurs Web, mais elle disparaît peu à peu au profit des feuilles de styles.

CHANGER LA COULEUR D'UN TEXTE

CHANGER LA COULEUR D'UN TEXTE

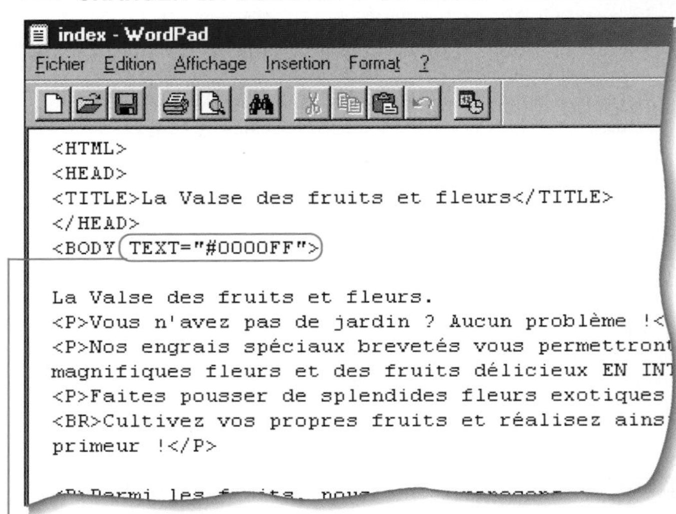

1 Dans la balise <BODY>, saisissez **TEXT**="**?**", en remplaçant **?** par le nom anglo-saxon ou le code de la couleur à employer, comme blue (bleu) ou #0000FF.

Note. Vous trouverez une liste des couleurs au début de la page 370.

Vous pouvez changer la couleur de l'ensemble du texte ou d'un passage, seulement, de votre page Web.

Les teintes retenues pour votre page Web risquent de ne pas se présenter comme vous l'escomptez sur divers ordinateurs. Certains lecteurs paramètrent en effet leur navigateur de telle sorte que les couleurs de ce dernier supplantent les vôtres.

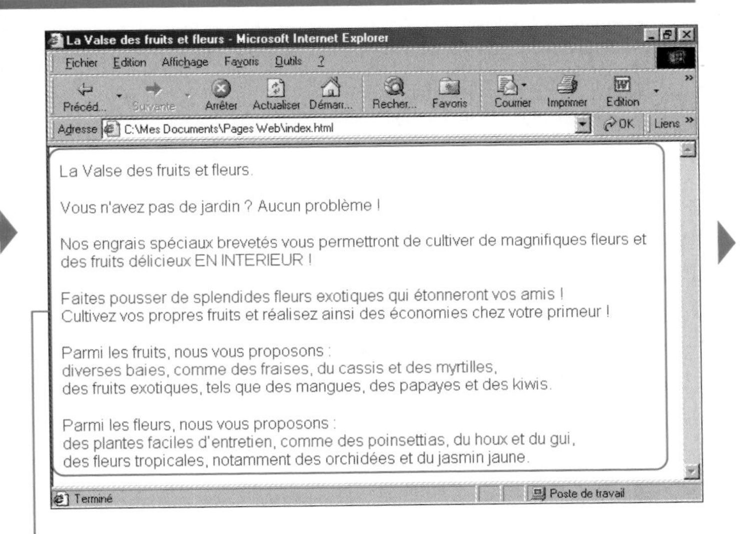

■ Le navigateur Web applique la couleur retenue à tout le texte affiché.

■ Pour afficher votre page Web dans un navigateur, consultez les pages 350 à 353.

Note. L'attribut TEXT continue d'être pris en charge par les navigateurs Web, mais il disparaît peu à peu au profit des feuilles de styles.

CHANGER LA COULEUR D'UN TEXTE

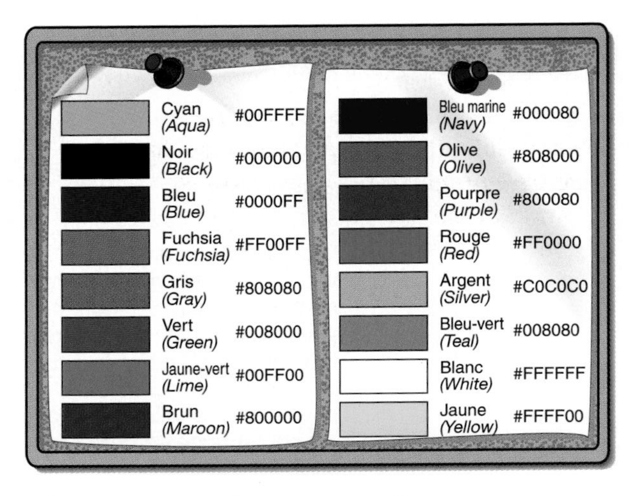

CHANGER UN PASSAGE DE TEXTE

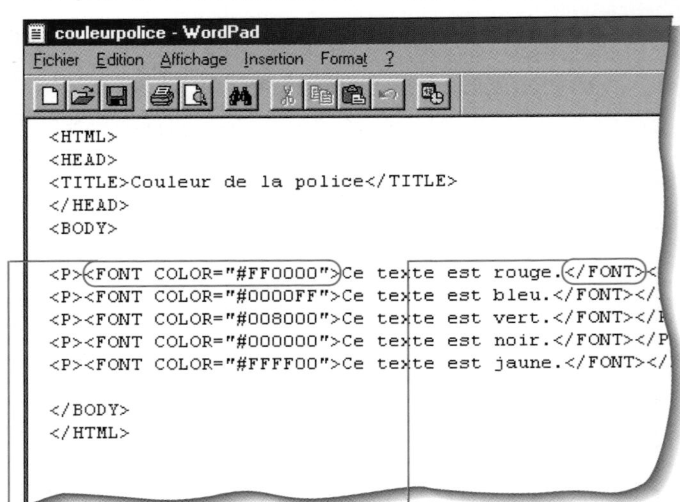

1 Saisissez **<FONT COLOR="?">** avant le texte à modifier, en remplaçant **?** par le nom anglo-saxon ou le code de la couleur à employer, comme red (rouge) ou #FF0000.

Note. Au début de cette page figure une liste des couleurs.

2 Saisissez **</FONT>** après le texte à modifier.

Voici les noms et codes (valeurs hexadécimales) de plusieurs couleurs couramment employées dans les pages Web. Seules ces 16 teintes peuvent être désignées par leur nom (anglo-saxon).

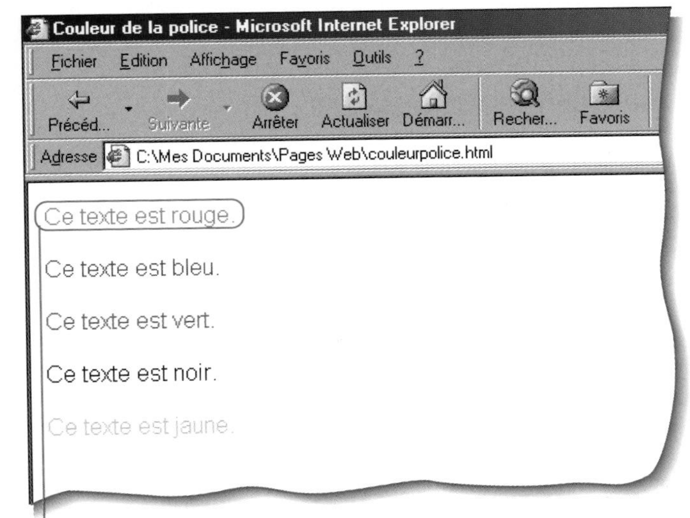

■ Le navigateur Web applique la couleur retenue au texte affiché.

■ Pour afficher votre page Web dans un navigateur, consultez les pages 350 à 353.

Note. La balise FONT continue d'être reconnue par les navigateurs Web, mais elle disparaît peu à peu au profit des feuilles de styles.

CHANGER LA COULEUR D'ARRIÈRE-PLAN

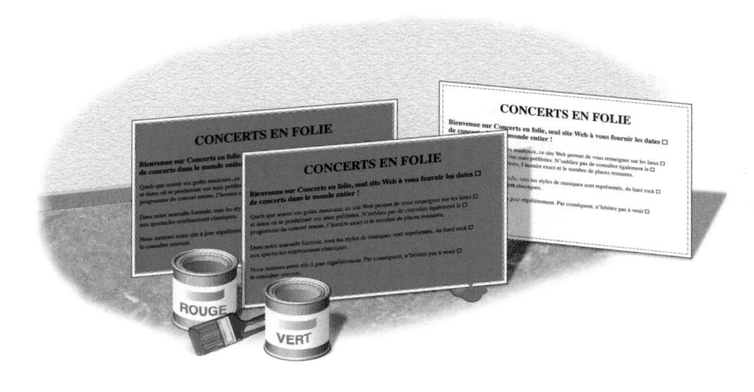

CHANGER LA COULEUR D'ARRIÈRE-PLAN

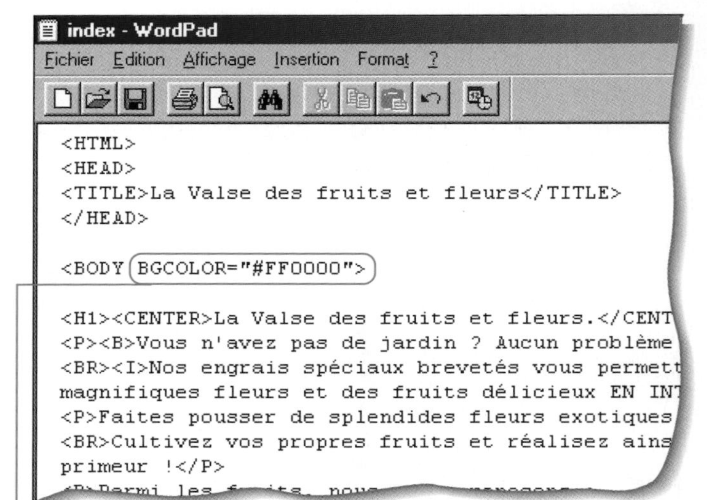

1 Dans la balise <BODY>, saisissez **BGCOLOR="?"**, en remplaçant **?** par le nom anglo-saxon ou le code de la couleur à employer, comme red (rouge) ou #FF0000.

Note. Vous trouvez une liste des couleurs au début de la page 370.

Vous pouvez changer la couleur d'arrière-plan de votre page Web.

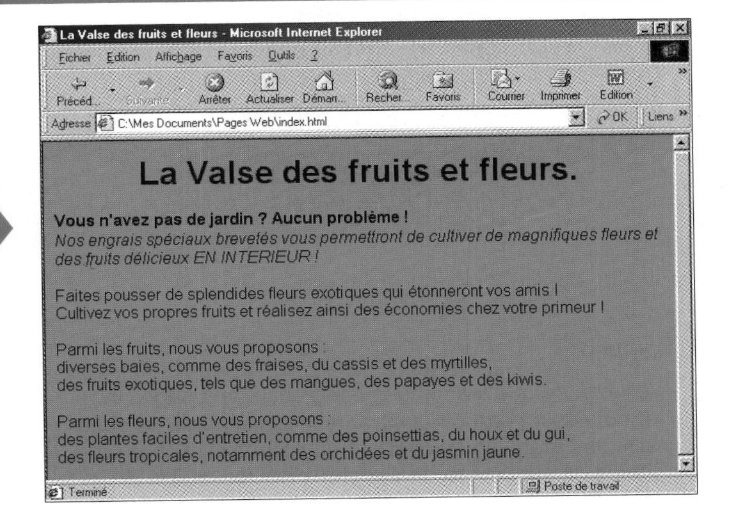

■ Le navigateur Web applique la couleur d'arrière-plan spécifiée.

■ Pour afficher votre page Web dans un navigateur, consultez les pages 350 à 353.

Note. L'attribut BGCOLOR continue d'être pris en charge par les navigateurs Web, mais il disparaît peu à peu au profit des feuilles de styles.

Résolution

La résolution d'une image détermine sa netteté. Plus elle est élevée, plus le graphisme est net et détaillé. La plupart des écrans informatiques affichent les images à une résolution de 72 points par pouce (ppp ou dpi).

La résolution des images ajoutées à vos pages Web n'a pas besoin de dépasser 72 ppp, à moins que les lecteurs souhaitent imprimer ces graphismes. Une résolution plus élevée ralentit le chargement des images sur l'ordinateur.

Largeur

Veillez à ce que les images intégrées à vos pages Web ne dépassent pas 620 pixels de large. Au-delà de cette taille, les graphismes risquent de ne pas s'afficher en intégralité sur l'écran de certains ordinateurs. Un programme de retouche d'images permet de connaître la largeur d'un graphisme. Pour plus d'informations sur les aspects dimensionnels, consultez les pages 26 et 27.

Copyright

Vous souhaiterez parfois ajouter à vos pages Web des images trouvées dans un livre, un journal, un magazine ou sur l'Internet. Avant d'utiliser l'une ou l'autre, assurez-vous d'y être autorisé.

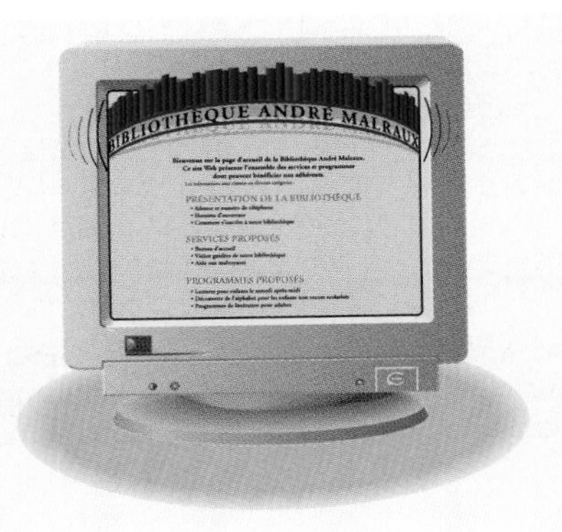

AJOUTER UNE IMAGE

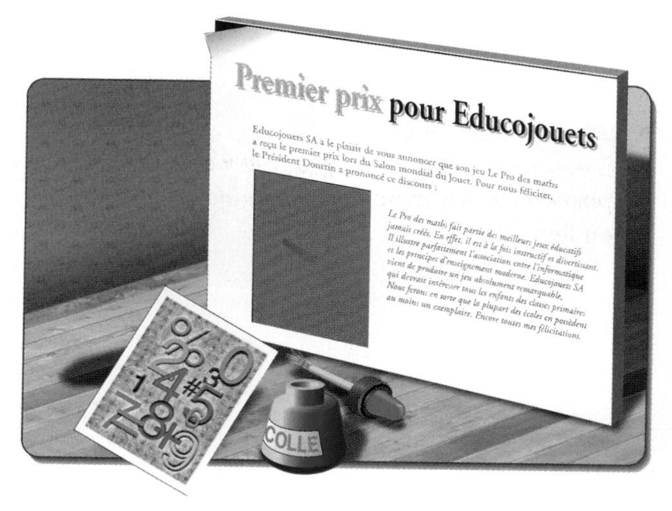

AJOUTER UNE IMAGE

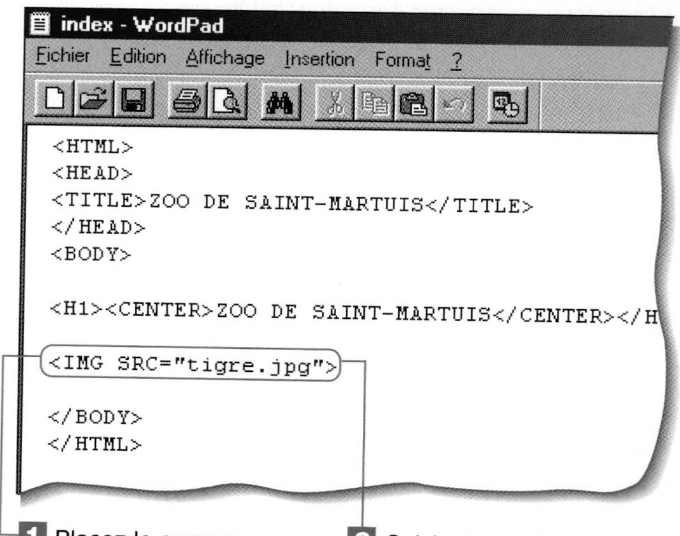

1 Placez le curseur là où devra figurer l'image dans votre page Web.

2 Saisissez **<IMG SRC="?">**, en remplaçant **?** par l'emplacement du fichier graphique sur votre ordinateur.

Vous pouvez ajouter des images à vos pages Web. Ces graphismes portent alors le nom d'« images en ligne. »

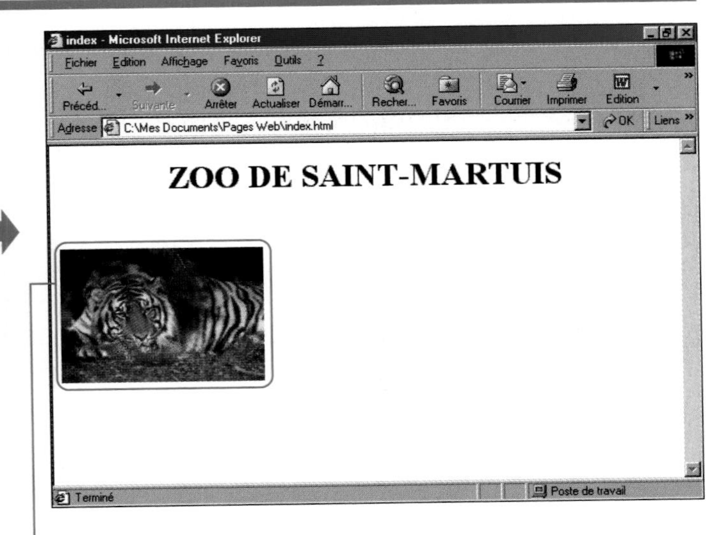

■ Le navigateur Web affiche l'image dans votre page Web.

■ Pour afficher votre page Web dans un navigateur, consultez les pages 350 à 353.

CENTRER UNE IMAGE

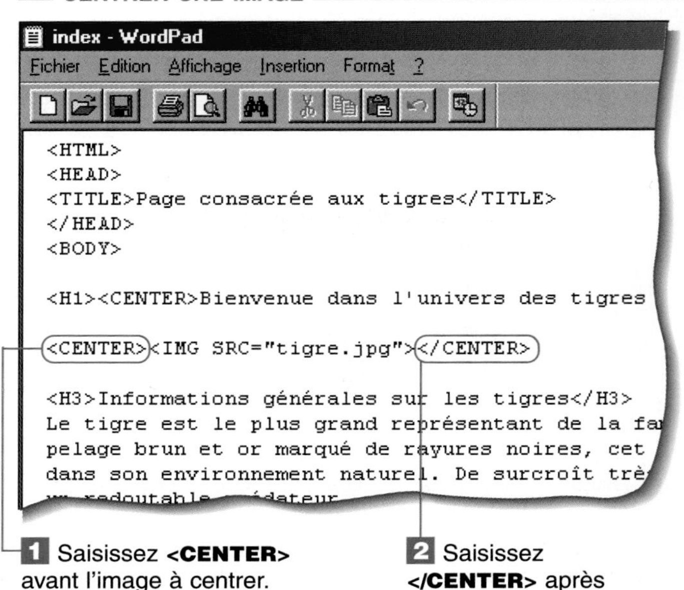

1 Saisissez **<CENTER>** avant l'image à centrer.

2 Saisissez **</CENTER>** après l'image à centrer.

Centrer une image dans votre page Web permet d'améliorer la présentation de cette dernière.

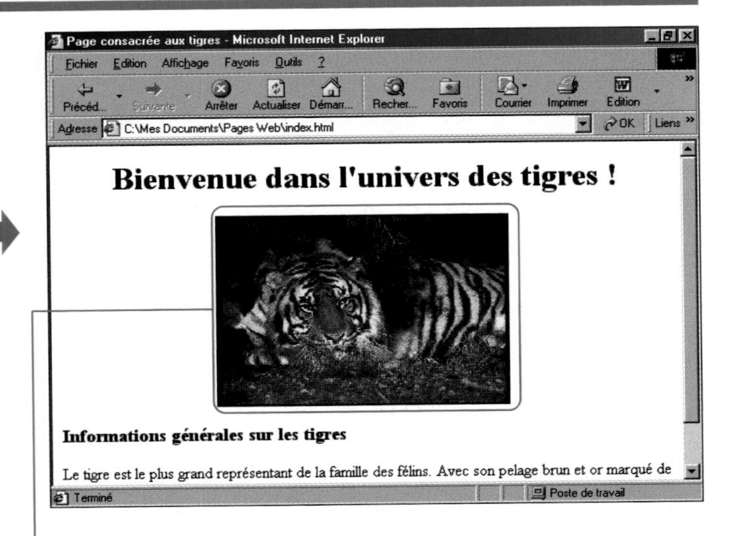

■ Le navigateur Web centre le graphisme.

■ Pour afficher votre page Web dans un navigateur, consultez les pages 350 à 353.

Note. La balise CENTER continue d'être reconnue par les navigateurs Web, mais elle disparaît peu à peu au profit des feuilles de styles.

APPLIQUER UNE BORDURE

APPLIQUER UNE BORDURE

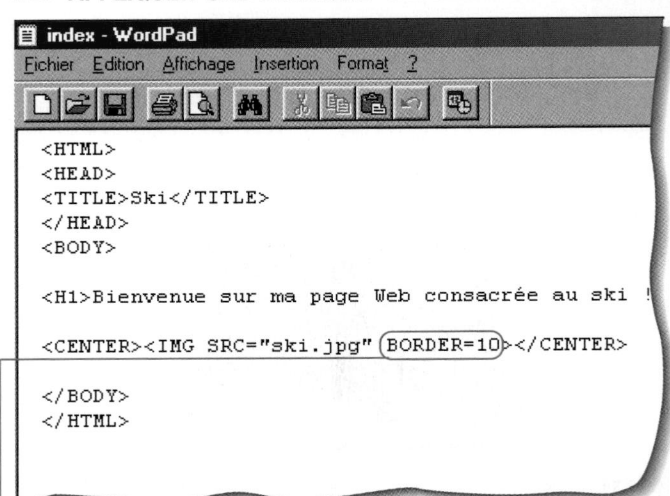

1 Dans la balise <IMG> de l'image à entourer d'une bordure, saisissez **BORDER=?**, en remplaçant **?** par l'épaisseur en pixels de la bordure à appliquer.

Note. Pour retirer une bordure existante, remplacez **?** *par le nombre 0.*

Vous pouvez appliquer une bordure à une image de page Web. Cela permet d'ajouter un cadre autour du graphisme.

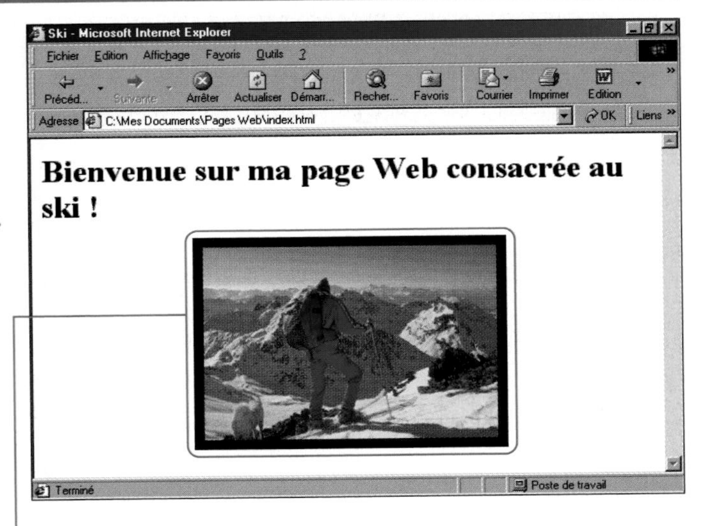

■ Le navigateur Web applique une bordure autour de l'image.

■ Pour afficher votre page Web dans un navigateur, consultez les pages 350 à 353.

Note. L'attribut BORDER continue d'être reconnu par les navigateurs Web, mais il disparaît peu à peu au profit des feuilles de styles.

PRÉVOIR UN TEXTE DE REMPLACEMENT

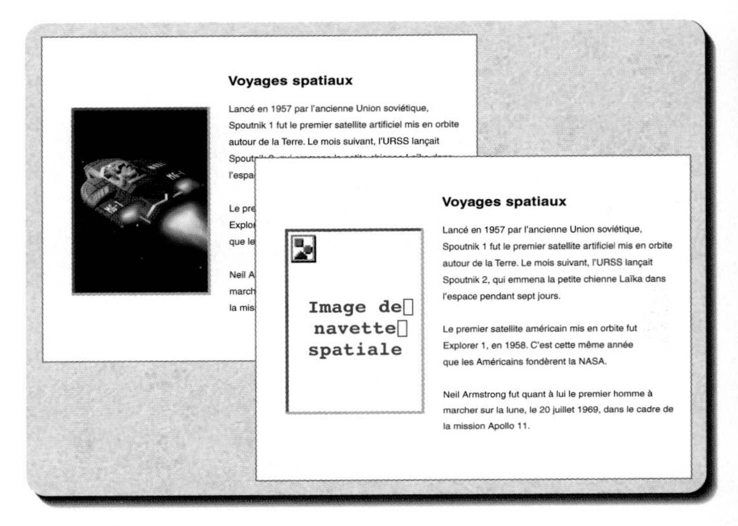

PRÉVOIR UN TEXTE DE REMPLACEMENT

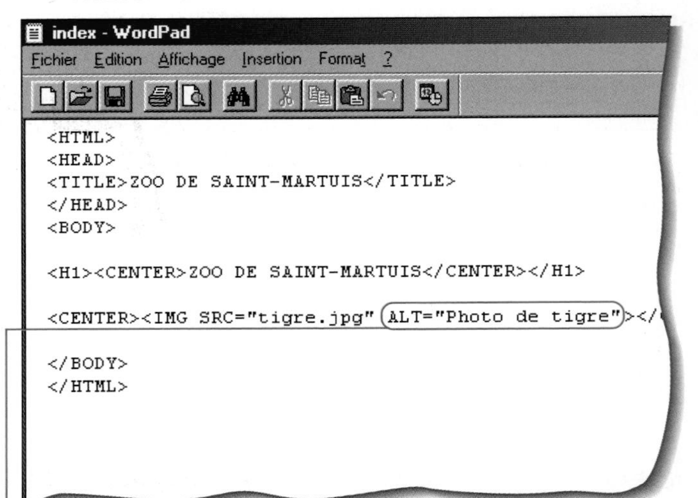

1 Dans la balise <IMG> de l'image à associer à un texte de remplacement, tapez **ALT="?"**, en remplaçant **?** par le texte à afficher en l'absence d'image.

Vous pouvez intégrer un texte à afficher si une image devait ne pas apparaître à l'écran. Les lecteurs n'ayant pas accès aux graphismes seront ainsi renseignés sur l'illustration manquante.

Certains internautes utilisent des navigateurs Web incapables d'afficher des images ; d'autres choisissent de ne pas faire apparaître ces dernières, afin de naviguer plus vite sur le Web.

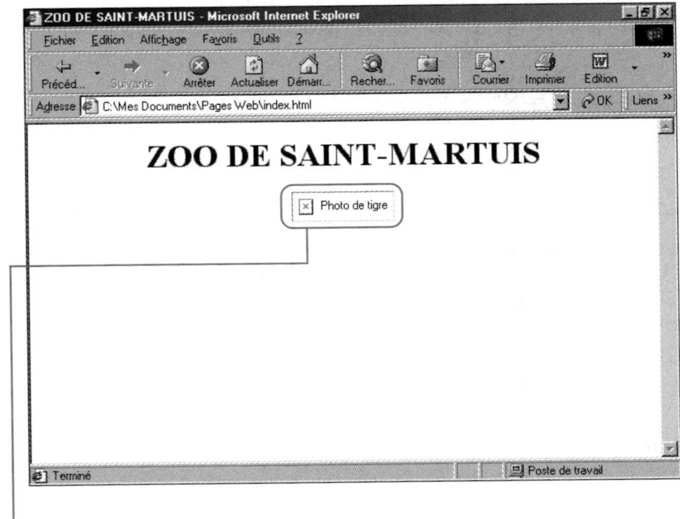

■ Si l'image n'apparaît pas, le navigateur Web affiche le texte spécifié.

■ Pour afficher votre page Web dans un navigateur, consultez les pages 350 à 353.

ALIGNER UNE IMAGE SUR UN TEXTE

ALIGNER UNE IMAGE SUR UN TEXTE

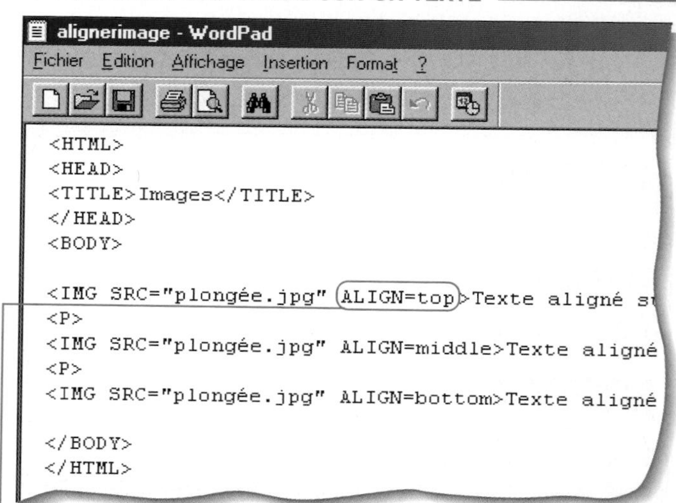

1 Dans la balise <IMG> de l'image à aligner sur le texte, saisissez **ALIGN=?**, en remplaçant **?** par le mode d'alignement souhaité : **top** (haut), **bottom** (bas) ou **middle** (milieu).

Il existe trois manières d'aligner une image par rapport à un texte.

Il est impossible d'aligner sur du texte une image autour de laquelle vous avez habillé du texte. Pour plus d'informations sur l'habillage d'un texte autour d'une image, consultez la page 386.

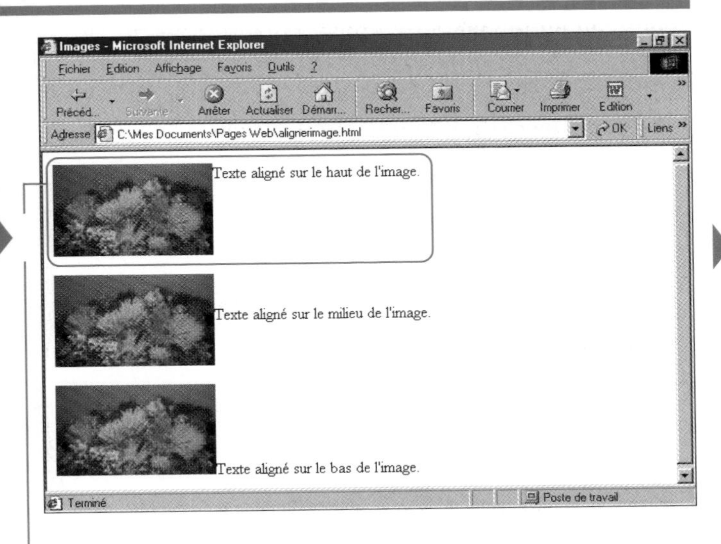

■ Le navigateur Web aligne l'image sur le texte.

■ Pour afficher votre page Web dans un navigateur, consultez les pages 350 à 353.

Note. L'attribut ALIGN continue d'être reconnu par les navigateurs Web, mais il disparaît peu à peu au profit des feuilles de styles.

HABILLER UNE IMAGE AVEC UN TEXTE

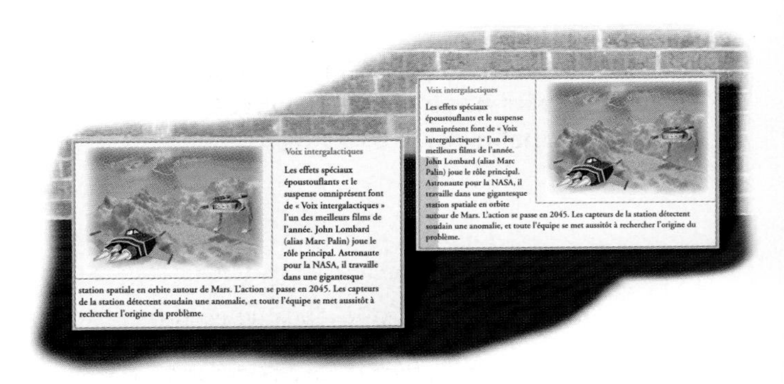

HABILLER UNE IMAGE AVEC UN TEXTE

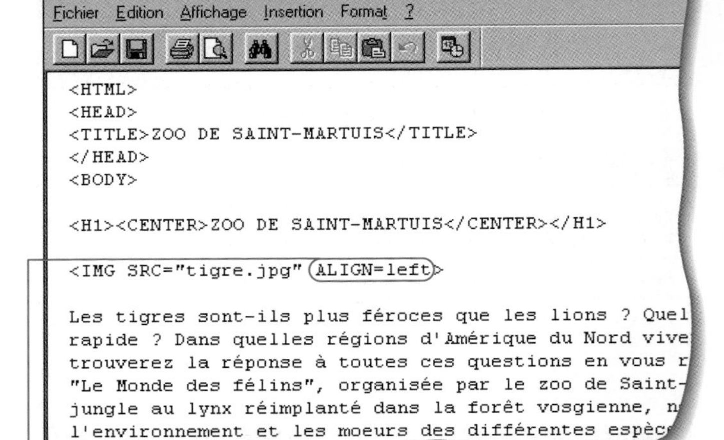

1 Pour disposer du texte à droite d'une image, saisissez **ALIGN=left** dans la balise <IMG> de l'image.

■ Pour disposer du texte à gauche d'une image, saisissez **ALIGN=right** dans la balise <IMG> de l'image.

Vous pouvez habiller une image avec du texte, afin de donner un aspect professionnel à votre page Web.

Si vous avez aligné une image sur du texte, vous ne pouvez pas disposer ce dernier autour du graphisme. Pour savoir comment aligner une image par rapport à un texte, consultez la page 384.

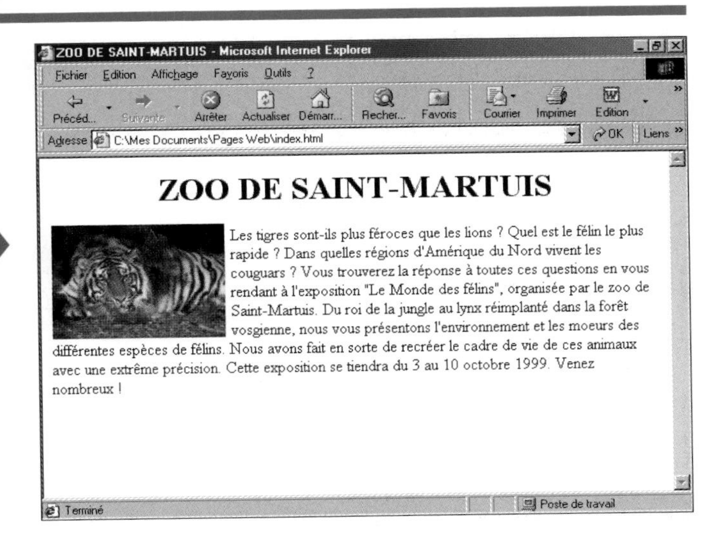

■ Le navigateur Web dispose le texte autour de l'image.

■ Pour afficher votre page Web dans un navigateur, consultez les pages 350 à 353.

Note. L'attribut ALIGN continue d'être reconnu par les navigateurs Web, mais il disparaît peu à peu au profit des feuilles de styles.

MÉNAGER PLUS D'ESPACE AUTOUR D'UNE IMAGE

MÉNAGER PLUS D'ESPACE AUTOUR D'UNE IMAGE

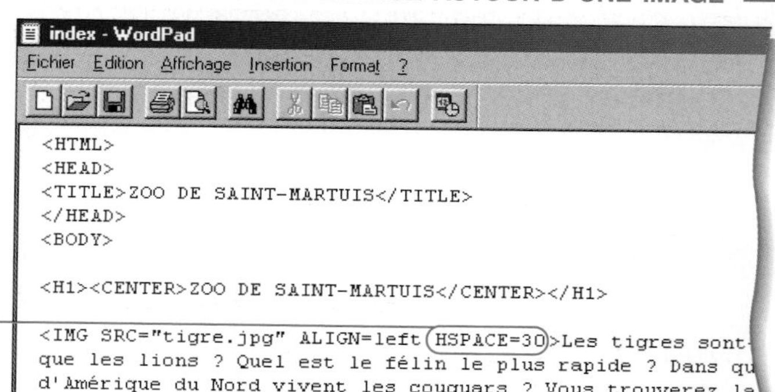

CÔTÉS GAUCHE ET DROIT

1 Dans la balise <IMG> de l'image à affecter, saisissez **HSPACE=?**, en remplaçant **?** par l'importance de l'espace à laisser des côtés gauche et droit du graphisme, en pixels.

Vous pouvez insérer davantage d'espace autour d'une image, afin d'améliorer la présentation de votre page Web.

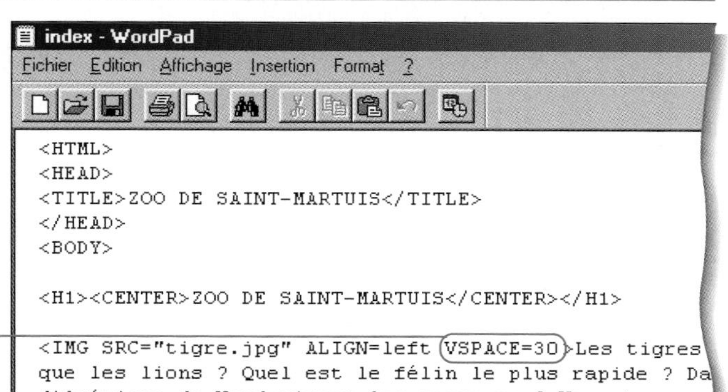

HAUT ET BAS

1 Dans la balise <IMG> de l'image à affecter, saisissez **VSPACE=?**, en remplaçant **?** par l'importance de l'espace à laisser au-dessus et au-dessous du graphisme, en pixels.

AJOUTER UNE IMAGE EN ARRIÈRE-PLAN

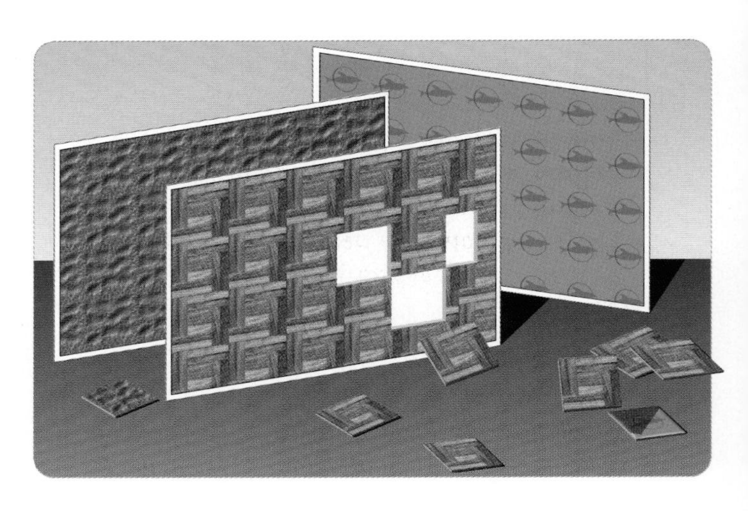

AJOUTER UNE IMAGE D'ARRIÈRE-PLAN

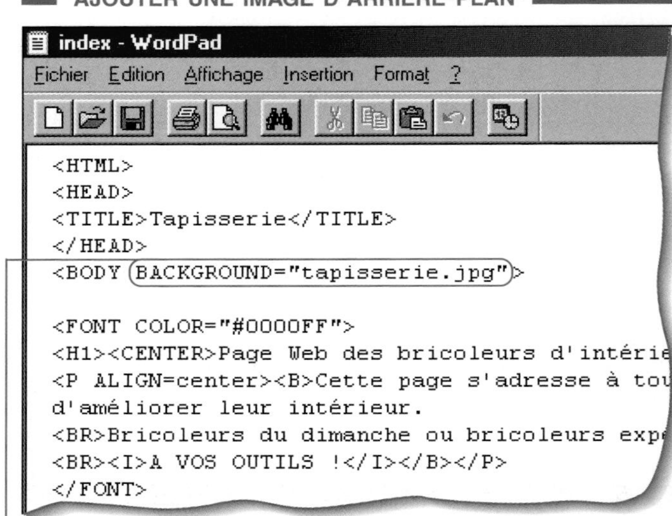

1 Dans la balise <BODY>, saisissez **BACKGROUND="?"**, en remplaçant **?** par l'endroit où se trouve l'image sur votre ordinateur.

Il est possible de répéter une petite image plusieurs fois, de sorte que la mosaïque obtenue occupe l'intégralité d'une page Web. Cela permet d'appliquer un motif d'arrière-plan intéressant à votre page.

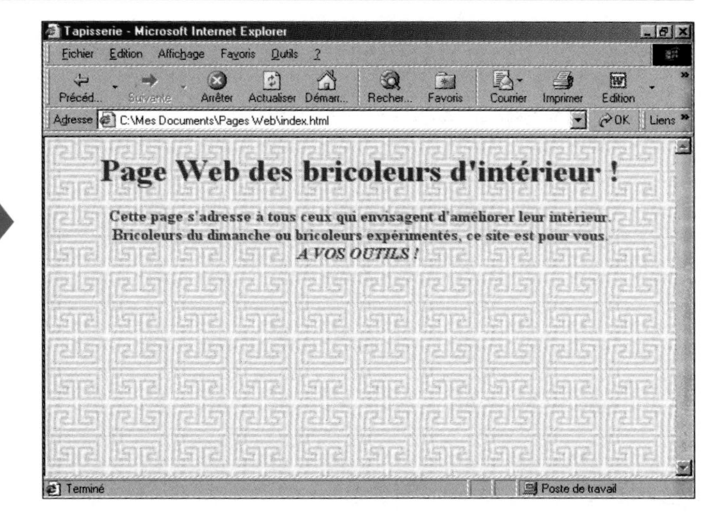

■ Le navigateur Web répète l'image, de façon à occuper toute la page Web.

■ Pour afficher votre page Web dans un navigateur, consultez les pages 350 à 353.

Note. L'attribut BACKGROUND continue d'être reconnu par les navigateurs Web, mais il disparaît peu à peu au profit des feuilles de styles.

CRÉER UN LIEN VERS UNE AUTRE PAGE WEB

CRÉER UN LIEN TEXTUEL

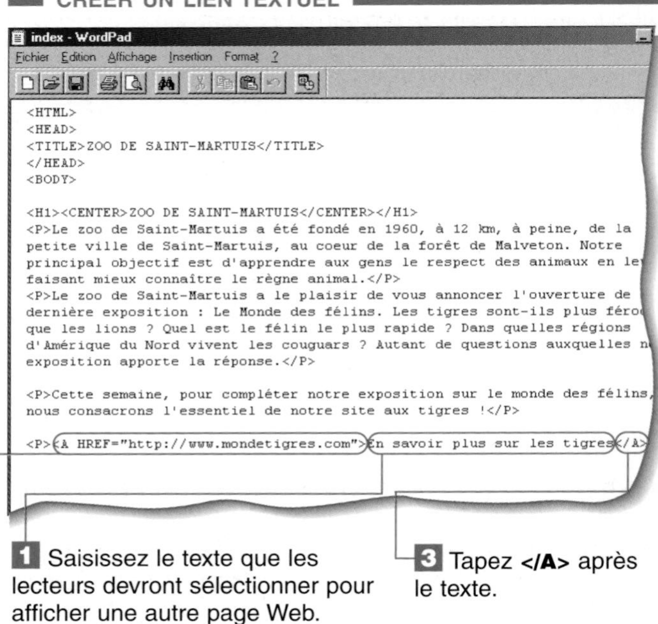

1 Saisissez le texte que les lecteurs devront sélectionner pour afficher une autre page Web.

2 Saisissez **<A HREF="?">** avant le texte, en remplaçant **?** par l'adresse de la page Web à afficher.

3 Tapez **</A>** après le texte.

Vous pouvez lier un mot, une expression ou une image de votre page Web à une autre page sur l'Internet.

Il est possible d'établir un lien au sein de votre propre site Web ou vers n'importe quelle page sur l'Internet.

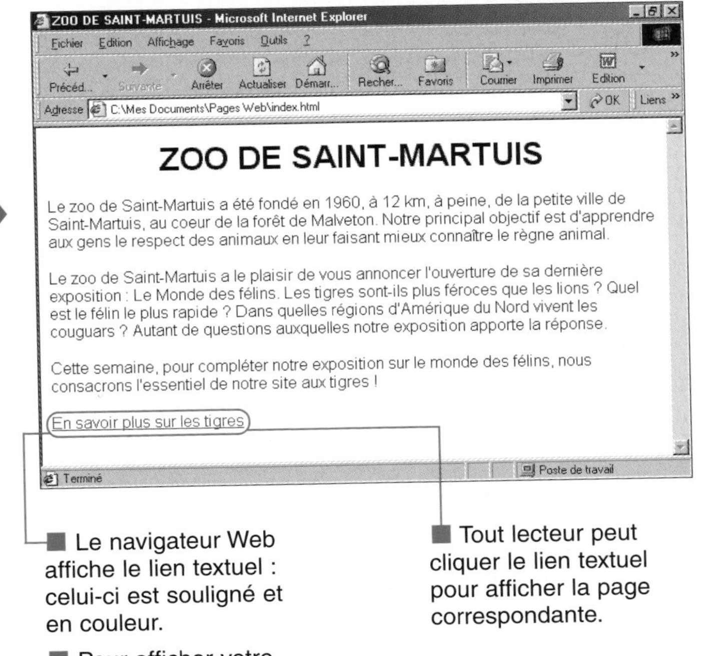

■ Le navigateur Web affiche le lien textuel : celui-ci est souligné et en couleur.

■ Pour afficher votre page Web dans un navigateur, consultez les pages 350 à 353.

■ Tout lecteur peut cliquer le lien textuel pour afficher la page correspondante.

CRÉER UN LIEN AU SEIN D'UNE PAGE WEB

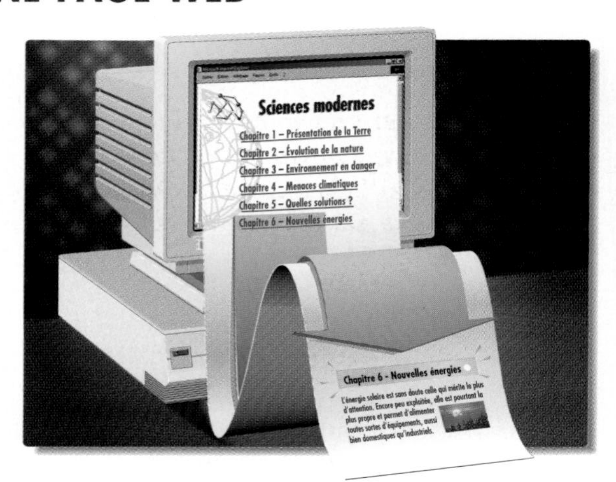

CRÉER UN LIEN AU SEIN D'UNE PAGE WEB

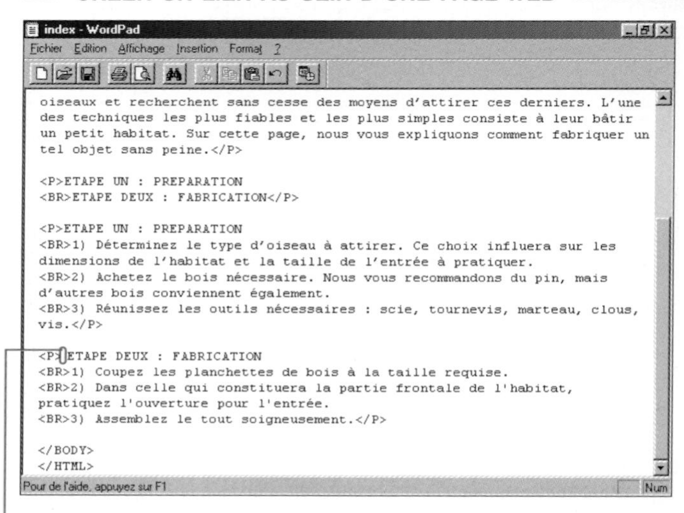

NOMMER UNE PARTIE DE LA PAGE WEB

1 Placez le curseur avant la partie de la page Web à laquelle vous souhaitez assurer un accès rapide.

Vous pouvez créer un lien qui emmène le lecteur dans une autre partie de la même page Web. L'internaute accède ainsi rapidement aux informations qui l'intéressent.

Il est, par exemple, possible de créer une table des matières renfermant des liens vers les diverses sections d'une grande page Web.

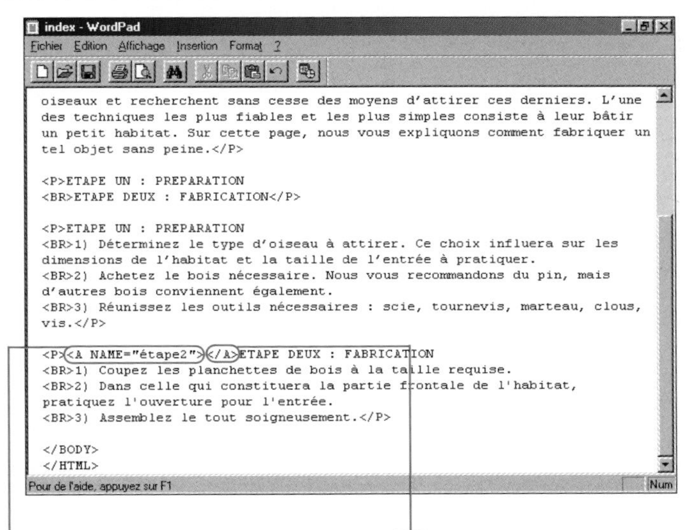

2 Saisissez **<A NAME="?">**, en remplaçant **?** par un nom évoquant la zone concernée de la page Web. Cette appellation ne doit renfermer que des lettres et des chiffres.

3 Tapez **</A>**, afin de terminer la désignation de la partie voulue de la page Web.

CRÉER UN LIEN AU SEIN D'UNE PAGE WEB

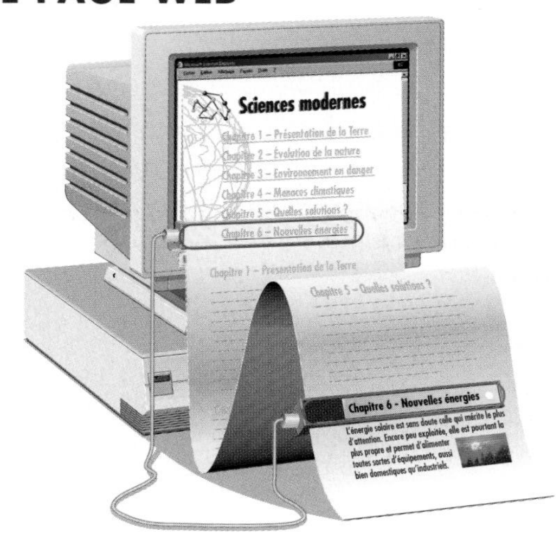

CRÉER UN LIEN AU SEIN D'UNE PAGE WEB (SUITE)

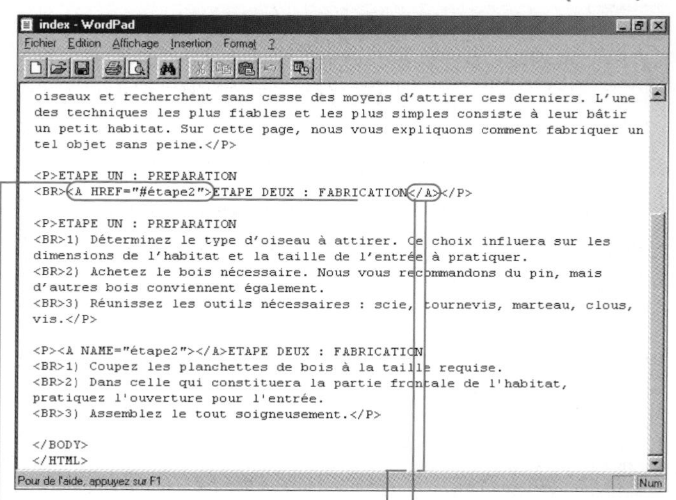

CRÉER UN LIEN VERS CETTE PARTIE DE LA PAGE WEB

4 Placez le curseur avant le texte ou l'image que les lecteurs devront sélectionner pour afficher la section de la page Web nommée à la page 395.

5 Saisissez **<A HREF="#?">**, en remplaçant **?** par le nom affecté à la section concernée de la page Web à l'étape **2**.

6 Tapez **</A>** après le texte ou l'image.

Étape 1 – Nommer la partie concernée de la page Web

Vous devez nommer la section de la page Web dont vous souhaitez permettre un affichage rapide par les lecteurs.

Étape 2 – Créer un lien vers cette partie de la page Web

Vous devez créer un lien que les lecteurs pourront sélectionner pour afficher la zone spécifiée de la page Web.

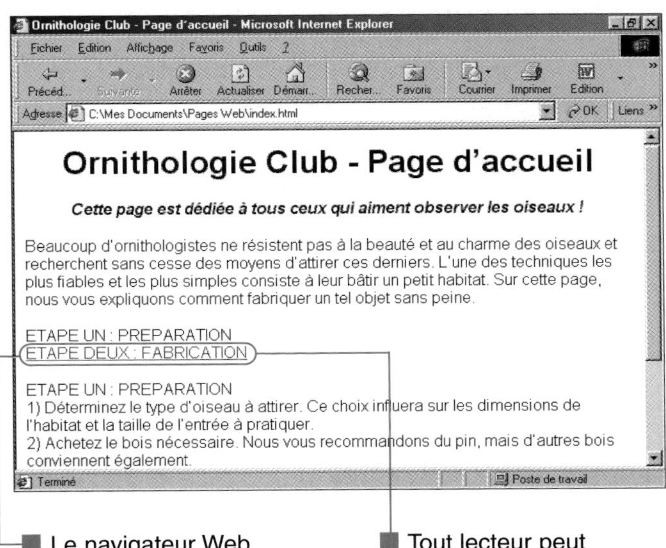

■ Le navigateur Web affiche le lien.

■ Pour afficher votre page Web dans un navigateur, consultez les pages 350 à 353.

■ Tout lecteur peut cliquer le lien pour afficher la partie spécifiée de la page Web.

CRÉER UN LIEN VERS UNE IMAGE

CRÉER UN LIEN VERS UNE IMAGE

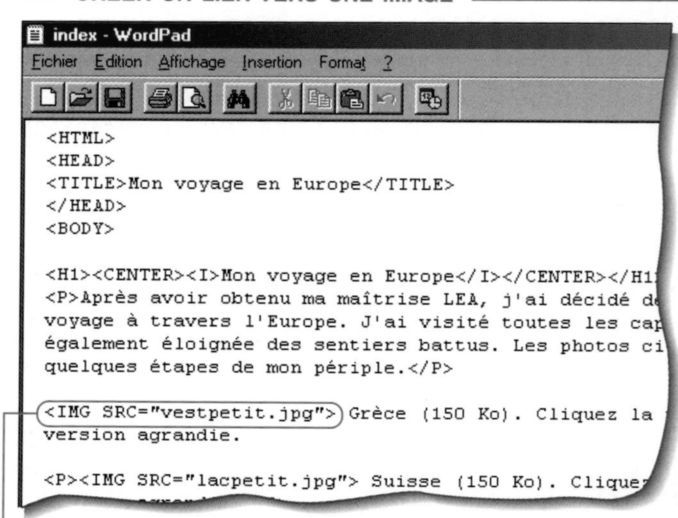

1 Saisissez le texte ou insérez l'image que les lecteurs devront sélectionner pour afficher le graphisme lié. Pour ajouter une image, consultez la page 376.

Vous pouvez insérer dans votre page Web un lien qui donne accès à une image.

Il est, par exemple, possible de lier une version réduite d'une image à une version plus grande de l'illustration. Les lecteurs peuvent ainsi choisir d'afficher ou non le graphisme grandeur réelle.

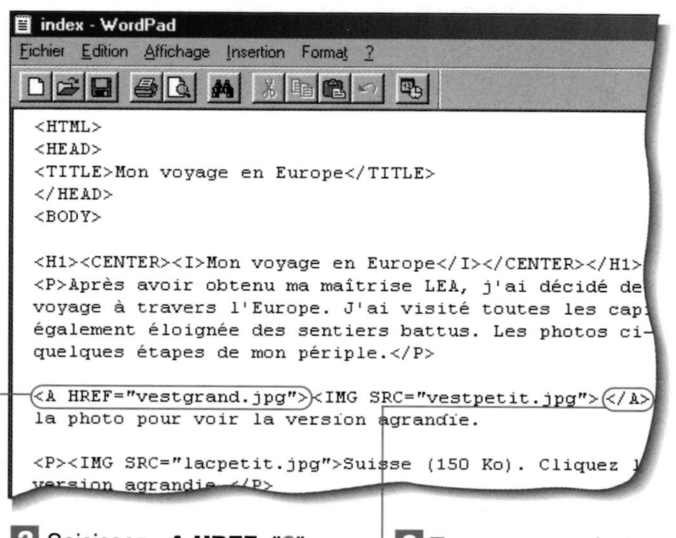

2 Saisissez **<A HREF="?">** avant le texte ou l'image, en remplaçant **?** par l'endroit où se trouve le graphisme lié sur votre ordinateur.

3 Tapez **</A>** après le texte ou l'image.

CRÉER UN LIEN VERS UNE IMAGE (SUITE)

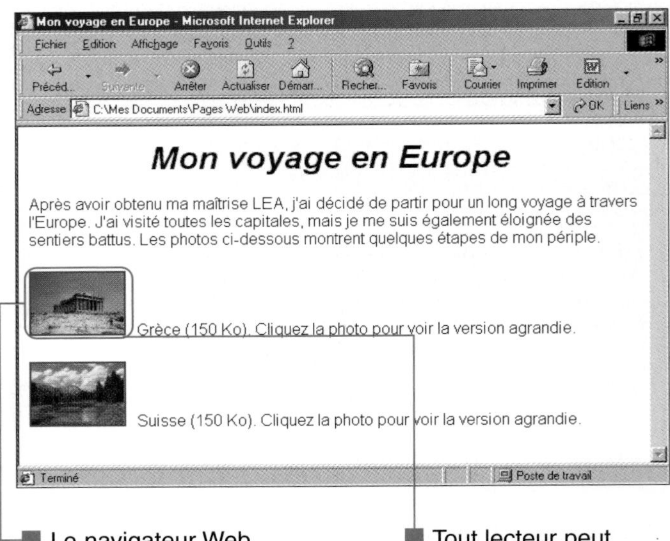

■ Le navigateur Web affiche le lien.

■ Pour afficher votre page Web dans un navigateur, consultez les pages 350 à 353.

■ Tout lecteur peut cliquer le lien pour afficher l'image liée.

Pensez à indiquer la taille de l'image liée en kilo-octets (Ko) à côté du lien. Les lecteurs pourront ainsi mieux estimer le temps de chargement du graphisme sur leur ordinateur.

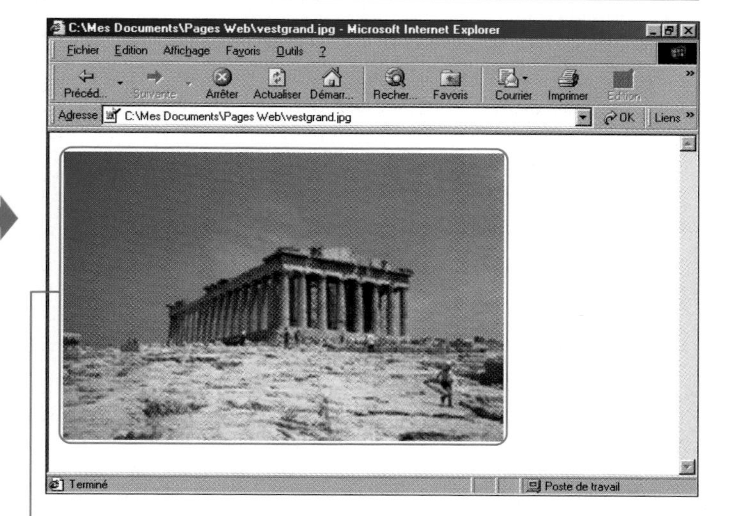

■ Lorsqu'un internaute sélectionne le lien, l'image préalablement spécifiée apparaît.

CRÉER UN LIEN VERS UNE MESSAGERIE ÉLECTRONIQUE

CRÉER UN LIEN VERS UNE MESSAGERIE ÉLECTRONIQUE

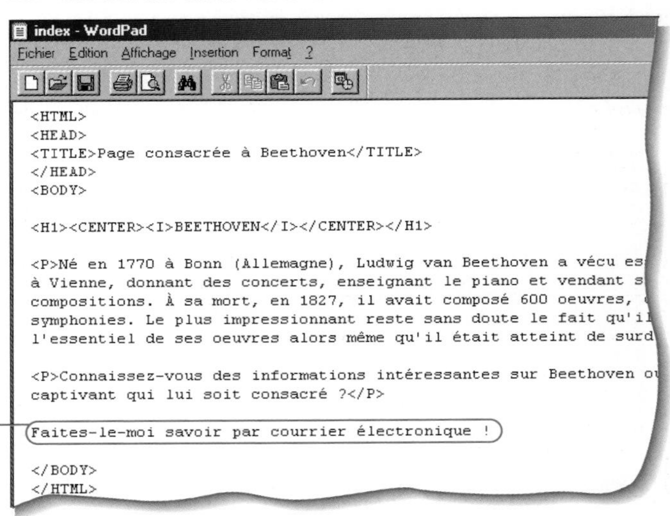

1 Saisissez le texte ou insérez l'image que les lecteurs devront sélectionner pour vous envoyer un message électronique. Pour ajouter une image, consultez la page 376.

Vous pouvez créer un lien qui permette aux lecteurs de vous envoyer rapidement un message électronique.

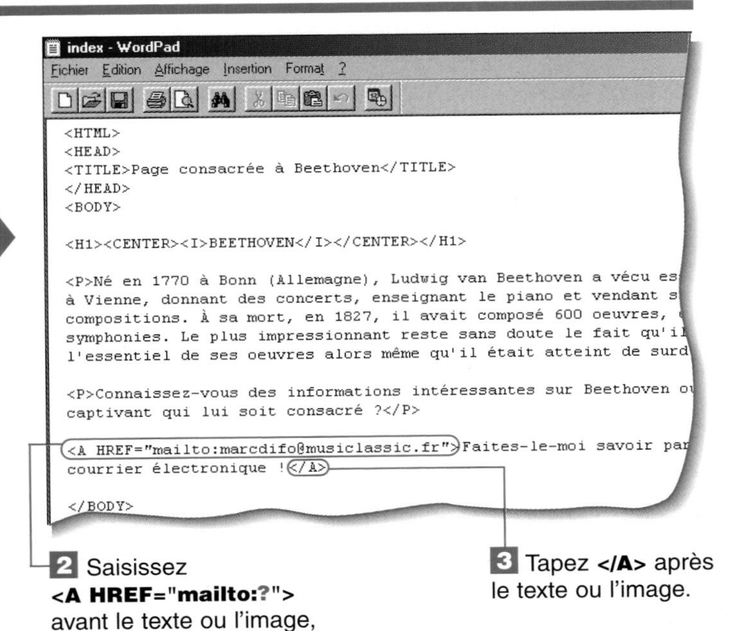

2 Saisissez **<A HREF="mailto:?">** avant le texte ou l'image, en remplaçant **?** par l'adresse électronique du destinataire des messages.

3 Tapez **</A>** après le texte ou l'image.

CRÉER UN TABLEAU

Base-ball – Scores

Équipe	Parties	Gagnés	Perdus	Nuls	Points
Les Chasseurs	10	9	1	0	18
Les Battants	10	8	1	1	17
Les As	10	7	2	1	15
Les Aigles	10	5	5	0	10
Les Lions	10	3	7	0	6
Les Pros	10	2	8	0	4
Les Redoutables	10	1	9	0	2

CRÉER UN TABLEAU

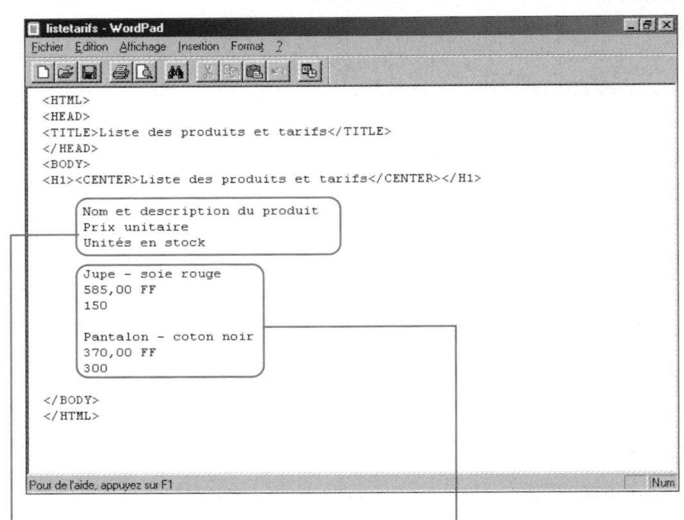

1 Saisissez les données à faire figurer dans la première ligne du tableau.

■ Vous pouvez vous servir des touches **Entrée** et **Tab** pour séparer visuellement les données de chaque cellule, mais le navigateur Web ignore tout espace ainsi ajouté.

2 Saisissez les données à placer dans la ligne suivante du tableau. Répétez cette étape jusqu'à avoir entré toutes les informations souhaitées dans le tableau.

Vous pouvez créer un tableau, en vue de disposer élégamment des informations sur une page Web.

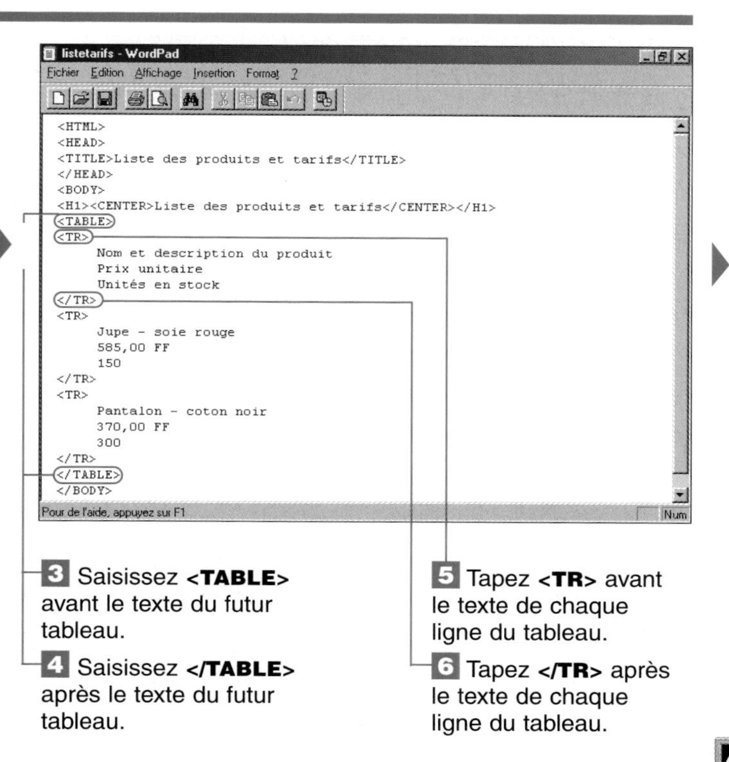

3 Saisissez **<TABLE>** avant le texte du futur tableau.

4 Saisissez **</TABLE>** après le texte du futur tableau.

5 Tapez **<TR>** avant le texte de chaque ligne du tableau.

6 Tapez **</TR>** après le texte de chaque ligne du tableau.

Base-ball – Scores

Équipe	Parties	Gagnés	Perdus	Nuls	Points
Les Chasseurs	10	9	1	0	18
Les Battants	10	8	1	1	17
Les As	10	7	2	1	15
Les Aigles	10	5	5	0	10
Les Lions	10	3	7	0	6
Les Pros	10	2	8	0	4
Les Redoutables	10	1	9	0	2

CRÉER UN TABLEAU (SUITE)

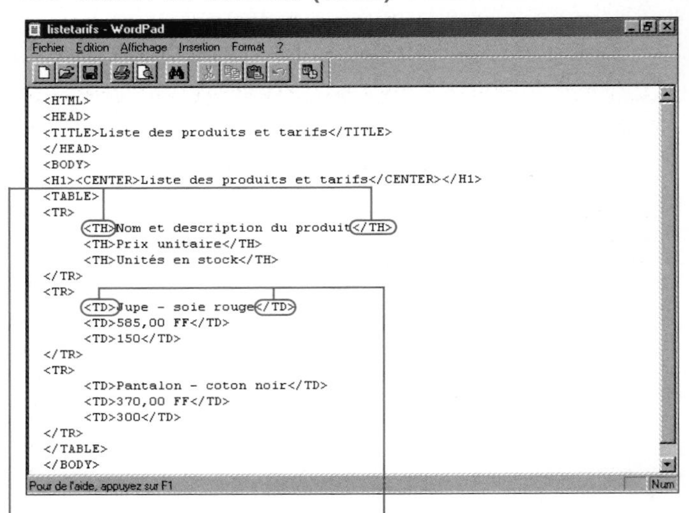


```
<HTML>
<HEAD>
<TITLE>Liste des produits et tarifs</TITLE>
</HEAD>
<BODY>
<H1><CENTER>Liste des produits et tarifs</CENTER></H1>
<TABLE>
<TR>
      <TH>Nom et description du produit</TH>
      <TH>Prix unitaire</TH>
      <TH>Unités en stock</TH>
</TR>
<TR>
      <TD>Jupe - soie rouge</TD>
      <TD>585,00 FF</TD>
      <TD>150</TD>
</TR>
<TR>
      <TD>Pantalon - coton noir</TD>
      <TD>370,00 FF</TD>
      <TD>300</TD>
</TR>
</TABLE>
</BODY>
```

7 Tapez **<TH>** avant le texte de chaque cellule d'en-tête.

8 Tapez **</TH>** après le texte de chaque cellule d'en-tête.

9 Tapez **<TD>** avant le texte de chaque cellule de données.

10 Tapez **</TD>** après le texte de chaque cellule de données.

Ligne

Une ligne correspond à une rangée horizontale de données.

Cellule d'en-tête

Une cellule d'en-tête renferme le texte qui présente les informations figurant dans une ligne ou une colonne.

Cellule de données

Une cellule de données contient des informations.

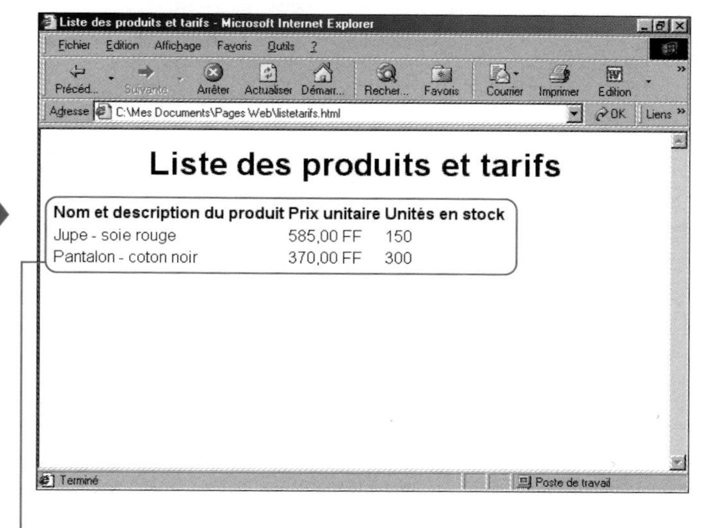

■ Le navigateur Web affiche le tableau.

■ Pour afficher votre page Web dans un navigateur, consultez les pages 350 à 353.

INTRODUCTION AUX HÉBERGEURS

Les hébergeurs de sites Web sont des sociétés qui diffusent vos pages sur le Web. Ils stockent les pages sur des ordinateurs appelés serveurs Web.

FOURNISSEURS D'ACCÈS INTERNET

Les fournisseurs d'accès Internet offrent habituellement un espace sur leurs serveurs Web où les clients peuvent publier leur site gratuitement.

HÉBERGEURS SPÉCIALISÉS

Un hébergeur spécialisé est une société qui se consacre à la publication et à la gestion de sites Web. Il propose des services payants que les autres hébergeurs n'offrent pas et s'occupe des sites professionnels.

Vous pouvez trouver des hébergeurs spécialisés sur les sites suivants :

www.texio.com   www.atout-web.com

www.fluxus.fr

HÉBERGEMENT GRATUIT

Il existe un certain nombre de sociétés sur le Web qui publieront vos pages gratuitement. Elles offrent un espace de stockage limité et peuvent placer des messages publicitaires sur vos pages Web.

Vous trouverez des sociétés qui publient gratuitement les sites Web aux adresses suivantes :

www.multimania.fr www.ifrance.com

chez.tiscali.fr

TRANSFÉRER SES PAGES VERS UN SERVEUR WEB

TRANSFÉRER SES PAGES VERS UN SERVEUR WEB

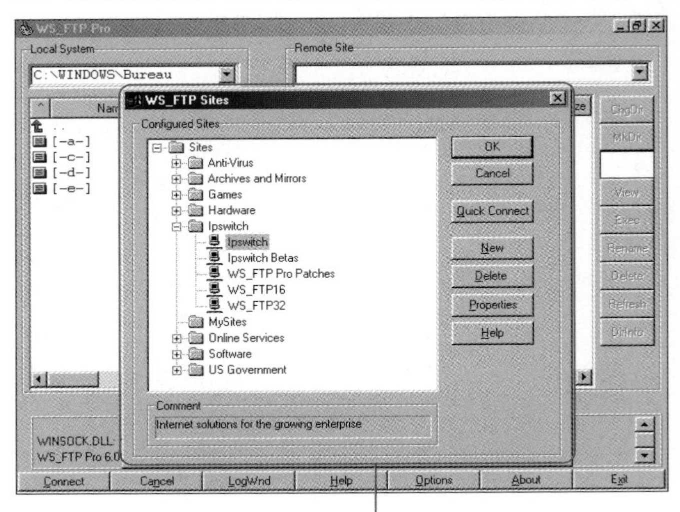

ÉTABLIR UNE CONNEXION

1 Démarrez le programme FTP qui servira à transférer vos pages vers un serveur Web. Dans cet exemple, nous utilisons WS_FTP Pro.

Note. Pour plus d'informations sur les programmes FTP, consultez les pages 146 à 149.

■ La boîte de dialogue WS_FTP Sites apparaît.

Vous devez transférer vos pages vers un serveur Web, afin de les diffuser sur le Web.

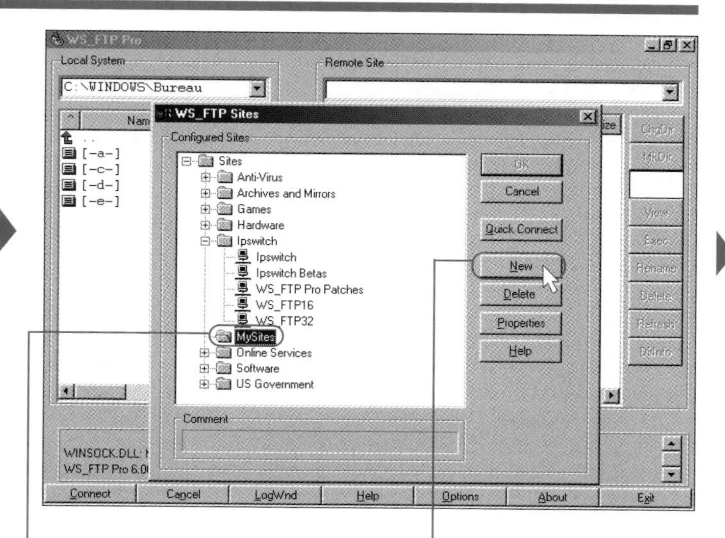

2 Cliquez le dossier **MySites**, afin de lui associer une nouvelle connexion.

3 Cliquez **New**, afin d'établir une nouvelle connexion vers votre serveur Web.

■ La boîte de dialogue New Site/Folder apparaît.

TRANSFÉRER SES PAGES VERS UN SERVEUR WEB

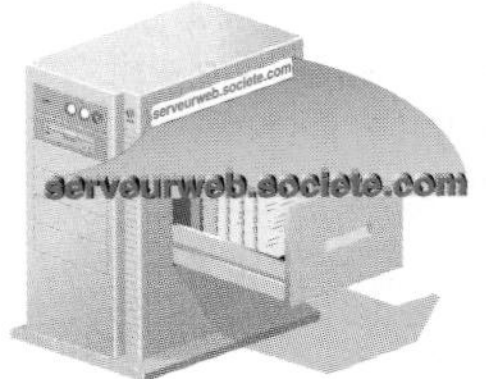

Adresse du serveur Web

N° utilisateur

Mot de passe

TRANSFÉRER SES PAGES VERS UN SERVEUR WEB (SUITE)

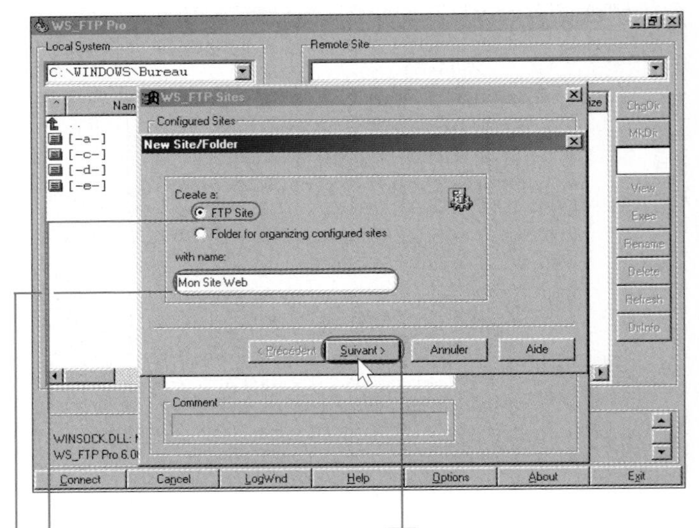

4 Cliquez cette option, afin de définir une nouvelle connexion (○ devient ⊙).

5 Cliquez cette zone, puis saisissez un nom pour la nouvelle connexion.

6 Cliquez **Suivant**, afin de poursuivre.

Nom du dossier, sur le serveur Web, dans lequel seront stockées vos pages. Il s'agit souvent de **public**.

Avant de pouvoir télécharger vos pages vers un serveur Web, vous devez disposer des informations ci-contre et ci-dessus. Si elles vous sont inconnues, renseignez-vous auprès de votre hébergeur.

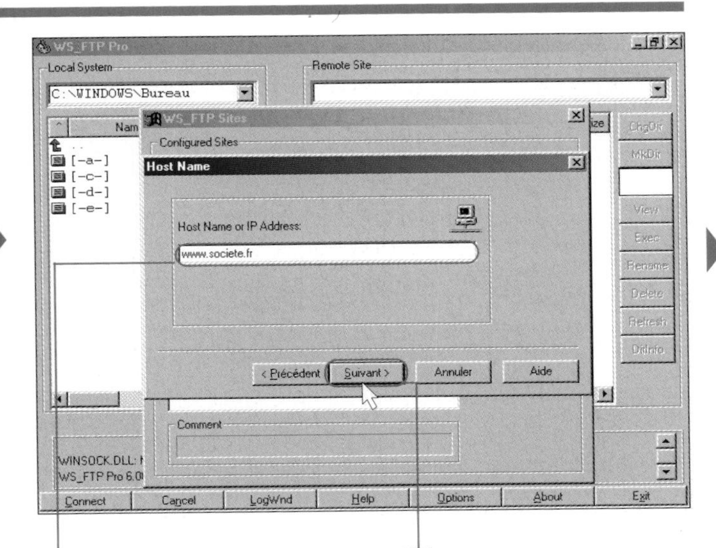

7 Entrez l'adresse du serveur Web vers lequel vous désirez transférer vos pages.

8 Cliquez **Suivant**, afin de poursuivre.

TRANSFÉRER SES PAGES VERS UN SERVEUR WEB

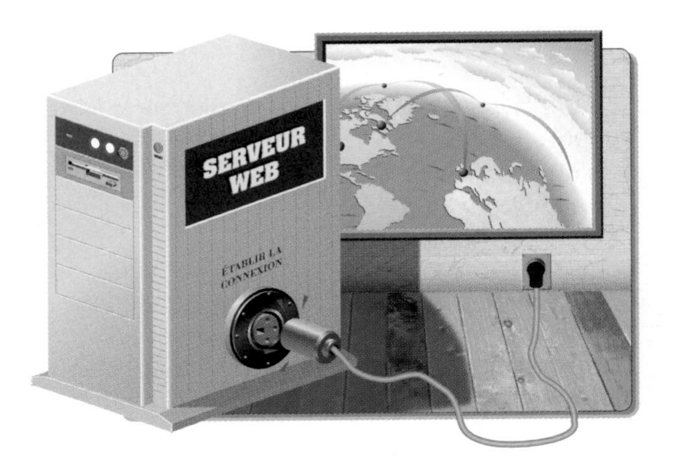

TRANSFÉRER SES PAGES VERS UN SERVEUR WEB (SUITE)

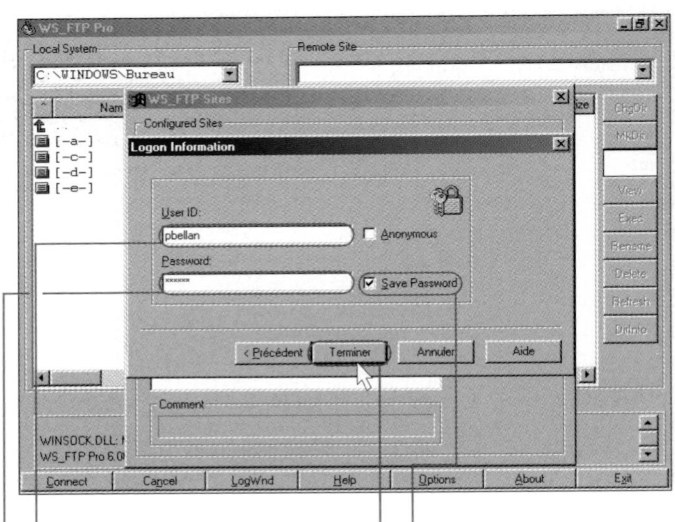

9 Entrez votre N° utilisateur.

10 Cliquez cette zone et saisissez votre mot de passe. Un symbole (x) apparaît à la place de chaque caractère tapé, afin d'éviter que d'autres personnes voient votre mot de passe.

11 Pour enregistrer votre mot de passe, de façon à ne pas être obligé de le ressaisir ultérieurement, cliquez cette option (☐ devient ☑).

12 Cliquez **Terminer**.

Vous n'avez besoin d'établir une connexion vers un serveur Web qu'une seule fois. Cela fait, vous pouvez facilement vous connecter à ce serveur à tout moment.

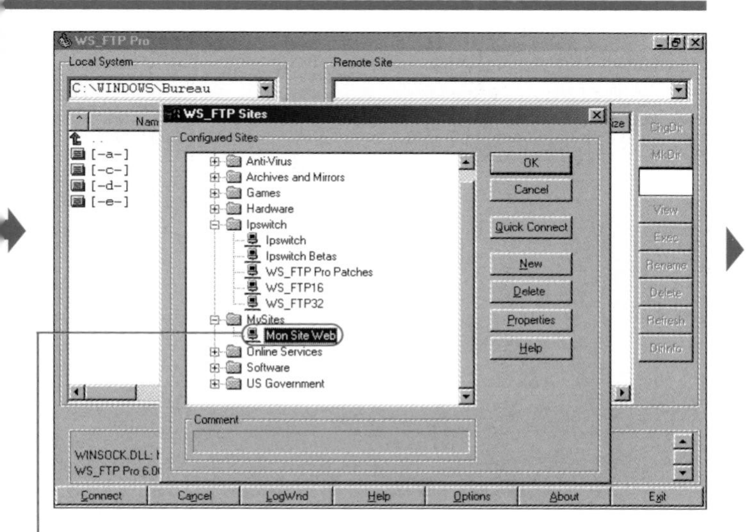

■ Le programme stocke les informations fournies pour la connexion et affiche le nom de cette dernière dans cette zone.

TRANSFÉRER SES PAGES VERS UN SERVEUR WEB

TRANSFÉRER SES PAGES VERS UN SERVEUR WEB (SUITE)

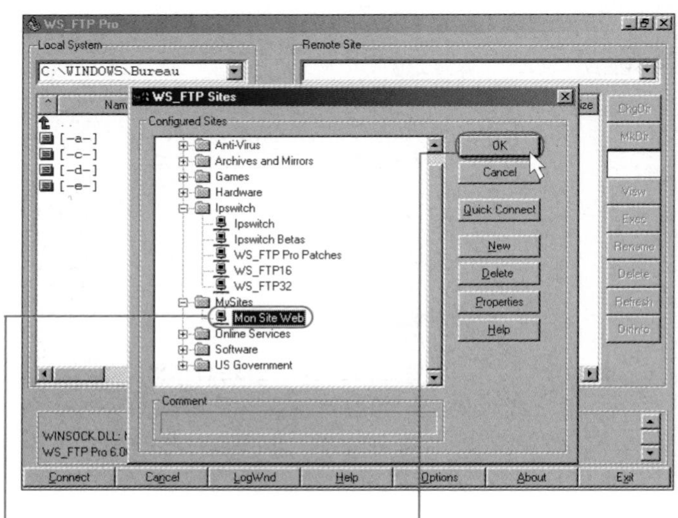

SE CONNECTER AU SERVEUR WEB

1 Cliquez la connexion au serveur Web vers lequel vous désirez transférer vos pages.

2 Cliquez **OK**, afin de vous connecter au serveur Web.

Au bout d'un certain temps d'inactivité, votre serveur Web vous déconnecte automatiquement. Il garantit ainsi la mise à disposition de ses ressources pour d'autres personnes qui devraient y accéder.

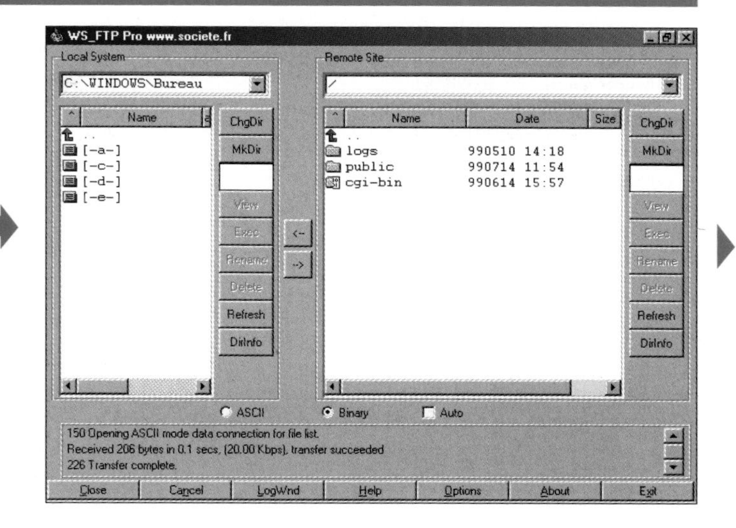

■ Vous êtes désormais connecté au serveur Web.

TRANSFÉRER SES PAGES VERS UN SERVEUR WEB

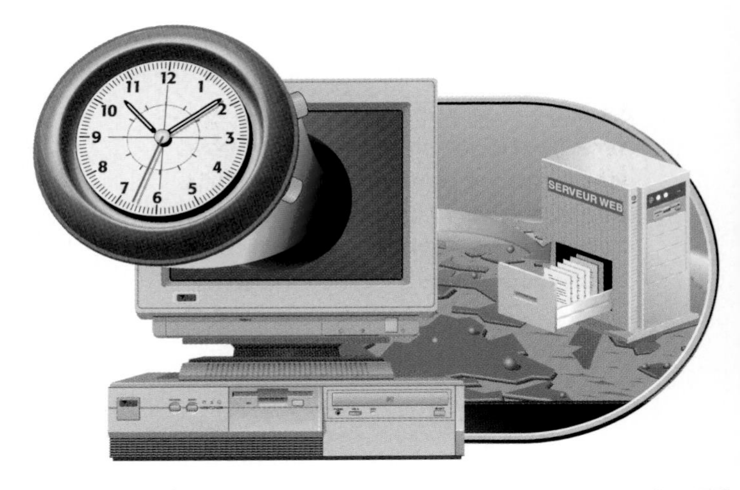

TRANSFÉRER SES PAGES VERS UN SERVEUR WEB (SUITE)

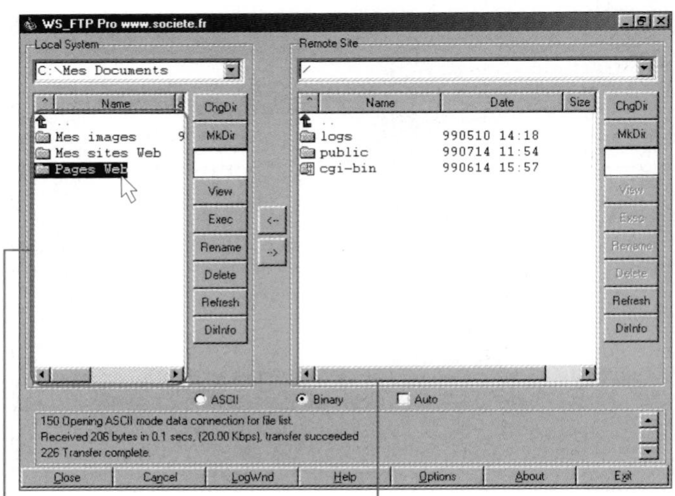

■ Cette zone répertorie les dossiers et fichiers stockés sur votre ordinateur.

3 Localisez le répertoire qui renferme les pages à transférer vers le serveur Web.

Note. Vous pouvez double-cliquer ⮉, *afin de remonter d'un niveau dans l'arborescence des dossiers.*

4 Double-cliquez le répertoire, en vue d'afficher son contenu.

La durée du transfert de vos pages vers le serveur Web dépend de la vitesse de la connexion, de la taille des fichiers contenant vos pages et du degré de sollicitation du serveur.

La plupart des pages Web sont chargées en quelques secondes.

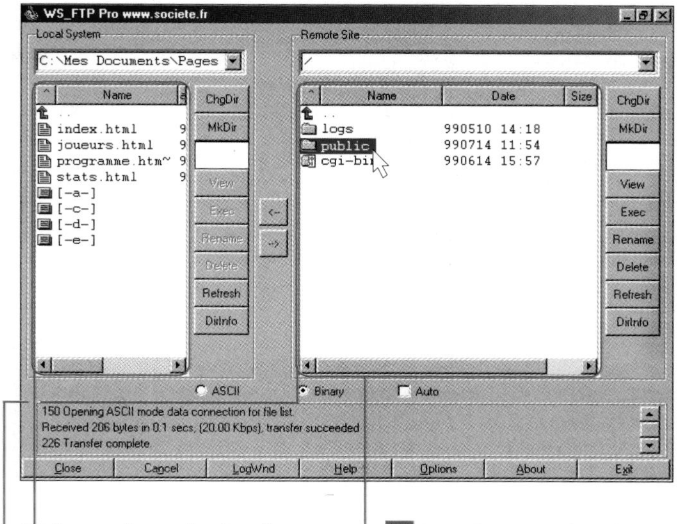

■ Le contenu du dossier apparaît.

■ Cette zone répertorie les dossiers et fichiers stockés sur le serveur Web.

5 Localisez le répertoire vers lequel vous désirez transférer vos pages Web. Il porte souvent le nom **public**.

6 Double-cliquez le dossier, en vue d'afficher son contenu.

TRANSFÉRER SES PAGES VERS UN SERVEUR WEB

TRANSFÉRER SES PAGES VERS UN SERVEUR WEB (SUITE)

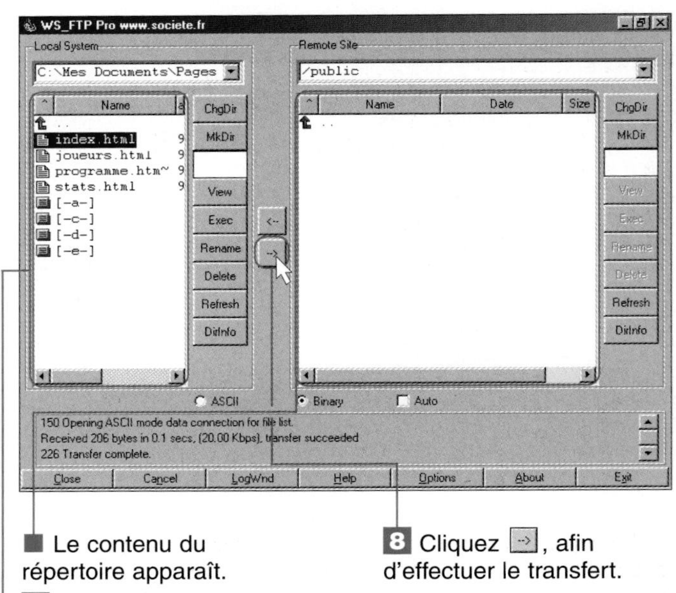

■ Le contenu du répertoire apparaît.

7 Cliquez le fichier ou le dossier de votre ordinateur à transférer vers le serveur Web.

8 Cliquez [-->], afin d'effectuer le transfert.

Si vous modifiez les pages Web sur votre ordinateur, vous devez ensuite transférer les pages mises à jour vers le serveur Web, afin de les substituer aux anciennes.

Lors du transfert des pages Web actualisées, un message d'avertissement signalant le remplacement des anciennes pages par les nouvelles apparaît parfois.

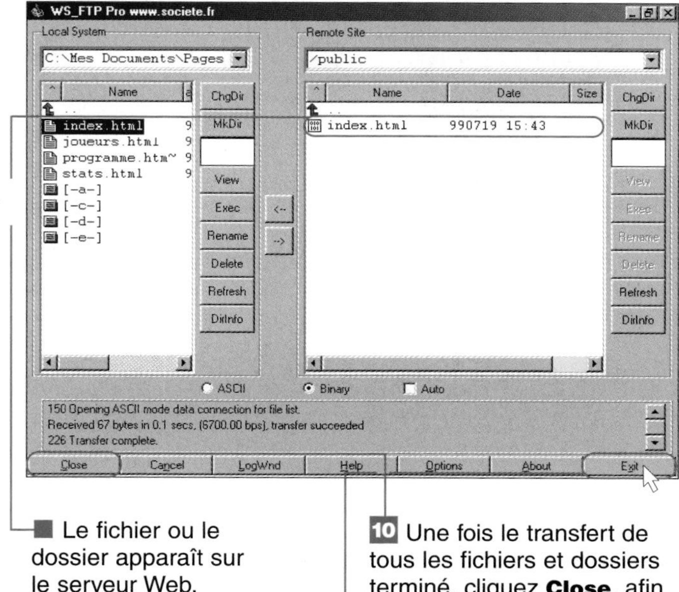

■ Le fichier ou le dossier apparaît sur le serveur Web.

9 Répétez les étapes **7** et **8** pour chaque fichier et répertoire à transférer.

10 Une fois le transfert de tous les fichiers et dossiers terminé, cliquez **Close**, afin de couper la connexion au serveur Web.

11 Cliquez **Exit** pour quitter le programme.

404 Not found

Le message d'erreur 404 Not found apparaît quand le navigateur ne peut afficher une page Web que vous essayez de consulter. La page Web peut avoir été déplacée à une autre adresse URL ou son nom de page a peut-être été modifié.

À bande large

Le terme bande large fait référence à la transmission à haut débit de différents types de données, comme la vidéo et l'audio.

Adresse IP

Un numéro unique, appelé adresse IP *(Internet Protocol)*, est attribué à chaque ordinateur connecté à l'Internet. Une adresse IP est constituée de quatre séries de nombres, séparées par des points, par exemple 254.234.123.65.

Bcc

Ce sigle anglais *(Blind Copy Carbon)*, copie carbone aveugle, fait référence à une copie exacte d'un message électronique. Vous pouvez envoyer une Bcc à une personne sans que les autres destinataires sachent que cette personne a reçu le message.

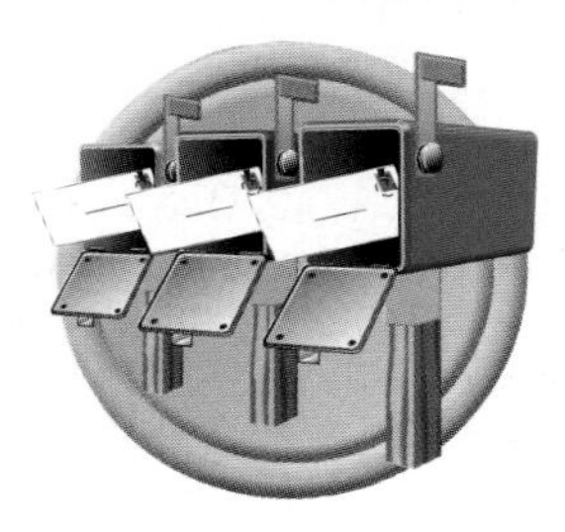

Cc

Une Cc, ou copie carbone, est une copie exacte d'un message électronique. Vous pouvez envoyer une copie carbone à une personne qui n'est pas directement concernée, mais qui pourrait être intéressée par le message.

Codage

Le codage est un procédé de brouillage d'informations pour empêcher que des personnes non autorisées accèdent à ces informations. Le codage est principalement utilisé pour transférer des informations confidentielles sur l'Internet ou sur un autre réseau.

Code source

Le code source d'une page Web est le code utilisé pour créer cette page. Lire le code source d'une page Web est un excellent moyen pour savoir comment cette page a été conçue.

Cracker

Un cracker est une personne qui s'introduit dans des ordinateurs et dans des réseaux avec l'intention d'y causer des dégâts, par exemple pour supprimer des fichiers.

E-commerce

Le e-commerce, ou commerce électronique, fait référence au commerce en ligne sur l'Internet. Par exemple, quand vous achetez, ou vendez, un produit ou un service en ligne, vous participez au e-commerce, également appelé e-business.

Flash

Flash est un logiciel qui permet la création d'effets d'animation et de fonctionnalités interactives dans des pages Web.

Hacker

Un hacker est une personne passionnée par la programmation informatique. Ce terme est souvent employé de manière incorrecte dans les médias à la place de « cracker ».

Image GIF

Les images GIF *(Graphics Interchange Format)* sont généralement utilisées pour réaliser des logos, des bannières et des graphiques créés sur ordinateur pour des pages Web. Une image GIF peut contenir 256 couleurs au maximum. Les fichiers d'images GIF ont une extension .gif, par exemple : bannière.gif.

Image JPEG

Les images JPEG *(Joint Photographic Experts Group)* sont des photographies et des images de grande taille. Une image JPEG peut contenir jusqu'à 16,7 millions de couleurs tout en gardant une taille de fichier réduite. Les images JPEG peuvent donc être transférées rapidement sur l'Internet. Les fichiers d'images JPEG ont une extension .jpg, par exemple photo.jpg.

MIME

Le format MIME *(Multi-purpose Internet Mail Extension)* permet de joindre des programmes, des images et des sons à vos messages électroniques et à vos articles dans des forums de discussion. La plupart des programmes de courrier électronique et de groupes de discussion permettent d'envoyer et de recevoir des fichiers joints de type MIME.

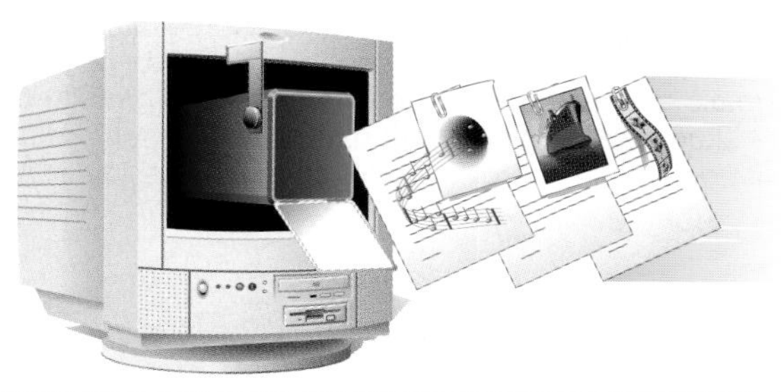

Serveur proxy

Certains réseaux utilisent un serveur proxy par lequel les ordinateurs connectés au réseau doivent passer pour accéder à l'Internet. Les serveurs proxy servent à filtrer les informations sortantes. Par exemple, un réseau d'entreprise peut utiliser un serveur proxy pour contrôler les sites Web auxquels les employés de l'entreprise peuvent accéder.

Shockwave

Shockwave est un type de plug-in que vous pouvez installer sur votre ordinateur afin que votre navigateur Web puisse afficher les animations interactives contenues dans certaines pages Web.

Site FTP

Un site FTP *(File Transfert Protocol)* est un site Internet qui stocke une collection de fichiers que les internautes peuvent télécharger, ou copier, sur leur ordinateur.

Sites miroirs

Certains sites Web très fréquentés ont des sites miroirs. Un site miroir stocke exactement les mêmes informations que le site original, mais est généralement moins fréquenté. Un site miroir peut être situé géographiquement plus près de votre ordinateur que le site original : la connexion est donc plus rapide et plus fiable.

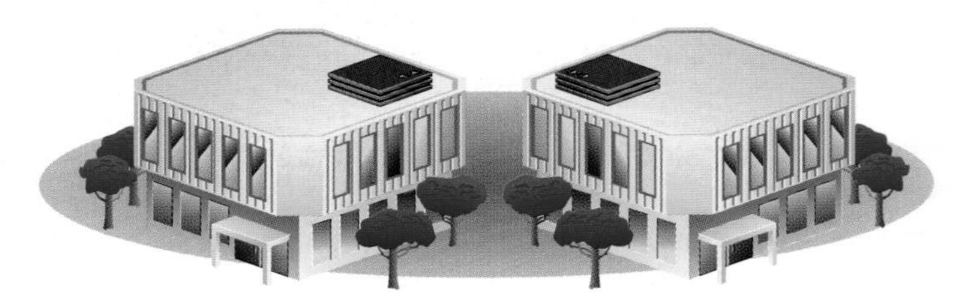

W3C

Le W3C *(World Wide Web Consortium)* est constitué de centaines d'organisations qui œuvrent pour le développement du World Wide Web. Le W3C définit les standards pour les différentes technologies liées au Web, par exemple le langage HTML.

Webcast

Le terme Webcast fait référence à la diffusion de sons ou de vidéos en direct sur le Web. La retransmission d'une conférence de presse en direct et les images vidéo d'une caméra de surveillance routière sont des exemples de Webcast.

Webmestre

Un Webmestre est une personne qui est responsable de la maintenance d'un site Web. Un Webmestre est parfois appelé administrateur Web, administrateur de site ou éditeur de contenu.

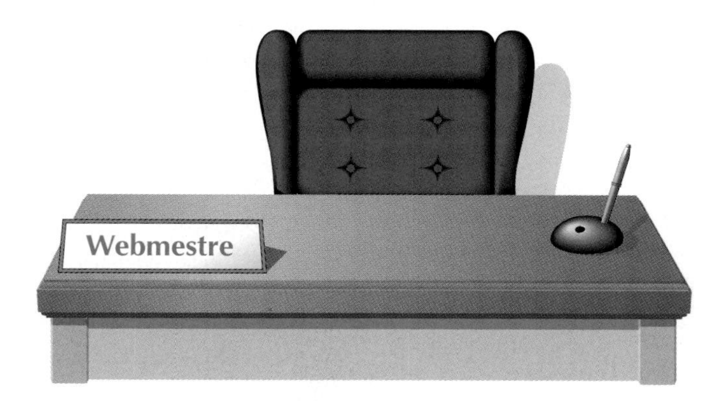

A

acheter en ligne, 11, 132-139, 172-173
- enchères, 133
- livraisons, 135
- panier d'achat, 137
- procédures, 138-139
- sites sécurisés, 134

actualités et presse, sites spécialisés, 164-165
adresse, saisir, 70-71
adresses de messagerie, 178-181
affaires et finances, sites spécialisés, 158-159
ADSL, 36
aligner une image (HTML), 384-385
antivirus, 220-221
ARPANET, 4-5
Assistant Nouvelle connexion, 46-49

B

balises HTML, 346-349
bordure, appliquer (HTML), 380-381

C

canular, 223
carnet d'adresses de courrier électronique
- ajouter un nom, 212-215
- effacer un nom, 215

carte bancaire, 136
carte vidéo, 24
CERN, 7
chat, 251
code HTML, consulter, 336-337
composer un message électronique, 188-191
connexion
- à haut débit, 34-37
- arrêter, 56-57
- Assistant Nouvelle connexion, 46-49
- coût, 15
- fournisseur d'accès Internet, 50-53
- partager, 294
- serveur Web, 410-421
- temps de connexion, 54-55

conversation, 11, 250-281
- IRC, 254-257
- messagerie instantanée, 260-261
- mode texte, 250
- multimédia, 251
- sur le Web, 258-259
- Windows Messenger, 262-281. *Voir aussi* Windows Messenger

cookie, 152
couleur
- d'arrière-plan (HTML), 372
- du texte (HTML), 368-371

courrier électronique, 8, 176-223
- canular, 223
- carnet d'adresses, 212-214
- logiciels de messagerie, 176
- spam, 222
- virus, 216-221

création de pages Web, 326-421
- afficher une page Web, 350-353
- appliquer une bordure, 380-381
- balises indispensables, 346-349
- barrer un texte, 362-363
- changer la police, 364-367
- consulter le code HTML, 336-337

couleur d'arrière-plan, changer, 372-373
couleur du texte, changer, 368-371
créer un lien, 392-404
enregistrer une page, 342-345
espace autour d'une image, ménager, 388-389
étapes, 326-329
habiller une image avec du texte, 386-387
hébergeur, 408-409
image en arrière-plan, ajouter, 390-391
insérer une image, 374-391
ligne, 356-357
mettre un texte en gras, 362
mettre un texte en italique, 362-363
paragraphe, 354-355
positionner une image, 384-385
programmes de création, 338-341
publier une page Web, 408-421
souligner un texte, 362-363
tableau, créer, 404-407
titre, 358-361
transférer une page vers un serveur Web, 410-421

D

déconnexion, 56-57
discussion
fil de ~, 232
groupe de ~, 10, 232-245
domestique, réseau, 294-309

E

échange de fichiers, 146-149
coût, 148
logiciels, 146
sécurité, 149
éditeur de texte, 338
éditeur HTML, 340
visuel, 341
enfants, 154-155
envoyer un message électronique, 188

F

FAI. *Voir* fournisseur d'accès Internet
FAQ (Foire aux questions), 244
favoris, 86-87
fichier
envoyer avec Windows Messenger, 274-277
joindre à un message, 206-209
joint, ouvrir, 210-211
recevoir avec Windows Messenger, 278-281
finances, sites spécialisés, 158-159
flamme, 245
forums, 246-249
fournisseur d'accès Internet, 38-45
connexion, 50-53
gratuit, 44-45
hébergement de sites Web, 408
Free Agent, lecteur de news, 236-237
FTP, 282-287

G

Google, 110-111
groupes de discussion, 10, 232-245
  catégories, 234
  étiquette, 244-245
  fil de discussion, 232
  lecteur de news, 236-237
  messages, 242-243
  modérés, 240
  s'abonner, 240-241

H

hébergeurs de sites Web, 408-409
  gratuit, 409
  spécialisé, 408
historique, 90-93
hoax, 223
HTML, 326-421. *Voir aussi* création de pages Web
  consulter le code, 336-337

I

image, ajouter dans une page Web, 376-377
imagerie, sites spécialisés, 168-169
informatique, sites spécialisés, 162-163
Internet
  coût, 14-15
  historique, 4-7
  matériel, 16-33
  présentation, 2-15
Internet Explorer, 64-65
intranet, 310-325
  logiciel, 312, 318-321
  sécurité, 322-325
  serveur, 311
  site Web, 314-317
  suite intranet, 319-321
IRC (Internet Relay Chat), 254-257
  canaux, 256
  logiciels, 256
  pseudonyme, 255
Ircle, 257

J

jeux en réseau, 140-145, 295
joindre un fichier à un message, 206-209
joint, fichier, ouvrir, 210-211

L

lecteur de news, 236-237
lien hypertexte, 60, 74-75
  créer, 392-404
  vers une image, créer, 398-401
  vers une messagerie électronique, 402-403
  vers une page, créer, 392-397
ligne, créer, 356-357
lire un message électronique, 184-187
listes de diffusion, 224-227
  automatiques, 227
  coût, 225
  manuelles, 226
loisirs, sites spécialisés, 160-161

M

message électronique
  ajouter de la couleur, 202-203
  envoyer, 188-189
  joindre un fichier, 206-207
  lire, 184-187

mettre du texte en gras, 200-201
mettre du texte en italique, 200-201
mettre en forme, 194-203
modifier la police, 196-197
modifier la taille des caractères, 198-199
ouvrir un fichier joint, 210-211
parties, 182-183
recevoir, 187
répondre, 192-195
souligner du texte, 200-201
transférer, 204-205
virus, 216-221
messagerie instantanée, 260-281
mettre en forme un message, 194-203
mIRC, 257
modem, 28-33
modem câble, 37
vitesse, 32-33
moniteur, 24-27
moteur de recherche, 99
Google, 110-111
Voila, 108-109
Yahoo!, 106-107
multimédia, 122-131
multijoueurs, jeux, 140-145, 295
musique, sites spécialisés, 170-171

N

navigateur Web, 62-69
afficher une page Web, 350-353
boutons de navigation, 63
historique, 90-93
Internet Explorer, 64-65
messages d'erreur, 94-97
Netscape Navigator, 66-67
page de démarrage, 62
plug-in, 130-131
naviguer, 68-97
messages d'erreur, 94-97
Netscape, 66-67

O

ordinateur, 18-21
Outlook Express, 177, 185

P

page d'accueil. *Voir* page de démarrage
page de démarrage, 62
afficher, 82
changer, 83-85
page Web, 59
actualiser, 80-81
afficher, 72-75, 350-353
créer, 326-421
enregistrer, 342-345
favorite, 86-89
interrompre le téléchargement, 76-77
lien vers ~, créer, 392-397
publier, 287, 410-421
se déplacer d'une page à l'autre, 78-79
sécurisée, 150-151
panier d'achat, 137
paragraphe, créer, 354-355
pare-feu, 152
intranet, 322
photographie, sites spécialisés, 168-169
plug-in, 130-131
police, changer (HTML), 364-367

programmes
- de création de pages Web, 338-341
- *freeware*, 120
- *shareware*, 121
- télécharger, 118-121

protection du public, 154-155
public, protéger, 154-155
publier une page Web, 410-421

R

recherche sur le Web, 98-113
- moteur de recherche, 106-111
- programme de recherche, 112-113
- sites spécialisés, 156-157

réseaux, 288-309
- client-serveur, 292-293
- domestique, 294-309
- installer, 298-309
- LAN, 288
- matériel, 296-297
- partager des données, 294
- poste à poste, 290-291
- WAN, 289

résolution, 26-27
restreindre les accès, 154-155
- intranet, 323

RNIS, 36
routeur, 13

S

sécurité, 150-153
- cookie, 152
- échange de fichiers, 149
- intranet, 322-325
- page Web sécurisée, 150-151

serveur Web, 57, 410-421
serveur de news, 238-239
serveur intranet, 311
site Web, 59, 156-175
- achats, 172-173
- actualités et presse, 164-165
- affaires et finances, 158-159
- imagerie, 168-169
- informatique, 162-163
- intranet, 314-317
- loisirs, 160-161
- musique, 170-171
- outils de recherche, 156-157
- photographie, 168-169
- vie pratique, 174-175
- voyages, 166-167

souris, 22-23
son, fichiers, 124-125
spam, 222
suite intranet, 319-321

T

tableau, créer (HTML), 404-407
télécharger, 13, 114-121
- avec FTP, 286
- images, 114
- pages Web, 115
- programmes, 118-121

temps de connexion, consulter, 54-55
titre, ajouter (page Web), 358-361
traitement de texte, 338
transférer un message, 204-205
transférer une page vers un serveur Web, 410-421
transfert des informations, 12-13

U

URL, 60

V

vidéo, 126-127
vie pratique, sites spécialisés, 174-175
virus, 216-221
  antivirus, 220-221
  intranet, 324
Voila, 108-109
voyages, sites spécialisés, 166-167

W

Windows Messenger, 262-281
  ajouter un contact, 266-269
  démarrer, 262-265
  échanger des messages, 270-273
  envoyer un fichier, 274-277
  recevoir un fichier, 278-281
  supprimer un contact, 269
Windows XP, 263
World Wide Web, 7, 58-175
  multimédia, 122-131

Y

Yahoo!, 106-107

Imprimé en France par I.M.E. 25110 Baume-les-Dames